MARIE-PAUL ARMAND

Marie-Paul Armand habite une petite ville du Nord. Auteur incontournable de ce département, sa renommée s'étend aussi à la France entière. Après des études universitaires à la faculté de Lille, elle fut enseignante en mathématiques à l'école publique pendant dix ans avant de s'engager dans la voie de l'écriture. Son premier roman, *La poussière des corons* (prix Claude-Farrère), écrit à la mémoire de son grand-père, mineur, paraît en 1985. De livre en livre, son succès se confirme (avec, entre autres, *Le vent de la haine*, 1987 ; *Le pain rouge*, 1989 ; *Nouvelles du Nord*, 1998 ; *L'enfance perdue* , 1999 et *Un bouquet de dentelle*, 2001). Son dernier roman, *Le cri du héron*, est paru en 2004 aux Presses de la Cité.

DU MÊME AUTEUR
CHEZ POCKET

LA COURÉE*
LOUISE (LA COURÉE**)
BENOÎT (LA COURÉE***)
LA CENSE AUX ALOUETTES
LA POUSSIÈRE DES CORONS
L'ENFANCE PERDUE
LE PAIN ROUGE
UN BOUQUET DE DENTELLE
LE VENT DE LA HAINE

MARIE-PAUL ARMAND

LA MAÎTRESSE D'ÉCOLE

PRESSES DE LA CITÉ

ISBN 2-266-07023-1

PREMIÈRE PARTIE

CÉLINE

(1918-1938)

1

Le jour de ma naissance — le 11 novembre 1918 — apporta à mes parents une double joie. Je naquis le soir, alors que la nouvelle de l'armistice était déjà connue et que notre village en liesse fêtait la paix revenue, soulagé de savoir que la guerre meurtrière qui, depuis quatre ans, tuait nos jeunes gens les uns après les autres était enfin terminée. Mon arrivée fut, pour ma famille, le second bonheur de la journée. Je poussai mon premier cri tandis que les cloches de l'église carillonnaient et que des pétards éclataient dans les rues.

— Cette enfant est bénie, déclara la sage-femme. Elle arrive en même temps que la paix.

Comme pour approuver cette affirmation, je fus un bébé placide, puis une enfant peu remuante. Dès que je sus marcher, je m'efforçai de suivre mon frère Aurélien partout où il allait. Plus âgé que moi de quatre ans, il me paraissait intrépide, et j'éprouvais pour lui une profonde admiration. Il me montrait la mer, que nous voyions depuis notre petite maison de pêcheur, et il me disait :

— Regarde, Céline. Tu vois les bateaux ? Moi, j'en aurai un, plus tard. Je serai marin, comme papa.

Notre père était marin-pêcheur et, avec son frère César, il avait acheté un bateau à voile. Il pratiquait la « petite pêche », et le poisson qu'il rapportait était vendu à des mareyeurs. Une partie était réservée à ma mère qui, son panier sur le dos, faisait du porte à porte. Avec fierté, elle mettait de côté l'argent qu'elle gagnait ainsi. Nous n'étions pas riches, et il fallait économiser sou à sou.

J'ai grandi au milieu des pêcheurs, bercée par le bruit de la mer, par le cri des mouettes. Toute petite encore, je suivais mon frère sur la plage, je courais derrière lui sur le sable humide jusqu'à la mer. Là, je m'arrêtais. J'avais peur des énormes vagues qui rugissaient, qui grondaient, qui s'étalaient avec fracas et qui rampaient ensuite vers moi, menaçantes, en léchant le sable avec un affreux bruit de succion. Je reculais avec crainte. Mon frère se moquait de moi ; les pieds dans l'eau, il m'appelait :

— Allons, viens, Céline !

J'essayais de le rejoindre, mais ma peur était la plus forte. Je finissais par m'enfuir, et je courais vers le port, vers les maisons, vers le calme et la sécurité.

Un jour, mon père s'aperçut de la frayeur que me causait la mer. J'avais alors trois ou quatre ans. C'était l'été, nous étions sur la plage, et je refusais de suivre mon frère et d'autres camarades de jeux dans l'eau. Mon père se mit en colère :

— Une fille de marin, avoir peur de l'eau ! Attends, ma fille, je vais te guérir, moi !

Il m'attrapa à bras-le-corps, entra dans les vagues. Je m'accrochai à lui, affolée. Autour de nous, les vagues se soulevaient, s'écrasaient avec un vacarme assourdissant, couvrant mes cris de frayeur. Lorsqu'il eut de l'eau jusqu'aux genoux, d'un élan mon père me jeta dans la mer. L'eau glacée m'enveloppa, entra dans ma bouche, dans mes yeux, dans mes poumons. Je suffoquai. Mon père me repêcha et me ramena, trempée, hoquetant et toussant, à ma mère, à qui il dit avec mépris :

— Occupe-toi de ta poule mouillée !

Mon oncle César lui-même protesta :

— Ta méthode est un peu brutale, Constantin. Que t'importe si elle n'aime pas la mer ? Elle n'est qu'une fille, tu n'as pas besoin d'en faire un marin !

A partir de ce jour, à ma crainte de la mer se mêla une sorte de détestation. Je fus bien contente de « n'être qu'une fille » et de n'avoir pas à être marin, plus tard. Mais je m'efforçai de ne pas montrer ces sentiments, car le mépris de mon père m'avait humiliée. La brutalité de sa méthode avait au moins eu le mérite de me faire connaître le contact de l'eau, et j'osai, par la suite, suivre mon frère jusque dans les vagues, tout en serrant les dents pour tenter de dominer ma peur.

Houleuse les jours de grand vent, limpide et bleue sous le ciel d'été, scintillante et dorée au soleil couchant, la mer tenait dans notre vie la première place. D'elle dépendait notre subsistance. Mon père l'aimait, la vénérait, craignait ses fureurs parfois cruelles. Il nous racontait qu'elle lui avait pris son propre père, et qu'à cinq ans il était déjà orphelin. Et pourtant, dès qu'il l'avait pu, il n'avait pas hésité à exercer le même métier, malgré le danger et les risques.

— Je suis devenu mousse à treize ans, disait-il. J'étais plutôt petit pour mon âge, et maigre. Sur le pont du soleil levant au soleil couchant, je n'arrêtais pas. C'était très dur. Au début, j'étais parfois maladroit. Un matin, en portant le café au patron, un coup de roulis m'a déséquilibré. La cafetière m'a échappé, et le liquide brûlant s'est répandu sur le patron. Furieux, il m'a lancé un coup de pied, et comme je venais de tomber je l'ai reçu en plein dans l'œil. Lorsque nous sommes rentrés au port, à la fin de la semaine, j'avais le visage tellement gonflé que ma mère a pris peur. Depuis ce temps-là, avec mon œil gauche, je vois trouble. Et il m'est resté cette marque.

Il montrait une cicatrice, qui courait de sa paupière à sa tempe. Mon frère écoutait, les yeux emplis d'une admiration que je ne partageais pas. Il réclamait d'autres récits, et notre père racontait ce qu'il appelait « la grande pêche », lorsqu'il partait pour plusieurs mois à Terre-Neuve pour pêcher la morue. Il parlait du froid, de la neige, de la bise glaciale sous laquelle les marins devaient travailler, parfois jusqu'à dix-huit heures d'affilée, des tempêtes auxquelles il fallait faire face.

— Il y avait des bateaux — et des équipages — qui ne revenaient pas. Je me souviens d'un ouragan qui a duré cinq jours et cinq nuits. Notre bateau était endommagé, deux hommes avaient été balayés par une lame et noyés. Cette fois-là, j'ai bien cru qu'on ne s'en sortirait pas. Quand nous sommes revenus ici et que j'ai retrouvé Clémence, elle m'a dit : « J'attends un petit. » Alors j'ai décidé de ne plus repartir, de passer l'examen pour devenir patron de pêche. Et finalement, je ne l'ai pas regretté.

Mon oncle César approuvait :

— La mer, quand elle nous tient, elle ne nous lâche jamais. On ne peut pas se passer d'elle.

Moi, je ne disais rien. Je ne comprenais pas comment on pouvait aimer un métier aussi dur, qui depuis toujours multipliait les veuves et les orphelins. Continuer à l'exercer représentait pour moi, que la mer n'attirait pas, un incompréhensible entêtement.

* * *

Je me découvrais d'autres différences, qui étaient mal accueillies et qui agaçaient mes parents. Par exemple, je n'aimais pas le poisson. Outre le pot-au-feu du dimanche, toute la semaine nous mangions du poisson. J'en détestais le goût, l'odeur, mais je n'osais rien dire et tentais de surmonter ma répulsion. Les arêtes étaient un autre inconvénient. Il y en avait toujours une qui s'enfonçait dans mes gencives ou qui se coinçait dans ma gorge. En essayant de m'en débarrasser, je finissais par attirer l'attention de mes parents.

— Encore une arête ? disait mon père, mécontent. Ce n'est pas possible ! Fais-tu exprès de les collectionner ?

Il y avait aussi les petits travaux que ma mère m'obligeait à faire pour l'aider. Beaucoup me rebutaient, principalement le tricot. Mon père portait beaucoup de vêtements en laine, chemises, caleçons, chaussettes, chandails, et ma mère, le soir, à la veillée, ou dès qu'elle avait un moment libre, tricotait. Elle me demandait parfois de tenir la laine en écheveaux, dont elle entourait mes mains écartées. C'était profondément ennuyeux. Si je donnais quelques signes d'impatience, je me faisais gronder.

Une fois, ma mère voulut me faire tricoter. Cela me

parut si fastidieux que je refusai de m'appliquer et d'apprendre. Ma mère me morigéna :

— Tu as intérêt à faire des progrès, ma pauvre fille. Plus tard, il faudra bien que tu tricotes pour ton mari et tes fils. Une femme de marin doit savoir tricoter, c'est une nécessité.

Je n'aimais pas non plus nettoyer les filets de pêche, tâche que nous confiait souvent mon père. Les algues qui s'enchevêtraient dans les mailles étaient quelquefois bien difficiles à enlever. Ce travail m'ennuyait aussi, mais je n'osais pas l'avouer. Je me forçais à imiter mon frère qui, sourcils froncés, se concentrait sur sa tâche avec une ardeur qu'il m'était impossible de partager.

J'étais d'une sensibilité exagérée. Tante Gervaise, la femme de mon oncle César, était « sautrière », c'est-à-dire qu'elle pêchait, à l'aide d'un grand filet à mailles fines, des « sauterelles », petites crevettes grises qu'elle vendait ensuite. Mais, avant de les vendre, il fallait les faire cuire. Tante Gervaise les étalait vivantes sur la table, afin de les nettoyer, puis elle les jetait, encore toutes remuantes, dans l'eau bouillante. Lorsque j'assistais à cette opération, je fermais les yeux pour ne pas voir les pauvres crevettes ainsi ébouillantées. Une fois, j'osai protester :

— Mais... ça leur fait mal, aux sauterelles ?

D'abord surprise, tante Gervaise se moqua de moi :

— Que vas-tu chercher là, ma pauvre Céline ! Elles meurent tout de suite, elles n'ont pas le temps de sentir quoi que ce soit.

Mais je ne fus pas convaincue. Il me semblait bien, à moi, qu'avant de mourir elles se débattaient pour tenter d'échapper à la douleur. Et je continuais à plaindre les pauvres crevettes qui, si peu de temps auparavant, vivaient encore libres et heureuses dans la mer.

Parfois, je confiais ces pensées à ma cousine Marinette. Elle me regardait avec des yeux ronds, incapable de me comprendre. Elle me disait, comme sa mère :

— Où vas-tu chercher des idées pareilles ? C'est comme ça, c'est tout. Les sauterelles, il faut bien les faire cuire si on veut les vendre et gagner un peu d'argent.

Alors je ne disais plus rien. Je gardais pour moi ces

pensées que l'on trouvait bizarres et j'éprouvais la désagréable sensation d'être différente des autres, d'être incomprise, et finalement d'être bizarre moi aussi.

* * *

Une personne, pourtant, me comprenait et me soutenait. C'était ma tante Marceline, la sœur de ma mère. Son mari avait été tué dès les premiers mois de la guerre et, demeurée veuve, elle avait repris, après l'armistice, la brasserie dont il était propriétaire. Assistée d'un contremaître et de plusieurs ouvriers, elle dirigeait sa petite entreprise avec courage et compétence. Dans le village du Pas-de-Calais où elle habitait, cette situation lui valait l'admiration des gens, mais aussi de nombreuses critiques. Mon père lui-même, lorsqu'il parlait d'elle, disait à ma mère :

— Elle a toujours été spéciale, ta sœur. Déjà, elle s'est mariée en dehors de notre milieu. Et maintenant, elle veut diriger une brasserie. C'est un travail d'homme, et non de femme !

Ma mère défendait sa sœur, qu'elle aimait tendrement. Elle disait qu'elle l'admirait, parce qu'il fallait du courage pour faire ce qu'elle avait entrepris. Moi, j'adorais ma tante Marceline. Elle ne venait pas souvent nous voir, mais lorsqu'elle arrivait sa présence ressemblait à une fête. J'étais sa filleule, et comme elle n'avait pas d'enfant, elle me considérait un peu comme sa fille. Elle me tendait les bras et je me jetais contre elle avec passion. Elle sentait bon, elle était parfumée, élégante, vêtue de robes au tissu souple et fin qui contrastaient avec nos grossiers vêtements de toile ou de laine.

— Alors, ma petite Céline, comment vas-tu ? Sais-tu que tu me ressembles ? Nous avons presque le même prénom, et tu as mes yeux. Tu pourrais être ma fille. Dis-moi : es-tu heureuse de me ressembler ?

J'approuvais d'un signe de tête énergique. J'aimais retrouver chez ma tante des similitudes qui n'étaient pas seulement physiques. Nos goûts étaient semblables, aussi. Ma tante, pas plus que moi, n'aimait le poisson.

Un jour, au cours d'un repas que nous prenions tous ensemble, je m'étranglai avec une arête, ce qui eut le don de provoquer chez mon père une explosion de colère. Ma tante prit ma défense :

— Ne criez pas sur cette enfant, Constantin. Elle ne le fait pas exprès. Et puis, si elle n'aime pas le poisson, c'est son droit. Je suis dans le même cas. Des goûts et des couleurs, ça ne se discute pas.

Forte de cet adage populaire, elle soutint fermement le regard de mon père, qui se tut et baissa les yeux. Sans vouloir l'avouer, malgré ses critiques il respectait cette belle-sœur qui exerçait un travail d'homme et parvenait à se débrouiller fort bien. A partir de ce jour-là, jamais plus il n'y eut de poisson au menu lorsque ma tante vint nous voir. Et c'était une raison de plus pour me réjouir de sa visite.

Après le repas, elle me prenait par la main, et nous allions jusqu'à la plage. A elle, j'osais avouer que je n'aimais pas l'eau, que je craignais les vagues et leur contact glacé. Elle ne se moquait pas de moi, elle ne me grondait pas. Elle me disait qu'elle était exactement pareille, et cette autre similitude nous rapprochait. Je rêvais de lui ressembler plus tard, d'être comme elle, digne, élégante, de vivre sans m'occuper des critiques, et de mener une existence indépendante et agréable.

Lorsqu'elle repartait, je m'efforçais de retenir mes larmes. A ces moments-là, j'aurais voulu m'en aller avec elle. Et un regret, confus et inavouable, s'agitait au fond de mon esprit, me soufflant que si elle était ma mère je n'aurais pas à la quitter.

* * *

Toute petite, j'avais déjà donné mon cœur d'enfant. Il s'appelait Pierre-Jean, il était le meilleur ami de mon frère. Tout le monde le surnommait Pierrot. Après ma tante Marceline, il était le seul à ne pas rire de moi lorsque, sur la plage, tandis que nous jouions avec d'autres enfants de pêcheurs, je répugnais à les suivre dans l'eau. Il obligeait les autres à cesser leurs sarcasmes, les empêchait de me traiter de « poule mouillée ». Il me prenait sous sa protection et je m'accrochais à lui avec reconnaissance.

Plus âgé que moi de quatre ans, il avait été témoin de mes premières chutes, et c'était lui qui, bien souvent, avait séché mes pleurs. Lorsque je fus capable de courir, je les suivis, mon frère et lui, voulant partager leurs jeux. Mon frère, par taquinerie, accélérait son allure et riait de me voir m'essouffler. Lorsque je m'arrêtais, au bord des larmes, Pierrot faisait demi-tour et venait vers moi.

— Viens, Céline, me disait-il. Nous allons courir moins vite.

Il me tendait une main, dans laquelle je mettais la mienne avec confiance. Avec lui, je serais allée au bout du monde. Il était mon héros, mon chevalier, mon défenseur.

L'année de ses dix ans, il me confia un jour, comme un secret :

— Plus tard, je voudrais me marier avec toi.

Du haut de mes six ans, j'acquiesçai gravement. Vivre toute ma vie avec Pierrot était ce que je souhaitais moi aussi. J'enfouis cette promesse au fond de mon cœur et ne l'oubliai jamais.

2

L'année de mes six ans, l'école changea ma vie. Elle m'apporta des découvertes qui furent pour moi un éblouissement. Je sus très vite lire et écrire, et je formais avec délices les lettres sur mon cahier. Je récoltais d'excellentes notes, et Mme Fournier, notre maîtresse, me disait souvent :

— Si tous mes élèves étaient comme toi, Céline, ma tâche serait facile.

Ces mots me rendaient fière, et je m'appliquais davantage pour être certaine de les mériter. Mme Fournier était, après ma tante Marceline, la femme que j'admirais le plus. Mince, jeune, — trente ans environ — vêtue avec une sobriété qui n'excluait pas une élégance discrète, elle évoluait dans la classe avec une aisance que j'enviais. Elle récompensait les bons élèves, mais savait aussi se montrer sévère et punir les cancres.

Ma cousine Marinette faisait partie de ceux-là. Bien qu'elle fût mon aînée de deux ans, elle avait pris tellement de retard qu'elle se retrouvait dans la même classe que moi. De plus, elle souffrait d'un handicap qui la gênait beaucoup : elle était gauchère, et Mme Fournier l'obligeait à écrire de la main droite. Le résultat était que Marinette ne parvenait pas à former ses lettres, écrivait très mal, ne progressait pas. Je regardais avec pitié son visage plissé par l'effort, tandis qu'elle tirait la langue et s'appliquait de son mieux.

— Je n'y arrive pas, Céline, me soufflait-elle avec découragement.

Quelquefois, elle trichait, reprenait sa plume de la main gauche bien que ce fût interdit. Un jour, Mme Fournier la surprit.

— Marinette ! Utilise ta « bonne main » ! s'écria-t-elle.

Et elle assena sur les doigts de ma cousine un coup sec et brutal de sa règle en métal. Marinette en eut les larmes aux yeux, et ses doigts demeurèrent rouges et gonflés pendant plusieurs jours. Ce fut cette fois-là que je me promis, si j'avais la chance de devenir institutrice un jour, de ne jamais battre un élève.

Car, outre le plaisir insatiable et toujours renouvelé d'apprendre, l'école m'avait fait découvrir un désir profond qui, à mesure que les jours passaient, devenait plus impératif : plus tard, je voulais être institutrice.

Je n'en parlai pas tout de suite. Cela me paraissait trop beau, pratiquement impossible. Hors de ma portée, de toute façon.

— Tu seras femme de marin, me répétait ma mère depuis toujours.

Je savais qu'elle avait raison. Là était mon destin, puisque je voulais épouser Pierrot qui, comme mon père, comme mon frère, serait marin. Mais une idée se glissait dans mon esprit : pourquoi ne pourrais-je pas, en même temps, être institutrice ?...

* * *

Mes résultats scolaires et les éloges de Mme Fournier satisfaisaient mes parents, mais jamais ils ne m'encourageaient ni ne me félicitaient. Ma tante Gervaise, un soir où je m'appliquais sur une page d'écriture qu'il fallait rendre le lendemain, au lieu de l'admirer comme je m'y attendais, renifla avec dédain :

— A quoi te serviront-elles, tes belles lettres, quand tu iras vendre du poisson ? Moi, je sais à peine écrire, et je ne m'en porte pas plus mal, crois-moi !

Au fur et à mesure que les mois passaient, plus mon goût pour l'étude s'affirmait et plus je me sentais incomprise dans ma famille. Dans ce domaine aussi je me découvrais différente. Je finissais par me sentir coupable de m'appliquer, puisque cela ne servait à rien. Je ne me sentais à l'aise qu'à l'école, et j'aurais voulu y passer ma vie.

Je terminai mon année scolaire brillamment, et entrai en classe supérieure. Je savais lire parfaitement, et je dévorais tous les livres de la bibliothèque scolaire. Je découvrais l'évasion que procure la lecture, et cela aussi était un éblouissement.

Mais cette passion fut considérée comme un défaut par mes parents. Dès que j'avais un moment de liberté, je prenais mon livre de lecture et je lisais. Cela ne plaisait pas à ma mère, et elle réagissait :

— Céline, au lieu de ne rien faire, mets la table.

Elle me trouvait immanquablement une corvée à effectuer sans retard, et je posais mon livre en retenant un soupir. C'était à chaque fois comme une souffrance, un arrachement. Frustrée, malheureuse, j'obéissais en silence. Je n'essayais même pas d'expliquer à ma mère ce que je ressentais. Je savais qu'elle ne me comprendrait pas : lire représentait pour elle une perte de temps.

Je me souviens qu'un jour, l'institutrice me prêta l'un des nouveaux livres qui venaient d'arriver à la bibliothèque de l'école. Je revins chez moi, heureuse et fière comme si je portais un talisman. Le soir même, après avoir terminé mes devoirs, je pris le livre et me mis à lire. Il racontait les aventures d'un petit âne qui s'appelait Pompon, et je fus vite passionnée, au point d'en oublier le monde extérieur.

C'est pourquoi je n'entendis pas ma mère lorsqu'elle m'ordonna d'aller chercher de l'eau à la pompe. Elle répéta plusieurs fois le même ordre, sans résultat. Elle crut peut-être que je faisais la sourde oreille volontairement, et elle se mit en colère.

— Céline ! s'écria-t-elle. Tu vas m'obéir, à la fin !

Comme je ne réagissais toujours pas, elle m'arracha le livre des mains, avec tant de violence que la page de couverture se déchira. Je sursautai, surprise en plein rêve, retombant brutalement sur terre. En voyant sur le sol le livre abîmé, je me mis à pleurer.

— Ça t'apprendra à ne pas m'obéir, commenta durement ma mère.

Néanmoins, prise peut-être de remords, elle répara du mieux qu'elle put la page déchirée. Lorsque, le lendemain, je dus rendre le livre à l'institutrice, je crus mourir de honte. J'inventai une histoire de petit cousin qui s'était emparé du livre à mon insu et l'avait arraché. Je ne sais pas si elle me crut. Elle devait bien savoir que je n'avais pas de petit cousin. Mais elle ne me fit aucun reproche. Comprit-elle ce qui s'était passé réellement ?

A partir de cette date, je n'osai plus lire à la maison. Ou alors, je le faisais en cachette, lorsque ma mère n'était pas là. Je profitais de ses absences et dévorais les pages à toute vitesse, afin d'en lire le plus possible. Mais, tout en lisant, je demeurais sur le qui-vive, guettant les bruits, redoutant le retour de ma mère. Et j'éprouvais une sorte de plaisir coupable qui me laissait mauvaise conscience.

* * *

Mon frère Aurélien, à treize ans, fit ses débuts comme mousse sur le *César-Constantin,* le bateau de mon père et de mon oncle. Mon oncle César, en tant qu'aîné, était le patron, et il avait prévenu mon frère :

— Sur mon bateau, le maître à bord après Dieu, c'est moi. Tu devras m'obéir, mon gars ! Ce n'est pas parce que tu es mon neveu que tu auras un régime de faveur.

Mon frère avait acquiescé avec gravité. Il était d'accord pour travailler durement, afin de devenir novice et, ensuite, d'être consacré matelot. Ma mère avait tricoté des caleçons, des chaussettes, et avait économisé pour faire confectionner, à la couturière, un pantalon, une veste, et un ciré en toile de chanvre que mon frère lui-même avait badigeonné à l'huile de lin pour le rendre imperméable.

Le premier matin, je le regardai chausser ses grandes bottes de cuir, et je remarquai son expression de fierté.

C'étaient elles qui, plus encore que l'habit de pêcheur, lui conféraient le statut de mousse.

Il glissa dans le gousset de son caleçon une petite Sainte Vierge en métal, cadeau de ma mère. Lorsqu'il partit en compagnie de mon père, il me sembla que ses épaules étaient plus larges et que les bottes, subitement, le faisaient paraître plus grand.

Mon ami Pierrot, qui avait le même âge, fit lui aussi ses débuts de mousse. Il partait pour la semaine, sur un chalutier, et chaque dimanche il venait chez nous. Avec mon frère, il parlait du nouveau métier qu'ils exerçaient et qui les passionnait. Ensuite, je le raccompagnais jusque chez lui, et il m'expliquait avec enthousiasme son travail.

— Dès le départ, c'est moi qui allume le feu, et je dois le surveiller sans cesse. Le chalut est un grand filet relié au bateau et, quand il est plein, il faut le remonter. On le vide sur le pont, et je passe les paniers aux hommes d'équipage qui trient le poisson. Si le chalut est abîmé, c'est moi qui le répare, avec des aiguilles en bois et du chanvre. Je dois aussi nettoyer le poste, et puis j'apprends à lire le compas, à sentir la direction du vent, à deviner si le temps va changer.

Il me regardait, et une étincelle de fierté s'allumait dans ses yeux clairs :

— A la fin de la semaine, quand on revient, j'aide au débarquement du poisson et je nettoie le pont. Et ensuite, je suis bien content de rapporter à ma mère ce que j'ai gagné.

Malgré mon jeune âge, je comprenais ce qu'il voulait dire. La mère de Pierrot était veuve. Lui-même n'avait que sept ans lorsque le drame était arrivé. Son père avait disparu au cours d'un naufrage, et son corps n'avait jamais été retrouvé. Sur le cœur de cuivre de la tombe familiale, son nom figurait avec la mention « péri en mer ».

* * *

L'été de mes neuf ans, ma mère jugea que j'étais assez grande pour l'aider lorsqu'elle vendait le poisson. Chaque retour de la belle saison transformait notre tranquille petit village en station balnéaire. Les villas qui bordaient toute une partie de la plage ouvraient leurs volets, et la mer elle-même n'était plus à nous. De nombreux « baigneurs » venus de Paris l'envahissaient, et nous devions attendre l'automne pour retrouver notre plage telle que nous l'aimions, non plus hérissée de tentes et de parasols, mais immense et désertée.

Tout au long de la saison, ma mère vendait au marché, chaque mardi et chaque vendredi, la pêche rapportée par le *César-Constantin.* Cet été-là, elle m'emmena avec elle. Ma tâche était de « préparer » les poissons qu'achetaient les belles dames de Paris. Je les regardais s'approcher de l'étal, observer les poissons, en montrer quelques-uns d'un doigt incertain et demander s'il s'agissait d'une sole ou d'un rouget. A neuf ans, je savais reconnaître n'importe quel poisson, et je considérais leur inexpérience avec mépris. Elles mettaient un temps interminable pour fixer leur choix, et ensuite venait le moment que je redoutais :

— Vous voulez qu'on vous les prépare ? demandait ma mère.

Immanquablement, elles répondaient oui. Je prenais le grand couteau bien aiguisé par mon père et, en serrant les dents pour tenter de surmonter mon dégoût, je tranchais la tête de chaque poisson. Ensuite, je le vidais. Ce travail me faisait horreur. Les entrailles de l'animal me répugnaient ; j'avais sur les mains du sang, de la laitance, des excréments. Mais je m'efforçais de cacher ma répulsion. Je savais que si j'avais avoué mes sentiments, je n'aurais récolté que réprimandes.

Alors je ne disais rien, consciente une fois de plus d'être différente. Non seulement je détestais ce travail qu'acceptait naturellement toute femme ou toute fille de marin, mais en plus j'aurais préféré m'isoler dans un coin et lire. Je n'aimais pas non plus demeurer pendant des heures debout dans le soleil, et je ne pouvais pas, comme ma mère, ignorer le regard condescendant que posaient nos belles clientes sur mes mains maladroites et mes vêtements grossiers. Pourtant, je ne levais jamais les yeux sur elles, mais j'imaginais l'expression hautaine et critique avec laquelle elles m'observaient, et je sentais mes joues brûler de honte. Je crois que j'aurais mieux supporté ce travail si j'avais pu le faire seule, à l'abri des regards.

Cette corvée, qui revenait deux fois par semaine, aurait suffi à me gâcher mes vacances s'il n'y avait pas eu ma tante Marceline. Comme elle vivait seule, elle affirmait qu'elle s'ennuyait, et de temps en temps elle venait me chercher afin de m'emmener plusieurs jours chez elle. J'acceptais avec un empressement qui n'échappait pas à mes parents et qui les froissait. Avec ma tante, je prenais le train, et le voyage déjà était un plaisir. J'aimais la grande et belle maison qu'elle habitait, et qui possédait un luxe pour moi inconnu : une salle de bains. Dans la grande baignoire aux pieds recourbés, je découvrais le plaisir de prendre un bain chaud, qui me laissait ensuite tout alanguie. Et la présence de ma tante rendait chaque instant agréable. Je savais qu'elle me comprenait, et qu'elle ne me critiquerait pas.

— J'étais exactement comme toi, me disait-elle. Plus je grandissais, et moins je supportais de vivre au milieu des pêcheurs. Je me disais que je n'épouserais jamais un marin. Lorsque j'ai connu Arthur, qui était venu en vacances, j'ai vu là une chance de m'en sortir. J'ai compris que je lui plaisais, et je l'ai encouragé. Quand il m'a proposé de l'épouser, j'ai accepté sans hésiter. Je ne l'ai pas regretté. J'ai appris, avec lui, comment fonctionnait la brasserie qu'il dirigeait, je l'ai secondé. Maintenant, je me retrouve seule, mais je suis capable de faire ce qu'il faisait. Et surtout, j'accomplis un travail qui me plaît.

J'approuvais, tout en pensant que mon cas était différent ; moi, je voulais me marier avec Pierrot. Lorsque j'en parlai à ma tante, elle sourit en me répondant que j'étais encore bien jeune et que j'avais le temps d'y penser.

Un jour, je lui confiai le rêve auquel je n'osais même pas croire : pouvoir étudier et devenir, plus tard, institutrice. Ma tante ne fut pas surprise. Elle me dit avec gravité :

— Tu es capable d'y arriver. Là n'est pas le problème. Le vrai problème sera de convaincre tes parents. Et je connais Clémence. Elle peut se montrer parfois terriblement bornée. Mais ne t'inquiète pas, ajouta-t-elle, nous verrons ça le moment venu. En tout cas, dis-toi que tu as une alliée : je te soutiendrai de toutes mes forces.

Heureuse de cette promesse, je m'accrochai davantage à mon espoir secret. Ma tante connaissait ma passion pour la lecture et, contrairement à mes parents, elle m'encourageait. Elle m'achetait des livres, et je passais des heures entières, pendant qu'elle travaillait à la brasserie, à lire sans jamais me lasser. Je dévorai *Les Contes de mon moulin,* je me passionnai pour les aventures du *Capitaine Fracasse* et des *Trois mousquetaires,* je découvris avec ravissement *Les Petites Filles modèles* et je m'apitoyai sur *Les Malheurs de Sophie.* De temps en temps, ma tante sortait de son bureau pour venir me voir. Elle entrouvrait la porte, me trouvait toujours à la même place, dans un fauteuil du salon :

— Ça va, Céline ? demandait-elle.

Je levais sur elle des yeux pleins de rêves, souriais, acquiesçais d'un signe de tête. Ma tante ne me dérangeait pas davantage, repartait avec un petit signe approbateur. Et moi, je me replongeais bien vite dans mon univers enchanté, savourant en même temps une agréable sensation de liberté qui me disait que, pour une fois, ce que je faisais était permis.

⋆ ⋆ ⋆

Pierrot venait d'avoir quinze ans. C'était un grand et bel adolescent, aux épaules larges, aux yeux clairs. Je n'avais pas encore onze ans, et pourtant je l'aimais de toutes mes forces. J'aurais donné ma vie pour lui. Depuis qu'il travaillait sur un chalutier, il partait en mer pour la semaine, et je ne le voyais plus que le dimanche.

J'attendais ce jour avec impatience. Je savais que j'allais le rencontrer à la messe. Tous les pêcheurs et leur famille assistaient à l'office du dimanche. Je coiffais avec application mes cheveux, dans lesquels ma mère nouait un ruban, je revêtais ma jolie robe blanche. Pendant la messe, je n'arrivais pas à demeurer attentive. Je tournais souvent la tête vers Pierrot, placé de l'autre côté de l'allée, et à chaque fois je surprenais son regard posé sur moi. Je lui souriais. Il me faisait un clin d'œil imperceptible, et ce signe de connivence secrète m'enchantait. Marinette, près de moi, chuchotait avec envie :

— Tu as de la chance d'être aimée par Pierrot ! Il est si beau ! Je voudrais bien être à ta place !

Je disais, avec un frémissement de crainte :

— N'essaie pas de lui faire du charme, Marinette.

Elle soupirait avec résignation.

— Oh non ! Ça ne servirait à rien. Il ne voit que toi.

Ces paroles me rendaient heureuse. Il était vrai qu'il y avait, entre Pierrot et moi, une attirance qui durait depuis toujours. Il avait dû se confier à mon frère, qui était son ami, et ce dernier en avait parlé à mes parents. Aussi, il était presque entendu que, plus tard, j'épouserais Pierrot. Ma mère, lorsqu'elle voulait me faire faire une corvée qui me rebutait, disait pour m'encourager :

— Allons, apprends. Ça te sera utile lorsque tu seras la femme de Pierrot.

Après les vêpres, j'allais le rejoindre sur la plage. C'était notre rendez-vous hebdomadaire. Je courais vers lui qui m'attendait, et nous marchions le long des vagues, en nous tenant par la main. Je l'écoutais me parler de son travail, sujet qui le rendait intarissable.

— Le chalut, m'expliquait-il, « avale » tout ce qu'il rencontre. Le plus pénible, ce sont les déchets qui s'y trouvent. Le tout pèse peut-être une tonne, mais il n'y a pas plus de cent ou deux cents kilos de poissons. Le reste, ce sont des algues, des cailloux, des épaves, des coquillages. Il faut tout trier, garder les poissons, les laver soigneusement.

Il disait qu'il aimait ce métier, qu'il ne se sentait bien que lorsqu'il était en mer, et, incapable de le comprendre, je me taisais. Il m'annonçait avec fierté que l'administration maritime venait d'inscrire sur son livret la mention « novice » et que bientôt il serait consacré matelot.

— Plus tard, je passerai le brevet de capacité, pour être « patron ». Moi aussi, j'aimerais bien avoir mon bateau. C'est mon rêve, comprends-tu, Céline ?

J'acquiesçais, sans oser lui parler du mien : devenir institutrice. Je craignais qu'il ne réagît comme mes parents. Je repoussais cette idée au plus profond de moi-même, essayant de me raisonner. Être la femme de Pierrot m'apporterait le bonheur, sans aucun doute. Je levais la tête vers lui, je regardais ses yeux clairs, qui se posaient sur moi avec amour. Je me serrais contre lui, je me sentais bien. Même la mer, qui grondait sourdement près de nous, comme une bête tapie prête à bondir, ne me faisait pas peur. Avec Pierrot, je ne craignais rien.

* * *

A la rentrée scolaire, je me retrouvai dans la classe de la directrice, qui préparait les élèves au Certificat d'Études. Ma mère déclara :

— Après cette année, tu quitteras l'école, et tu m'aideras. Tu viendras vendre le poisson avec moi.

Cette perspective m'effrayait. Je me lançai à corps perdu dans mon travail scolaire. La directrice se rendit vite compte de mon désir d'apprendre, de ma soif insatiable de lecture, et elle me retint un soir après la classe :

— Céline, me dit-elle, après le Certificat d'Études, que comptes-tu faire ?

Je sentis que je rougissais. Pouvais-je parler de mon rêve inaccessible ! Je me tus. Nullement découragée par mon silence, la directrice reprit :

— Tu es une excellente élève, Céline. Tu es de la race des institutrices. Ça te plairait d'en être une, plus tard ?

Je sentis que mes yeux se mettaient à briller malgré moi. Je fis un signe de tête affirmatif et si enthousiaste que la directrice se mit à rire :

— Eh bien, en effet, ça a l'air de te plaire ! C'est très possible, tu sais. Dis à tes parents de venir me trouver. Je vais leur en parler.

Un nuage vint subitement assombrir ma joie. Je me mordis les lèvres, prête à pleurer :

— Je ne crois pas qu'ils accepteront. Ma mère attend que je termine l'école pour m'emmener vendre le poisson avec elle.

— Ce serait un beau gâchis, à mon avis. Qu'elle vienne me voir. Elle comprendra bien vite où est ton intérêt.

Je ne répliquai pas, peu convaincue par cette affirmation optimiste. Avec une certaine appréhension, j'en parlai le soir même à mes parents.

— Qu'est-ce que c'est que cette histoire ? interrogea ma mère avec méfiance. Pourquoi nous convoque-t-elle ? Tu le sais, toi, Céline ?

Lâchement, je mentis :

— Non, je ne sais rien. Elle m'a simplement dit qu'elle voulait voir mes parents.

Mon père regarda ma mère. Depuis toujours, c'était elle qui s'occupait des problèmes familiaux. Il hocha la tête :

— Vas-y, Clémence. Je te fais confiance.

— J'irai demain soir, dès la sortie des classes.

Le lendemain, lorsque je vis ma mère descendre notre rue et se diriger vers l'école, je sentis mon cœur battre plus vite. J'essayai d'imaginer l'entretien au cours duquel allait se jouer mon avenir. La directrice, sans aucun doute, plaiderait ma cause, mais comment ma mère réagirait-elle ? Je ne pouvais m'empêcher d'être inquiète.

Je m'installai à la table pour faire mes devoirs, mais je ne parvins pas à me concentrer. Très vite d'ailleurs, ma mère revint. Elle était rouge, et ses yeux brillaient de colère.

— Me déranger pour une raison pareille ! fulmina-t-elle. C'est se moquer du monde, ma parole ! Figure-toi qu'elle veut faire de toi une institutrice ! Et les études, qui va les payer ? J'ai posé la question, et elle m'a répondu qu'avec l'École Normale, c'était gratuit. Mais c'est un concours, et tu n'es même pas sûre d'être reçue. Alors je lui ai dit que ce n'était pas la peine d'y penser. Tu viendras vendre du poisson avec moi, ma fille. Ou bien tu iras travailler chez Quentin. Ça sera toujours de l'argent que tu rapporteras.

Travailler chez Quentin, le mareyeur, signifiait trier et conditionner le poisson dans des caisses, afin de l'envoyer par le train vers l'intérieur du pays. Ce travail me dégoûtait moins que celui de vider les poissons, mais ce n'était pas ce que je voulais faire. Pourtant, je n'en dis rien à ma mère. Je savais que, lorsqu'elle avait pris une décision qu'elle croyait bonne, il était inutile de vouloir la faire changer d'avis.

Lorsqu'elle rapporta le tout à mon père, il fut immédiatement d'accord avec elle. Et, dans un sens, leur réaction était normale. Je m'y attendais. Les filles de pêcheurs, dès qu'elles quittaient l'école, exerçaient toutes un travail relié directement au métier de leur père. Certaines travaillaient au conditionnement du poisson chez un mareyeur, d'autres allaient le vendre à domicile, d'autres encore faisaient leurs débuts de « sautrière », ou bien entraient en apprentissage chez une « ramendeuse », afin de raccommoder les filets de pêche. Il était donc naturel, pour moi, de suivre l'une de ces voies toutes tracées. Si j'avouais à mes parents que je désirais faire autre chose, j'étais sûre de ne rencontrer qu'incompréhension et refus.

Seule dans mon lit, je pleurai, ce soir-là, sur mes espoirs déçus. Je repoussai mon rêve au plus profond de moi-même, persuadée dorénavant qu'il ne deviendrait jamais réalité.

* * *

— C'est un crime ! s'écria tante Marceline en posant son couteau et sa fourchette. Un véritable crime ! Vous brisez l'avenir de cette enfant.

Elle était venue partager notre repas, comme elle le faisait parfois le dimanche, et ma mère venait de raconter l'entretien qu'elle avait eu avec la directrice. Ma tante continua avec colère :

— Vous avez de la chance d'avoir une enfant intelligente, mais vous ne vous en rendez même pas compte. Vous ne l'avez jamais comprise. Lui avez-vous demandé son avis, au moins ?

— Elle est trop jeune, objecta ma mère. Elle n'a que onze ans. C'est à nous de décider pour elle.

— Eh bien, moi je dis que vous décidez mal. A votre place...

— Mais tu n'es pas à ma place, Marceline, coupa sèchement ma mère. Je t'aime bien, mais je te prie de ne pas te mêler de mes affaires. J'élève mes enfants comme je le veux.

Elle pinça les lèvres, avec l'expression têtue que je connaissais bien. Mon père ne disait rien, mais des hochements de tête approbateurs signifiaient qu'il adhérait totalement à l'avis de sa femme. Quant à mon frère, il ne prenait pas parti, mais automatiquement il considérait la réaction de mes parents comme juste. Ma tante comprit qu'il était inutile d'insister, et elle se tut. Je surpris, à plusieurs reprises, son regard posé sur moi avec une commisération apitoyée. Je me sentais malheureuse. La seule alliée que j'avais eue jusqu'ici m'abandonnait.

Lorsqu'elle partit, elle réussit à me prendre à part et me chuchota, très vite :

— Ne t'inquiète pas. Tout n'est pas perdu. Je vais réfléchir. Je trouverai une solution.

Je ne la crus pas. Je pensai qu'elle tentait simplement de me consoler. Et pourtant, paradoxalement, ce fut un drame qui lui apporta la solution qu'elle cherchait.

3

En février, une semaine de mauvais temps retint les pêcheurs à terre. Le samedi, il y eut une accalmie, et mon oncle César décida de prendre la mer, en accord avec mon père et mon frère : plusieurs jours sans ramener de poisson équivalaient à une sérieuse perte d'argent.

Ils partirent à l'aube. Dans la matinée, le vent se remit à souffler en tempête. La pluie ne tarda pas à tomber et, de notre fenêtre, nous voyions la mer soulever furieusement d'énormes vagues chargées d'écume. Lorsque je revins de l'école, le soir, je trouvai ma mère inquiète : le *César-Constantin* n'était pas rentré avec la marée. Avec ma tante Gervaise, ma mère courut jusqu'au port. Je restai avec Marinette. Dehors, le vent hurlait de façon sinistre, des rafales de pluie frappaient rageusement les vitres. Je frissonnais. Marinette avait sorti son chapelet et priait.

Nous dûmes attendre longtemps. Ma mère et ma tante Gervaise revinrent, trempées, grelottantes, ne sachant rien de plus. Vraisemblablement, le *César-Constantin* avait été pris dans la tempête. Que s'était-il passé ? Le souvenir de naufrages, au cours desquels des pêcheurs avaient péri, mettait dans les yeux de ma mère et de ma tante une appréhension qui, à mesure que le temps passait, devenait de la peur.

Elles se mirent à prier, se signant lorsqu'une bourrasque plus violente faisait trembler la maison. Leur angoisse me gagnait. Le temps s'écoulait lentement, et chaque minute augmentait nos craintes. Il faisait totalement nuit, et la tempête ne se calmait pas. Des voisines étaient venues et reparties. Comme nous, elles ne pouvaient qu'attendre et prier.

Je m'assoupissais sur ma chaise lorsqu'un bruit de pas, dehors, me fit sursauter. La porte s'ouvrit, laissant entrer une rafale de vent et de pluie. Mon père apparut, suivi de mon frère. Complètement trempés, ils avaient un visage hagard et épuisé. Ils refermèrent la porte sans un mot. Ma tante Gervaise bondit :

— Où est César ? s'écria-t-elle d'une voix aiguë qui n'était pas la sienne. Où est-il ?

Mon père se laissa tomber sur une chaise, passa d'un geste égaré une main sur son front :

— Nous... nous avons été pris dans la tempête. Jamais vu une violence pareille. Des paquets d'eau de mer... Et le vent ! César, à la barre, s'est retrouvé avec la poignée cassée dans la main. Nous avons été poussés sur les rochers, si brutalement que la coque s'est brisée, laissant entrer l'eau partout. Et puis, il y a eu un coup de mer plus fort que les autres... et César a été emporté. Une vague énorme, qui a tout balayé sur son passage.

Ma tante Gervaise chancela, eut un long gémissement. Je regardai mon frère, m'aperçus qu'il pleurait silencieusement.

— La mer montait, continua mon père, et notre bateau était presque submergé. La passerelle était brisée, elle aussi. Nous nous y sommes accrochés, et nous avons attendu que la mer se retire et que nous puissions débarquer.

Il se tourna vers ma tante, l'air suppliant :

— Pour César, ça s'est passé si vite... On n'a rien pu faire. On a bien lancé une bouée, mais ça n'a servi à rien. Il a dû couler à pic.

Ma tante Gervaise, maintenant, pleurait à petits coups. Elle savait ce que signifiaient les paroles de mon père : César était probablement noyé, et on ne le retrouverait pas vivant. Si, au bout de neuf jours, la mer ne rendait pas son corps, il irait grossir la liste des pêcheurs de notre village « péris en mer ».

La solidarité qui existe chez les marins se manifesta

tout de suite. Les femmes se rendirent chez ma tante Gervaise pour prier. Elle installa, sur une petite table garnie d'un napperon en dentelle, la photo de mon oncle César, au pied d'un crucifix encadré de deux chandeliers allumés. Les volets furent gardés fermés jour et nuit, le miroir au-dessus de la cheminée recouvert d'un drap. Chaque nuit eut lieu une veillée au cours de laquelle les femmes, inlassablement, priaient.

Quant aux hommes, chaque jour, lorsque la marée était basse, ils allaient le long de la côte à la recherche du corps du disparu.

Ils ne le trouvèrent pas, mais, neuf jours plus tard, un bateau aperçut un corps roulé par les vagues. Il s'agissait de mon oncle César, qui fut ramené chez lui, déformé et méconnaissable après son séjour dans la mer. Il fut immédiatement mis dans un cercueil spécial, après avoir été déshabillé et lavé. Je ne le vis pas, mais mon frère, qui avait assisté à la mise en bière, me raconta qu'il avait été horrifié par l'aspect du corps.

— Il était tout gonflé, Céline, avec un visage qui faisait peur. Tu te rappelles ses yeux bleus ? Eh bien, ils étaient presque sortis de leurs orbites, et ils ressemblaient à deux horribles boules toutes troubles. C'était affreux. Son corps était tellement enflé par l'eau qu'il a fallu couper ses vêtements et ses bottes au rasoir.

Avec ma mère, j'allai me recueillir auprès du cercueil. Au-dessus de la porte d'entrée, une bande de drap noir, festonnée et frangée d'argent, indiquait que la maison était en deuil. A l'intérieur, autour du cercueil dans lequel reposait mon oncle, ma tante Gervaise avait tendu des draps blancs. En larmes, elle recevait les condoléances des amis, des voisins.

J'embrassai Marinette et, avec elle, me mis à pleurer. J'aimais bien mon oncle César, et j'avais de la peine pour ma cousine qui se retrouvait, à treize ans, privée de son père. En même temps, j'éprouvais une sorte d'incrédulité lorsque je pensais que je ne le verrais plus jamais.

Pierrot vint, lui aussi, bénir le corps, et je remarquai ses yeux graves et tristes. J'eus envie de l'interroger, et de l'accuser : comment pouvait-il aimer un métier aussi dangereux, et continuer à l'exercer ? Mais je me tus, connaissant d'avance l'inanité de mes objections.

L'enterrement eut lieu dans l'église du village, où étaient présents tous les gens de la marine et leur famille. Le curé, en surplis blanc et étole violette, parla du métier noble et courageux du pêcheur, qui parfois apportait la mort. Les hommes l'écoutaient gravement, et hochaient la tête avec une tristesse résignée. Les femmes pleuraient. Effondrées sous leur voile de deuil, ma tante et Marinette n'entendaient pas les paroles de consolation du prêtre, qui parlait d'espérance dans le Christ et de vie éternelle.

Après l'enterrement, lorsque nous revînmes chez nous, mon père se prit la tête entre les mains. Ma mère était restée chez sa belle-sœur, afin de l'aider à remettre sa maison en ordre, à lui redonner son apparence normale, tout en sachant que rien ne serait plus pareil puisque mon oncle n'était plus là.

Ma tante Marceline tendit les mains vers le feu :

— Brrr ! Qu'il fait froid ! Et ce vent glacial, qui hurle sans arrêt ! Je me demande comment vous pouvez le supporter.

Mon père ne répondit pas. Elle se tourna vers lui d'un geste décidé :

— Constantin, j'ai à vous parler. Vous allez me dire que ce n'est peut-être pas le moment, mais je trouve, au contraire, qu'en affaires il faut battre le fer tant qu'il est chaud. J'ai quelque chose à vous proposer.

Mon père releva la tête, et je vis ses yeux pleins de larmes. Ma tante s'assit en face de lui, continua d'un ton ferme :

— Oubliez votre chagrin quelques instants et écoutez-moi. Qu'allez-vous faire, maintenant que César n'est plus là ? Faire réparer votre bateau ? Où allez-vous trouver l'argent, alors que vous êtes seul ?

Rappelé durement à la réalité, mon père eut un geste vague. Il protesta faiblement :

— Je n'ai pas encore pris de décision... Mais c'est vrai que ça va être dur. Ou je garde mon bateau en tant que patron, ou je me fais embaucher sur un autre. Il faut que je calcule si je peux m'en sortir...

Ma tante redressa les épaules et lança victorieusement :

— Moi, je peux vous aider.

Un instant stupide, mon père la regarda sans réagir. Puis, avec précaution, presque avec crainte, il demanda :

— M'aider ? Que voulez-vous dire ?

Sur sa chaise, ma tante s'agita. Elle me lança un regard rapide, et je remarquai l'étincelle de triomphe qui brillait au fond de ses yeux. Je me penchai avec intérêt pour écouter sa réponse, devinant instinctivement que j'étais concernée.

— Je ne connais rien à la pêche, mais je suis une femme d'affaires. Et les affaires sont partout les mêmes. J'ai remarqué que les bateaux à moteur sont de plus en plus nombreux. Dans quelques années, les bateaux à voile auront disparu. Faire réparer votre bateau est bien beau, mais avec la voile vous serez en retard. Or, ma devise, que je tiens de mon défunt mari, est qu'il faut toujours aller de l'avant. Profitez de cette catastrophe pour vous moderniser. C'est ce que je vous conseille et c'est là que je peux vous aider. Même si un bateau à moteur coûte cher, n'hésitez pas. Je vous avance tout l'argent nécessaire.

Sur le visage de mon père, plusieurs sentiments se bousculèrent. Surprise, contrariété, intérêt. Il fronça les sourcils, voulut poser une question. Ma tante ne le laissa pas parler :

— Vous me rembourserez quand vous le pourrez, je ne suis pas pressée. Ce que je vous propose là est une chance pour vous, ne la laissez pas passer. Vous pouvez devenir le patron d'un bateau à moteur, ça vaut la peine, non ?

Mon père baissa la tête, parut réfléchir. Je vis qu'il était humilié de recevoir cette offre d'une femme. Pour lui, les affaires devaient toujours se traiter entre hommes. Mais, d'un autre côté, son bon sens lui disait qu'un refus pour cette simple raison était une bêtise qu'il regretterait par la suite. Ma tante attendait, l'observant en silence. Elle était calme en apparence, mais je vis que ses cils frémissaient, trahissant une tension intérieure qu'elle parvenait à dissimuler.

— Pourquoi faites-vous ça ? demanda mon père en relevant la tête et en fixant sa belle-sœur avec suspicion.

Ma tante sourit. Elle s'appuya au dossier de sa chaise, allongea les jambes. La même étincelle réapparut dans ses yeux. Toujours en souriant, elle dit :

— Voilà une bonne question. Mon offre a effectivement une raison précise. Cela concerne Céline. Je vous avance tout l'argent dont vous avez besoin, et en échange vous me confiez l'avenir de votre fille. Elle est faite pour être institutrice, et elle y parviendra si vous lui donnez sa chance. Laissez-la-moi, je m'occuperai d'elle, je paierai toutes ses études s'il le faut. Et plus tard, lorsqu'elle sera parvenue au but qu'elle rêve d'atteindre, vous me remercierez. Et vous serez fier d'elle, j'en suis sûre.

Rouge d'émotion, j'écoutais ma tante parler, et je sentais une bouffée de gratitude m'envahir toute. Ma chère tante Marceline ! Ainsi, elle avait décidé de profiter de la situation pour la retourner à son avantage, et surtout au mien. Elle m'avait assuré qu'elle n'avait pas dit son dernier mot et qu'elle trouverait une solution. Je ne l'avais pas crue. Je me rendais compte maintenant, avec confusion, que j'avais eu tort de ne pas lui garder ma confiance.

Mon père me regarda et je compris, en voyant son visage, que l'offre de sa belle-sœur le tentait. Juste au moment où il allait parler, la porte s'ouvrit et ma mère entra. Ses yeux étaient gonflés par les larmes, son visage rougi par le froid. Comme l'avait fait ma tante Marceline, elle s'avança vers le feu, tout en soupirant :

— Comme c'est triste ! Pauvre Gervaise, et pauvre Marinette ! Les voilà seules maintenant...

Comme nous ne répondions pas, elle nous regarda tour à tour, surprise par notre expression. Elle comprit qu'il y avait quelque chose, interrogea abruptement :

— Eh bien, que se passe-t-il ? De quoi discutiez-vous, avant que j'arrive ?

Mon père voulut répondre, mais un regard impératif de ma tante le fit taire. Ce fut elle qui parla, et elle répéta tout ce qu'elle avait déjà dit, sans que ma mère ne l'interrompît une seule fois. Lorsqu'elle se tut, j'observai ma mère avec inquiétude. Je savais qu'elle était hostile au fait que je devienne institutrice, et j'avais peur qu'elle ne refusât tout net. Je scrutai son visage, mais il ne dévoilait rien de ses pensées.

Contrairement à ce que j'appréhendais, elle agit avec bon sens. Elle se tourna d'abord vers mon père :

— Ce que Marceline te propose, ça t'intéresse, Constantin ?

Mon père hocha la tête d'un air impressionné :

— Dame ! dit-il. Un bateau à vapeur...

Sans faire de commentaires, ma mère se tourna ensuite vers moi :

— Et toi, Céline ? Faire des études, être institutrice, ça t'intéresse ?

— Oh oui ! m'écriai-je sans parvenir à refréner mon enthousiasme. Oh oui !

Ma mère fit face à sa sœur et, calmement, déclara :

— Puisque les deux personnes concernées sont d'accord, je ne vois pas où est le problème. Ton offre est généreuse, Marceline. Je te remercie.

Se tournant vers moi, elle ajouta :

— Quant à toi, Céline, j'espère que tu ne regretteras rien.

— Oh non, je suis sûre que non ! m'écriai-je avec le même enthousiasme.

Ma mère eut un geste de doute, qui semblait dire : « Tu l'auras voulu. » Mais j'étais trop heureuse pour m'arrêter à ce détail. Je me jetai au cou de ma tante :

— Merci, ma chère tante Marceline ! Merci !

Elle me tapota l'épaule en souriant, et je compris qu'elle était satisfaite.

— Je sais que tu ne me décevras pas. Termine ton année scolaire, passe ton certificat d'études. Tu l'auras facilement. A la prochaine rentrée, tu viendras vivre chez moi. Je t'inscrirai au Cours Complémentaire. Je connais la directrice. Elle te prendra sans problème, et même, elle sera heureuse d'avoir une bonne élève de plus.

Ma mère ne fit pas d'objection, mon père non plus. Ils se mirent à discuter ensemble d'argent, de prêt, de bateau à moteur, de remboursement. Je n'écoutai pas. Une excitation me donnait l'impression de me mouvoir dans un pétillement d'étincelles. Faire des études, être institutrice ! Je comprenais que ma tante avait tout prévu. A la rentrée, j'irais vivre chez elle ; cette perspective m'enchantait. Je pourrais passer mon temps à apprendre, et à lire, lire sans arrêt, jusqu'à satiété. C'était si formidable que j'en oubliai ma tristesse et la mort de mon oncle César.

* * *

Le dimanche suivant, dès la sortie de la messe, je voulus annoncer la nouvelle à Pierrot. J'étais trop impatiente pour attendre notre rendez-vous habituel, après les vêpres. Je me précipitai vers lui alors que, sur la place, il discutait avec mon frère.

— Pierrot ! dis-je avec animation. Sais-tu la nouvelle ? Je vais faire des études, je serai institutrice !

Ma voix avait un accent vibrant de victoire. Je m'attendais à ce que Pierrot s'exclamât, me félicitât, au moins fût content avec moi. Mais il ne sourit même pas. Il me fixa d'un regard froid qui doucha immédiatement mon enthousiasme.

— Oui, j'ai entendu parler de ça, répondit-il d'une voix neutre. Tout le quartier est au courant. Qu'est-ce que ça veut dire ?

Je réalisai que je ne lui avais jamais parlé de mon rêve, et je me dis qu'il ne comprenait pas. J'essayai de le convaincre :

— Ça veut dire que plus tard, je serai institutrice. Je le désire depuis si longtemps ! Je n'en parlais pas, parce que je pensais que ça n'arriverait jamais. Et puis, grâce à ma tante Marceline, ça va être possible. C'est formidable, Pierrot ! Essaie de comprendre. J'ai vraiment envie d'être institutrice, autant que toi tu as envie d'être marin !

Mais Pierrot garda son air bougon. Il se contenta de hausser les épaules :

— On ne peut pas comparer... Et puis, toi, tu es une fille. As-tu oublié que tu seras ma femme ? Comment pourras-tu être institutrice en même temps ?

— Mais ça ne pose aucun problème, Pierrot ! Ce sera mon travail, tout simplement. Au lieu d'aller vendre du poisson ou pêcher des crevettes, j'irai faire la classe.

Il baissa la tête sans répondre, donna un coup de pied dans un caillou. Je regardai son front buté, je remarquai l'ombre bleue d'une barbe naissante sur ses joues, et je sentis mon cœur fondre de tendresse. Je l'aimais tellement ! Avec douceur, je posai une main sur son bras :

— Allons, ne boude pas. Je t'assure que c'est bien.

Mon frère, qui jusque-là n'avait rien dit, intervint.

— Ne te contrarie pas à l'avance, conseilla-t-il à Pierrot. Céline voit tout en rose, mais elle ne se rend pas compte des difficultés. Les études sont longues, difficiles. Elle ne réussira peut-être pas. Et dans ce cas, elle sera bien contente de revenir auprès de toi.

Je lançai à Aurélien un regard noir. Qu'il parlât d'un échec possible me mortifiait, d'autant plus qu'à cette perspective le visage de Pierrot s'éclairait. Je me sentis soudain malheureuse. Si mon ami m'aimait comme je l'aimais, il devait se réjouir de me voir réaliser mon rêve. Je ne comprenais pas pourquoi il ne partageait pas mon enthousiasme. Pour la première fois, un doute descendit sur mon amour. Il me sembla que j'avais froid, et je frissonnai.

* * *

Je confiai cette inquiétude à ma tante Marceline. Elle se mit à rire et me tapota l'épaule :

— N'aie aucune crainte, Céline. D'abord, tu réussiras. Ensuite, ton Pierrot sera fier de toi lorsqu'il te verra faire la classe.

Je revis l'expression de Pierrot, le dimanche précédent. Je fis une moue qui exprimait le doute :

— Et s'il ne l'est pas ?

— Dans ce cas, laisse-moi te dire qu'il n'est qu'un fieffé imbécile. Et que tu aurais tort de perdre ton temps avec lui.

Je ravalai mes objections. Pierrot, je l'aimais. Je voulais passer ma vie à ses côtés, je voulais qu'il acceptât mon travail comme j'acceptais le sien. Pourquoi ne serait-ce pas possible ? Il le faudrait bien, si nous voulions, plus tard, vivre en parfaite harmonie.

Bientôt, je n'y pensai plus. Je me jetai à corps perdu dans la préparation du certificat d'études. Tout ce que nous apprenions m'intéressait. En classe, je posais sans cesse des questions, afin d'en savoir plus, toujours plus. La directrice était ravie de me voir aussi passionnée. Marinette, qui éprouvait toujours autant de difficultés à apprendre, m'interrogeait parfois, incompréhensive :

— A quoi ça sert de savoir tout ça, Céline ? Dessiner des fleuves, connaître le nom de villes où nous n'irons jamais, retenir des dates d'histoire alors que ça s'est passé depuis si longtemps ! J'ai un mal fou à me les enfoncer dans la tête, et ensuite je les oublie aussi vite. Non, vraiment, ça ne sert à rien d'autre qu'à nous ennuyer.

Je me taisais, sachant que je ne parviendrais jamais à la convaincre. Moi, au contraire, j'aurais voulu tout connaître. Il me semblait que ma soif d'apprendre ne serait jamais assouvie. Je regardais notre directrice écrivant au tableau, et je me disais que je ferais la même chose, plus tard. Une sorte d'exaltation, une griserie me soulevaient. Il fallait que j'y arrive, me répétais-je avec ferveur, il le fallait absolument.

Je passai mon certificat d'études avec, malgré tout, une petite appréhension dissimulée sournoisement au fond de mon esprit : et s'il m'arrivait de ne pas savoir répondre à l'une ou l'autre des questions ? Je fus vite rassurée : tout me parut facile.

Je fus reçue dans les premières, et la directrice me félicita chaleureusement. La réaction de mes parents me déçut. Ils ne me firent aucun compliment. Ma mère se contenta de remarquer :

— Ce n'est que la première étape, ma pauvre fille. Il y en a bien d'autres qui t'attendent, et certainement plus dures.

Ma tante Marceline répliqua avec chaleur :

— Elle les franchira avec le même succès, cela ne fait aucun doute. Vous verrez !

Mon père ne répondit pas. Ma mère m'observa d'une

façon étrange, un peu comme si elle regardait un être d'une espèce inconnue, et non sa propre fille.

Ma cousine Marinette avait été la seule à n'être pas reçue. Je la plaignis et, supposant qu'elle était humiliée, m'efforçai de la consoler. Mais elle haussa les épaules avec indifférence :

— Je m'en fiche, me dit-elle. Qu'est-ce que j'aurais fait de ce bout de papier qui ne me servira jamais ? Je suis débarrassée de l'école, et j'en suis soulagée. Je vais pouvoir aider maman. Dès maintenant, je commence à travailler comme sautrière.

Cet été-là, comme les précédents, ma mère m'emmena avec elle au marché, deux fois par semaine. Je dus de nouveau trancher la tête des poissons, les vider de leurs entrailles. Ce travail me dégoûtait toujours autant, mais je parvenais à mieux le supporter en pensant qu'à la rentrée j'irais vivre chez ma tante Marceline. Je ne verrais plus un seul poisson, puisqu'elle ne les aimait pas non plus. Lorsque je tendais les limandes ou les rougets enveloppés d'un papier aux belles dames de Paris, au lieu de baisser la tête comme je le faisais auparavant, je levais les yeux vers elles, capable pour la première fois de supporter leurs regards d'indifférence ou de dédain.

Le mois d'août arriva, et avec lui la fête au cours de laquelle, chaque année, les novices étaient consacrés matelots. Pierrot et mon frère Aurélien étaient parmi eux. Comme nous portions le deuil de mon oncle César, nous ne pouvions participer aux réjouissances. C'était une fête qui durait le samedi et le dimanche, où l'on dansait, chantait, s'amusait. Nous ne pûmes qu'assister à la messe. Le dimanche, après les vêpres, selon notre habitude, je courus retrouver Pierrot sur la plage. Il était très excité.

— Ça y est, Céline, je suis matelot ! A seize ans, c'est bien, non ? Plus tard, lorsque j'aurai terminé mon service dans la Royale, je passerai l'examen de patron de pêche, et j'aurai mon propre bateau.

Il s'exaltait, lui aussi, à cette perspective. Je l'approuvais, je le félicitais. Mais je constatais avec tristesse qu'il ne parlait que de lui, évitant soigneusement toute allusion à mes études. Il semblait en prendre ombrage, et pour ne pas le contrarier je n'en parlais pas non plus.

— Ce soir après le bal, continuait-il, ceux qui ont été consacrés matelots déclareront officiellement leurs fiançailles, selon la coutume. Ils ont tous dix-sept, dix-huit ou dix-neuf ans. Aurélien et moi, nous sommes les plus jeunes. Et nous ne nous fiancerons pas. Aurélien, c'est parce qu'il n'a pas encore trouvé la jeune fille qu'il voudrait épouser. Moi, je l'ai trouvée, ajouta-t-il en me souriant avec tendresse, mais comme elle est plus jeune que moi, j'attendrai.

Il se rapprocha, me prit dans ses bras, me serra contre lui. Je nichai ma tête au creux de son épaule. Comme j'étais bien ! Je fermai les yeux sous le soleil, écoutant le bruit de la mer, l'appel des mouettes, me laissant bercer par la voix de mon bien-aimé.

— Dorénavant, Céline, considère-toi comme ma fiancée.

— Je me considérais déjà comme telle avant aujourd'hui, chuchotai-je.

— Mais maintenant, c'est presque comme si c'était officiel. Je vais l'annoncer à tout le monde. Il faut qu'on sache que c'est toi que j'épouserai.

Je souris sans répondre. Tout le monde, autour de nous, le savait depuis longtemps. Mais il m'était doux d'entendre Pierrot le dire à nouveau.

Nous reprîmes notre promenade, la main dans la main, et je songeai que bientôt nous serions séparés. Nous ne pourrions plus nous retrouver, chaque dimanche, pour notre promenade habituelle. Un afflux de peine vint chasser ma joie. Je soupirai.

— A la rentrée, nous ne nous verrons plus, dis-je. Je vais aller vivre chez ma tante Marceline. C'est à plus de cent kilomètres. Je ne reviendrai que chaque trimestre, à Noël, à Pâques, peut-être à la Pentecôte.

Le visage de Pierrot s'assombrit. Il s'arrêta, se tourna vers moi, les sourcils froncés :

— Tu n'es pas obligée de partir. Pourquoi tiens-tu tant à faire ces stupides études ?

Sa question me peina. Patiemment, je tentai de lui

expliquer que je voulais exercer le métier d'institutrice. Je parlais, mais tout en parlant je voyais le visage de Pierrot garder l'expression obstinée que je commençais à connaître. Malheureuse, je me tus. Pierrot haussa les épaules, grogna avec humeur :

— Je ne sais pas qui t'a mis ces idées dans la tête. Moi, je veux avoir une femme qui s'occupe de moi et de mes enfants. Regarde ta cousine Marinette. Elle, au moins, elle ne cherche pas à s'éloigner. Elle travaille comme sautrière, elle reste parmi nous. Elle ne veut pas, comme toi, se lancer dans des études.

Malgré moi, un rire m'échappa :

— Bien sûr que non ! Pauvre Marinette ! Elle en serait bien incapable. C'est tout juste si elle sait lire et écrire !

Le regard de Pierrot se fit sévère, désapprobateur :

— Ne te moque pas d'elle, Céline. Elle est courageuse. Maintenant que son père n'est plus là, elle travaille pour aider sa mère.

— Je ne me moque pas d'elle. C'est vrai qu'elle est courageuse. Et puis, je l'aime bien. C'est simplement que... le fait de l'imaginer faire des études m'a fait rire. De toute façon, elle ne le voudrait pas.

— C'est bien ce que je te dis. Tu devrais faire comme elle.

J'eus envie de crier : « Mais moi, je suis une bonne élève ! Moi, je suis intelligente ! Et je *veux* être institutrice plus tard ! » Mais devant l'air buté de Pierrot je retins ma protestation. Avec découragement, je me rendis compte que, comme mes parents, il ne comprendrait pas. En désespoir de cause, je dis simplement :

— Laisse-moi au moins essayer, Pierrot. C'est quelque chose que je souhaite faire depuis longtemps. Je t'assure qu'à l'idée de vendre du poisson toute ma vie, j'ai envie de hurler. Je déteste vider les poissons, c'est plus fort que moi. Si tu m'aimes, il faut m'accepter comme je suis.

Son visage s'éclaira un peu. Il me regarda avec tendresse, eut une sorte de soupir résigné :

— C'est bien ma chance. De toutes les filles de

pêcheurs que je connais, celle que je veux est aussi la seule à avoir des idées pareilles dans la tête.

Il me serra contre lui, et pour ne pas envenimer la situation je ne dis plus rien. Mais je pensai avec regret que j'aurais aimé recevoir de la part de Pierrot des encouragements, à défaut d'une approbation enthousiaste. Il aurait pu au moins essayer de me comprendre. Moi-même, tout en n'éprouvant pour la mer aucune attirance, je parvenais à admettre son amour pour le métier de pêcheur. Pourquoi ne faisait-il pas la même chose ? Cette réflexion me fit mal et, une nouvelle fois, malgré la chaleur du soleil, j'eus froid.

4

Quelques jours avant la rentrée, je partis vivre chez ma tante Marceline, et ma vie changea totalement. Le Cours Complémentaire où j'étais inscrite, situé dans la ville voisine, était distant de cinq kilomètres.

— Je te prêterai mon vélo, me dit ma tante. Il est excellent.

Elle m'emmena dans un magasin de confection, m'acheta des vêtements à la fois pratiques et de bon goût : une robe, deux jupes, deux chemisiers, un pull, une veste, un manteau. Elle y ajouta deux paires de chaussures. Je n'avais jamais possédé autant de vêtements d'un seul coup. La tête me tournait un peu lorsque, de retour à la maison, j'ouvris les cartons et palpai les tissus épais et moelleux.

— C'est trop, dis-je. Je ne mettrai jamais tout ça !

— Bien sûr que si ! affirma ma tante. Tu ne pouvais pas aller en classe avec les habits que tu possèdes. Ils sont trop vieux, trop défraîchis.

J'étais ravie. Pourtant, le jour de la rentrée, dans mes vêtements neufs, je ne me sentais pas à l'aise. Ma jupe me serrait à la taille, et mes nouvelles chaussures compressaient douloureusement mes pieds. Ma tante, pour cette première fois, avait tenu à m'accompagner. D'autres parents avaient fait de même, et nous attendîmes tous dans la cour jusqu'à ce que la directrice vînt faire l'appel. Je dis alors au revoir à ma tante et allai me ranger, le cœur battant, à l'endroit que l'on m'indiquait.

Dans la classe, je commençai à me détendre. La vue des tables alignées, du tableau noir, des cartes géographiques accrochées au mur me rappela familièrement les salles de classe des années précédentes, où j'avais travaillé et étudié avec plaisir. Je retrouvais la même odeur, particulière et indéfinissable, un mélange de bois, de craie et d'encre, que je respirai à fond. Je sus à ce moment, avec certitude, que là était ma place, et qu'elle correspondait au désir profond ancré en moi.

Nous fîmes la connaissance des professeurs, que je regardai avec respect et admiration. L'une après l'autre, elles vinrent nous parler, nous expliquer notre travail de l'année, nous faire remplir une fiche de renseignements. A la récréation, je fis également la connaissance de mes compagnes de classe. Chacune de nous se présenta, expliqua d'où elle venait, ce qu'elle désirait faire. La plupart déclarèrent qu'elles voulaient être institutrices, et que leurs parents faisaient un effort pour leur payer des études au lieu de les envoyer travailler à l'atelier de confection qui, dans la ville, employait les filles dès l'âge de treize ans.

Lorsque vint mon tour, je racontai que je venais d'un village de la côte, où mon père était pêcheur. Cela les surprit. Elles prirent conscience que j'étais différente d'elles, que je n'étais pas une des leurs. Elles ne firent pas de commentaires, passèrent à la suivante, satisfaites de se retrouver en pays connu. Je remarquai que toutes arrivaient soit de la ville, soit d'un village des environs. J'étais la seule à venir d'aussi loin.

Cette différence fit que, dès le début, je fus mise un peu à l'écart. Elles avaient des préoccupations communes, et moi je ne connaissais que la mer, le nom des poissons et la façon de les vider proprement. Aussi, je ne me fis pas d'amies. Je n'eus que quelque camarades. Je m'aperçus que cela ne me privait pas. Je ne participais pas à leurs conversations. Aux récréations, je préférais me mettre dans un coin de la cour, et, assise sur le banc du préau, je lisais.

Je fus tout de suite une bonne élève, et bientôt je pris la tête de la classe. Les professeurs m'appréciaient. Je représentais l'élève modèle, toujours attentive, toujours avide d'apprendre, de savoir. Certaines d'entre elles, sans me préférer ouvertement, s'adressaient à moi dès qu'elles posaient une question difficile, comme si j'étais la seule capable d'y répondre. Cela me valait des inimitiés, particulièrement parmi les élèves les plus médiocres, mais je n'en avais cure. Seul comptait pour moi le fait d'étudier, et de donner satisfaction aux maîtresses qui me dispensaient leur savoir.

Je montrais les bons résultats que j'obtenais à ma tante Marceline. Elle me félicitait, disait :

— Te voilà première de ta classe ! Je savais bien que tu réussirais ! Continue, mon enfant. Tes efforts seront récompensés.

A vrai dire, je n'avais pas l'impression de faire des efforts. Étudier représentait pour moi une joie. Le soir, c'était avec plaisir que je faisais mes devoirs, que j'apprenais mes leçons. Et lorsque j'avais terminé, je prenais l'un de mes livres, que ce fût celui d'histoire ou de français, et j'en lisais quelques pages. Ma soif d'apprendre était intarissable.

De plus, j'étais heureuse de vivre chez ma tante. Je m'y sentais libre. Jamais elle ne me demandait d'essuyer la table ou de faire la vaisselle. Elle non plus n'aimait pas les travaux ménagers, et elle employait à cet effet une femme du village qui venait tous les jours. Aussi, je pouvais me plonger avec délectation dans les études et la lecture. A ces moments-là, j'oubliais mes parents, j'oubliais Pierrot. Lorsque, ensuite, il m'arrivait de penser à eux, ils m'apparaissaient lointains, comme s'ils vivaient dans un autre monde.

Le dimanche, lorsque j'avais terminé mon travail scolaire, ma tante me faisait visiter la brasserie qu'elle dirigeait. Avec elle, je suivais toutes les étapes nécessaires à la fabrication de la bière, la germination de l'orge, le maltage, la fermentation du moût. J'écoutais ses explications avec intérêt.

— Le choix du levain est capital, me disait-elle. La bonne levure fait la bonne bière. L'examen de la levure a toujours été le grand souci de mon défunt mari. Je suis, comme lui, très exigeante.

Seule pour diriger sa brasserie, elle réussissait parfaitement. Lorsque je lui faisais part de mon admiration, elle riait :

— Pour moi, c'est naturel. Je suis née pour être une femme d'affaires comme toi pour être institutrice. Il faut dire aussi que j'ai travaillé de nombreuses années avec mon mari, et que j'ai gardé monsieur Casimir, qui m'est bien précieux.

Monsieur Casimir, qu'elle appelait son régisseur, la secondait efficacement. C'était lui qui dirigeait les ouvriers, et elle lui faisait une entière confiance, qu'il méritait d'ailleurs amplement. C'était un petit homme aux cheveux gris, que personnellement je trouvais amusant parce que, dès qu'il m'apercevait, il me saluait en s'inclinant comme si j'avais été une princesse. Avec les ouvriers, il était dur mais juste. Il savait se faire respecter, et c'était une qualité que ma tante appréciait.

* * *

Les mois s'écoulaient ainsi, et à chaque fin de trimestre, profitant des vacances scolaires, j'allais passer quelques jours chez mes parents. Je retrouvais, avec un mélange de surprise et de détachement, la maison où j'avais vécu auparavant, et je m'y sentais étrangère. L'odeur du poisson, que chez ma tante Marceline j'avais oubliée, me faisait froncer le nez de dégoût.

A chacune de mes venues, je montrais avec fierté à mes parents mon bulletin scolaire, mes cahiers et les appréciations des professeurs. Ils regardaient le tout sans rien dire, avec une sorte d'admiration teintée de méfiance. Mon père signait mon bulletin, sans qu'une parole de félicitations ne franchît ses lèvres. J'en souffrais. Parfois, en aparté, je me plaignais à mon frère :

— Pourquoi ne sont-ils pas contents ? Je suis la meilleure élève de la classe. Ils devraient en être fiers. Au contraire, on dirait que ça les gêne. Je ne comprends pas.

Aurélien secouait la tête, l'air embarrassé :

— Je crois que ça les impressionne, Céline. Ils sont dépassés par ce que tu leur montres, ce que tu apprends et qu'ils n'ont jamais appris. Ils préféreraient que tu restes à leur niveau, simple et ignorante. Ils n'arrivent pas à comprendre que tu veuilles te remplir la tête d'un tas de choses qui, pour nous, sont totalement inutiles.

Je ne pouvais que soupirer, malheureuse d'être incomprise. Avec Pierrot, c'était la même chose. Dès que j'essayais de parler de mes études, de mon école, de mes professeurs, immanquablement il faisait dévier la conversation, me parlait de la pêche au hareng, qui nécessitait un nettoyage complet de l'intérieur du bateau et un aménagement particulier.

— Maintenant que je suis matelot, j'ai droit à une demi-part pour moi, et une autre demi-part pour mes filets, à condition que j'en apporte au moins sept.

Il s'excitait et je l'écoutais sans lui faire remarquer que je savais déjà tout ce qu'il me disait. Je refrénais l'envie que j'avais de raconter ma vie au collège, et je souffrais d'être obligée de me taire.

Au fil des mois, au fur et à mesure que mon savoir grandissait, chaque fois que je retrouvais mes parents, je m'apercevais qu'ils parlaient mal. Lorsque ma mère disait : « Je m'ai tordu mon bras », ou bien « Il faut que je vais au marché », je ne pouvais m'empêcher de rectifier :

— On doit dire : « Je me suis tordu le bras » et « Il faut que j'aille ».

Ma mère pinçait les lèvres avec une expression vexée. D'une voix dure, elle répliquait :

— Je parle comme je veux. Si ça ne te plaît pas, tant pis. Je ne vais pas me laisser faire la leçon par une gamine comme toi. Ce n'est pas parce que tu veux être institutrice qu'il faut jouer à la grande dame et me « démépriser ».

Je retenais l'objection qui me venait instinctivement : « On ne dit pas démépriser, on dit : mépriser. » Là aussi je me taisais, malheureuse d'être rabrouée, de constater que mon désir de faire partager mes connaissances était mal accueilli. Après plusieurs rebuffades de ce genre, je m'efforçai de supporter, sans oser les corriger, les fautes de langage de mes parents.

Et lorsque, à la fin des quelques jours de vacances, ma tante Marceline revenait me chercher, je partais sans regrets retrouver mon autre vie, celle que j'aimais et qui me convenait.

* * *

Dans ma classe, trois élèves étaient jalouses de mes bons résultats. Elles faisaient partie des cancres, de celles qui n'apprenaient rien, et qui recopiaient leurs devoirs sur ceux des autres. Je ne les fréquentais pas, et même, je les ignorais. Mais, de leur côté, elles ne laissaient jamais passer une occasion de m'ennuyer.

Si un professeur me félicitait, à la récréation suivante elles tournaient autour de moi en criant : « Hou Hou ! Chouchou ! » Je m'éloignais sans leur répondre. Mon attitude détachée et méprisante les rendait furieuses, et elles recommençaient inlassablement.

Lorsque nous devions nous mettre en rang, si par hasard je me trouvais proche d'elles, elles se bouchaient ostensiblement le nez en faisant des remarques qui m'étaient destinées :

— Vous ne trouvez pas que ça sent le poisson, par ici ? disait l'une.

— Et le poisson pourri, en plus ! renchérissait l'autre.

Les filles qui nous entouraient me regardaient, car personne n'était dupe. Rouge, humiliée, je détournais le visage et ne répondais pas.

Comme je ne réagissais pas à leurs attaques, elles décidèrent de m'agresser d'une façon plus sournoise, afin de me discréditer dans l'esprit des professeurs.

Un matin, alors que nous sortions du cours de français, Mme Travet, le professeur, me retint :

— Attends, Céline. Tu n'iras pas en récréation cette fois-ci. Viens avec moi. Tu vas m'accompagner au bureau de Mlle Courtois.

Mlle Courtois était notre directrice. On n'allait à son bureau que dans les cas graves. Dernièrement, une fille de notre classe y avait été convoquée pour apprendre que son père, artisan maçon, venait de tomber d'une échelle et s'était tué. Je crus qu'une nouvelle identique allait m'être annoncée, concernant mes parents ou ma tante. Une panique soudaine m'empêcha de respirer. Je levai les yeux vers Mme Travet afin de l'interroger. Je remarquai que son visage était sévère et qu'elle évitait de me regarder. Glacée, je ravalai mes questions et la suivis en silence.

Mlle Courtois nous attendait dans son bureau, en compagnie de Mme Barrane, notre professeur de mathématiques. Je la regardai avec surprise. Pourquoi était-elle là ? Debout, les genoux tremblants, j'attendis.

Chacune des professeurs vint se mettre à côté de la directrice, l'une à droite, l'autre à gauche. Toutes trois, debout, me considérèrent avec une réprobation que je ne compris pas davantage. Mlle Courtois prit la parole :

— Je suppose que tu sais pourquoi nous te convoquons ici, Céline ?

Je secouai la tête, désorientée. Je dus m'éclaircir la gorge avant de répondre d'une voix tremblante :

— Non, mademoiselle.

Elles échangèrent un regard. Je cherchai l'explication de cette scène, mais la crainte que j'éprouvais rendait mon esprit totalement vide, et je ne trouvai pas. La directrice me montra une petite table, placée dans un coin du bureau.

— Assieds-toi là, Céline. Prends cette feuille et ce crayon. Tu vas écrire sous ma dictée. Nous devons vérifier quelque chose.

Toujours sans comprendre, j'obéis.

— Il n'y a que trois phrases très simples, continua Mlle Courtois. Voici la première : Mme Barrane est un âne. Écris-la.

A la fois surprise et horrifiée, je levai les yeux vers Mme Barrane, la prof de maths dont j'étais la meilleure élève. Je vis son expression peinée, ses lèvres pincées. Avec désarroi, je me tournai vers la directrice.

— Allons, écris, ordonna-t-elle d'une voix dure.

Rouge de confusion, je m'exécutai. Elle se pencha sur

ma phrase, n'eut aucune réaction. Calmement, elle poursuivit :

— Maintenant, écris : Mme Travet est un navet.

Je sentis la rougeur de mon visage s'accentuer, et je regardai Mme Travet, le professeur que je préférais en secret, qui était douce et ferme, et à qui je rêvais de ressembler plus tard. Elle se mordait les lèvres et contemplait obstinément, par la fenêtre, les marronniers de la cour.

— Écris, Céline.

J'obéis de nouveau, de plus en plus gênée. La directrice prit un papier sur son bureau, s'approcha de moi :

— Et maintenant, la troisième et dernière phrase : Mlle Courtois est un putois.

— Oh ! ! !

Je portai les mains à ma bouche, comme pour retenir l'exclamation de protestation qui venait de m'échapper. Glaciale, Mlle Courtois insista :

— Écris cette phrase, Céline.

Les larmes aux yeux, je traçai les quelques mots, déconcertée et malheureuse. La directrice prit la feuille, la compara à celle qu'elle tenait entre les mains.

— Regardez, dit-elle aux deux autres. Qu'en pensez-vous ?

— C'est exactement la même écriture, dit Mme Barrane d'un ton froissé.

Mme Travet me considéra avec reproche et demanda :

— Pourquoi as-tu fait ça, Céline ? Je ne parviens pas à le croire. Nous t'aimons bien, pourtant. Tu es la meilleure de nos élèves. Que s'est-il passé ?

Je fis un geste d'incompréhension. De quoi parlait-elle ? Mlle Courtois vit mon embarras :

— Ou tu es coupable, et dans ce cas tu agis avec une rare hypocrisie. Ou tu es innocente, et tu ne sais rien. Alors je vais t'expliquer : voici ce que j'ai trouvé ce matin. Le papier avait été glissé sous la porte de mon bureau.

A côté de la feuille que je venais d'écrire, elle en plaça une autre. Je la regardai, éberluée. Les mêmes phrases y figuraient, tracées par une écriture qui était la mienne.

Comment était-ce possible ? Stupide, je levai les yeux vers la directrice.

— Pourquoi as-tu écrit ça, Céline ? Est-ce pour amuser tes compagnes ? Il est inutile de nier. Mme Travet a immédiatement reconnu ton écriture.

Une houle d'indignation explosa dans ma tête, et j'eus un cri de révolte et de dénégation :

— Mais ce n'est pas moi ! Je vous jure que ce n'est pas moi !

Je me mis à pleurer, à la fois d'indignation parce que j'étais injustement accusée, et d'impuissance parce que je ne voyais pas le moyen de leur prouver mon innocence.

De nouveau, elles échangèrent un regard. Mlle Courtois considéra les deux feuilles, et constata avec justesse :

— Il est évident que si tu étais coupable, tu ne serais pas venue mettre toi-même ce papier sous ma porte.

Mme Barrane rejeta la tête en arrière et objecta :

— Elle, non. Mais si elle a écrit ce... ces phrases pour amuser ses compagnes, comme vous venez de le dire, l'une d'elles a très bien pu s'emparer ensuite de la feuille et venir la glisser sous votre porte.

Mlle Courtois hocha la tête, ébranlée :

— Oui... peut-être. Mais alors, dans quel but ? Pour nous vexer ?

— Pas forcément. Ça peut être une vengeance contre Céline, justement. J'ai déjà remarqué que certaines élèves ne l'aiment pas. Il doit bien y avoir une raison à cette antipathie. Elles ont peut-être voulu nous montrer que cette élève, que nous portons aux nues, n'est au fond qu'une petite hypocrite. Qui sait s'il n'y a pas eu d'autres papiers pires que celui-là ?

Les paroles de Mme Barrane furent comme une illumination dans mon esprit brouillé. La vérité m'apparut, dans une évidence aveuglante. Je m'écriai :

— Marie-Jeanne ! C'est elle ! Elle sait imiter parfaitement les écritures, ainsi que les signatures.

Des trois filles qui m'ennuyaient sans cesse, Marie-Jeanne était la pire. Je l'avais déjà entendue se vanter de ce don d'imitation, qui était réel. Elle s'en servait surtout pour reproduire la signature de ses parents sur ses bulletins scolaires ou au bas des punitions qui lui étaient souvent infligées. Je ne doutai pas un instant que ce fût elle la responsable.

— N'accuse pas une autre fille pour te disculper, Céline, intima sévèrement Mme Barrane.

— N'ayez crainte, je vais tirer ça au clair, dit la directrice avec décision.

Elle se tourna vers moi, et je crus voir, sur son visage, une sorte de soulagement à l'idée de trouver une solution qui m'innocentait. Cela me redonna un peu de confiance, et je cessai de pleurer.

— Cette Marie-Jeanne, pourquoi chercherait-elle à te nuire ?

— Je ne sais pas, dis-je. Elle et ses deux compagnes sont toujours à m'ennuyer. Pourtant, je ne leur ai jamais rien fait.

— Je l'ai déjà remarqué, moi aussi, affirma Mme Travet. Elles sont jalouses, tout simplement. Céline est une bonne élève, que tous les professeurs apprécient. Elles, par contre, se font sans cesse réprimander. Elles ont voulu se venger.

— Je vais les convoquer, reprit Mlle Courtois. Nous découvrirons la vérité. En attendant, Céline, tu restes suspecte. S'il s'avère que c'est toi la coupable, tu seras punie. Sais-tu que tu risques d'être renvoyée ?

Je poussai un cri d'horreur et me remis à pleurer.

— Ce n'est pas moi, hoquetai-je entre mes sanglots. Je n'aurais jamais osé écrire des choses pareilles !

— Je préfère le croire, en effet, dit Mlle Courtois d'un ton plus doux.

Elle me fit sortir de son bureau, et je gagnai la cour de récréation en m'essuyant les yeux. J'aperçus, dans un coin du préau, Marie-Jeanne et ses deux complices qui me guettaient. Leur expression méchante et satisfaite me conforta dans l'idée qu'elles étaient les coupables.

Elles furent convoquées au bureau de la directrice au cours de la journée, alors que nous étions en classe de dessin. Elles y demeurèrent longtemps. Elles revinrent au début du cours suivant, qui était celui de mathématiques, avec Mme Barrane. L'air fautif, elles baissaient la tête et ne regardaient personne.

Mme Barrane les envoya à leur place et expliqua à toute la classe ce qui s'était passé. Les coupables, interrogées habilement par la directrice, avaient avoué leur méfait. Elles furent renvoyées plusieurs jours de l'établissement, et mises en quarantaine par les autres élèves.

Quant à moi, je fus débarrassée de leur persécution incessante. C'était la fin de l'année et, à la rentrée, je fus soulagée de ne plus les voir dans ma classe. Deux d'entre elles, dont Marie-Jeanne, avaient quitté l'école pour aller travailler à l'atelier de confection de la ville, et la troisième n'était pas passée en classe supérieure. Je pus de nouveau récolter bonnes notes et félicitations sans avoir à craindre des représailles.

Cet incident mis à part, mes quatre années d'études se déroulèrent sans anicroche. Je m'appliquai davantage encore la dernière année, à la fin de laquelle nous devions passer le concours d'entrée à l'École Normale. En moi, le désir farouche de réussir étouffait la crainte que j'avais, parfois, de n'être pas reçue. Je mettais toutes les chances de mon côté en travaillant, travaillant sans relâche.

* * *

Au cours de cette dernière année, Pierrot m'annonça, au printemps, qu'il allait partir faire son service dans la marine. Mon frère Aurélien, qui avait le même âge, partirait avec lui. Je savais qu'ils allaient devoir s'en aller pour trois ans, et parfois, lorsque j'y pensais, cette durée m'affolait. La longue séparation qui nous attendait, Pierrot et moi, me désolait.

— Tu m'écriras, n'est-ce pas ? demandai-je une fois de plus. Tu ne m'oublieras pas ?

Nous étions sur la plage, et je me serrais contre lui. Ce jour-là, le temps était pluvieux. Une légère bruine, chargée d'embruns salés, mouillait nos vêtements, nos cheveux, nos visages. Pierrot se mit à rire. Il semblait content de partir, et moi, cela me déchirait.

— Bien sûr que non, je ne t'oublierai pas. Et toi, n'oublie pas que tu es ma fiancée. Lorsque je reviendrai, j'aurai vingt-trois ans. J'irai présenter ma demande à tes parents, et nous nous marierons.

Je fis une remarque que, peut-être, j'aurais dû taire :

— Si je rentre à l'École Normale, dans trois ans je serai institutrice.

Je vis le regard de Pierrot s'assombrir. Il détourna le visage, fit quelques pas vers la mer, grise comme le ciel. Puis il revint vers moi et dit :

— Nous parlerons de tout ça à mon retour. En attendant, tu es ma fiancée. Tu m'attendras fidèlement, ma Céline ?

Je levai la tête vers lui. Il me prit dans ses bras. Un élan d'amour nous enveloppa. Mon Pierrot, que j'aimais depuis toujours... J'acquiesçai avec ferveur :

— Oui, je t'attendrai. Pour moi, il n'y aura jamais que toi, Pierrot.

— Ma Céline, je t'aime.

Il me serra davantage contre lui, et il m'embrassa. Ce fut notre premier vrai baiser. J'en garderai toujours le souvenir, le goût de sel, avec à l'arrière-plan le bruit de la mer et le cri des mouettes. Ce baiser scellait notre accord, il prenait la valeur d'un serment, il affirmait que j'étais à Pierrot comme il était à moi.

Nous revînmes lentement vers le village, serrés l'un contre l'autre. Nous éprouvions une paisible et merveilleuse certitude : nous passerions notre vie ensemble, et nous nous aimerions jusqu'à notre dernier jour.

* * *

Je passai le concours d'entrée à l'École Normale d'Arras au mois de juillet 1934, l'année de mes seize ans. Je me sentais tellement paralysée par le trac que j'avais l'impression de me mouvoir avec difficulté. Il me semblait que mon esprit refuserait de m'obéir et que je demeurerais stupide devant ma copie. Pourtant j'avais tant révisé mes cours que je savais tout par cœur. Mais si soudain j'avais un trou de mémoire ? Ou si, en mathématiques, je ne savais pas faire le problème ? Ou encore si la dictée était difficile et si je faisais beaucoup de fautes ?...

Au fur et à mesure que les épreuves se déroulaient, je me détendis ; je me rendis compte qu'elles ne présentaient pas de difficultés insurmontables. Lorsque tout fut terminé j'éprouvai une légère impression de vertige et d'irréalité. A ma tante qui était venue me chercher et qui m'interrogeait, je dis :

— Il me semble que j'ai bien répondu. Mais, comme nous le répétaient nos professeurs, c'est un concours, et non un examen. Si les autres ont mieux réussi que moi, je ne serai peut-être pas reçue.

— Pas de pessimisme, Céline, ordonna ma tante. Attendons les résultats avec confiance.

Nous les connûmes dans le milieu de la semaine : j'étais admise à l'oral.

— Je le savais bien, commenta ma tante Marceline avec une certitude qui valait tous les compliments. Et tu seras reçue cette fois-ci également. Ne crains rien.

Je dus subir une deuxième fois les mêmes épreuves, sauf la dictée. Il y eut, en plus, gymnastique et musique. Cette matière surtout ne me posa pas de problème car je chantais bien. Des professeurs m'interrogèrent, et de nouveau je donnai le meilleur de moi-même. Mais la sélection, à l'oral, était encore plus serrée qu'à l'écrit.

Le samedi, j'allai avec ma tante prendre connaissance des résultats. J'avais tellement peur que je me sentais prête à m'évanouir. Lorsque la directrice, qui lisait la liste des reçues, prononça mon nom, j'eus l'impression d'un éblouissement. Je regardai ma tante avec incrédulité :

— C'est vrai, ma tante ? Je suis reçue ? C'est bien moi ?

Avec un rire ému, ma tante me serra dans ses bras :

— Et qui serait-ce ? Il n'y a quand même pas une autre fille qui porte le même nom que toi !

Elle m'embrassa avec chaleur, heureuse et ravie :

— Toutes mes félicitations, ma petite Céline. La porte t'est ouverte, maintenant. Bientôt, dans trois ans, tu seras institutrice.

C'était merveilleux. C'était le début de la concrétisation de mon rêve. Je nageais dans une sorte d'euphorie qui m'enivrait et qui me donnait l'impression très agréable de planer.

Le lendemain dimanche, ma tante Marceline me raccompagna chez mes parents. Lorsqu'ils connurent mon succès, contrairement à ma tante, ils ne me félicitèrent pas. Je savais que mon père était plus intéressé par son nouveau bateau que par mes études, mais cette fois, j'allais entrer à l'École Normale, et j'aurais aimé qu'il se réjouît avec moi. Au lieu de cela, il me regarda simplement et dit, comme une constatation qu'il lui était impossible de changer :

— Si c'est ça que tu veux, ma fille...

Ma mère, elle, haussa les épaules dans un geste fataliste :

— Comme ça, tu es reçue... Tu seras institutrice. Tu es contente, je suppose ?

Désorientée par leur manque d'enthousiasme, je me tus, les larmes aux yeux. Ils ne me comprendraient jamais. Ma tante réagit pour moi, et avec indignation s'écria :

— Mais vous ne vous rendez pas compte ! Vous pourriez la féliciter, au moins ! Elle méritait son succès. Et ce n'était pas facile, vous savez ! Elles sont nombreuses à se présenter, mais peu d'entre elles sont élues.

Mon père parut gêné et baissa la tête, fuyant le regard fulgurant de ma tante. Ma mère, de nouveau, eut le même haussement d'épaules :

— On ne lui a rien demandé. C'est elle qui l'a voulu, pas nous. Et sans toi, Marceline... enfin, nous, on aurait préféré une fille toute simple, qui se contente de ce qu'elle a et qui sait rester à sa place.

— Eh bien, moi, je dis qu'elle a raison, rétorqua ma tante. Elle est intelligente, et elle exercera un métier digne d'elle.

Ils ne répondirent pas et, du regard, je suppliai ma tante de ne pas insister. Elle comprit et grommela quelque chose, entre ses dents, sur les gens à l'esprit borné. Elle changea délibérément de conversation, et on ne parla plus de moi. Mais ma joie n'était plus aussi lumineuse. La réaction de mes parents avait réussi à la ternir.

Autour de moi, au cours des jours suivants, je me rendis compte que mon succès suscitait surtout l'incompréhension. Ma cousine Marinette me dit :

— Je ne comprends pas pourquoi tu te réjouis, Céline. Passer toute ta vie à vouloir apprendre quelque chose à des enfants qui ne retiendront rien est ridicule. Tu vas y perdre tes forces inutilement. Moi, cela me découragerait à l'avance. Sans compter que le fait de travailler enfermée me rendrait folle. Je préfère mon métier de sautrière. Au moins, je suis libre, j'ai la mer, le vent, je n'aurai jamais l'impression d'étouffer.

Je tentai de m'expliquer :

— Chacun réagit selon son tempérament, Marinette. Moi, j'aime l'étude, et je rêve d'apprendre à lire aux enfants. Par contre, je n'ai jamais aimé la mer, et je ne voudrais pas faire le même métier que toi.

Elle me regarda sans répondre, et je vis qu'elle ne comprenait pas mon point de vue. Je repensai à la réflexion de ma tante au sujet des gens bornés, et je jugeai inutile d'insister. Je me dis que je ne devais pas me préoccuper de l'incompréhension des autres, et marcher avec confiance vers le but que je m'étais fixé et que, bientôt, j'atteindrais.

5

A la rentrée d'octobre, je devins élève de l'École Normale d'Arras. Ce fut ma tante Marceline qui m'accompagna, ce fut elle qui s'occupa de mon trousseau, qui me choisit mon uniforme, mon chapeau, ma blouse bleue. Lorsque je me retrouvai seule dans la cour de l'école, au milieu de filles qui m'étaient toutes inconnues, je me sentis perdue. Certaines semblaient déjà se connaître et bavardaient ensemble. D'autres, comme moi, solitaires, l'air désemparé, demeuraient immobiles, ne sachant quelle contenance prendre.

On nous conduisit au dortoir. Il y avait trois pavillons pour chacune des trois promotions. On nous distribua les lits par ordre alphabétique. Je me retrouvai au second étage. Le dortoir était une salle divisée par des cloisons, placées de chaque côté d'un couloir central. Ces cloisons, qui n'allaient pas jusqu'au plafond, formaient cependant des petites chambres individuelles. Je regardai celle qui m'était attribuée : sommairement meublée d'un lit, d'une armoire, d'une table et d'une chaise, elle était tout à fait neutre et anonyme. Un lavabo, dans un coin, surmonté d'un miroir, y mettait ce qui pour moi ressemblait à un luxe ; chez mes parents, je ne possédais pas de lavabo dans ma chambre. Un rideau séparait la petite pièce du couloir central. Je posai mon bagage sur le lit avec détermination : dans cette chambre qui m'était attribuée, je travaillerais avec acharnement, et je réussirais.

J'étais occupée à placer mon linge dans l'armoire

lorsque ma voisine de droite frappa à ma « porte ». Elle tenait à la main une photo encadrée.

— Excusez-moi. Pouvez-vous... euh... peux-tu me dire si on a le droit d'installer une photo sur la table de nuit ?

— Je ne sais pas, répondis-je sincèrement. Il faudrait demander à la surveillante.

Elle fit un pas dans ma chambre :

— Comment te nommes-tu ? Moi, c'est Odette. D'où viens-tu ?

Nous fîmes connaissance. J'appris avec un plaisir ravi qu'elle venait de Boulogne et qu'elle faisait, elle aussi, partie d'une famille de pêcheurs. Je la trouvai encore plus sympathique. Elle avait un visage rond qu'un semis d'éphélides rendait enfantin, une masse de cheveux frisés, des yeux pétillants de malice. Elle me montra la photo qu'elle tenait :

— C'est ma grand-mère, ma Mamé, comme je l'appelle. C'est elle qui nous a élevés, mes frères et moi. Papa est en mer toute la semaine, et maman travaille à l'atelier de salaison. Je l'aime beaucoup, ma Mamé.

La photo représentait une femme de marin en tenue de fête : la jupe noire, le tablier blanc, le châle à franges, les boucles d'oreilles en forme d'épis de blé, et le grand soleil, cette coiffe superbe et amidonnée que l'on porte à Boulogne. Le visage de la femme avait une expression de force et de bonté, mais les yeux me parurent meurtris.

— Elle est très belle dans cette tenue, dis-je, mais comme elle semble triste !

— Sa vie n'a pas été gaie. Mon grand-père est mort noyé, mon oncle — son second fils — également. Il y a de quoi être triste, tu ne crois pas ?

Je hochai la tête avec gravité. Je ne connaissais que trop bien, moi aussi, les drames de la mer. Odette continua :

— C'est pourquoi elle est contente et fière de me voir exercer un autre métier. Elle me répète toujours : « Avec un peu de chance, tu épouseras un instituteur. Et tu n'auras pas à trembler pour sa vie tous les jours, et à avoir peur de te retrouver veuve avec des petits enfants, comme je l'ai été moi-même. »

Je ne pus m'empêcher de demander :

— Et tes parents ? Comment réagissent-ils ?

— Ils sont fiers, eux aussi. Mon père dit : « Nous allons avoir une savante dans la famille, une maîtresse d'école ! » Quant à ma mère, elle est satisfaite de penser que je vais exercer un autre métier que le sien, qui est dur et fatigant. Au moment du hareng, elle travaille douze heures par jour. Et après la saison du hareng, c'est celle du maquereau. Toute la journée, elle bourre de sel les poissons. Si tu voyais son pouce ! Il est tout rongé.

— Tu as de la chance, soupirai-je. Moi, mes parents ne me comprennent pas. Ils me reprochent de vouloir sortir de mon milieu. Seule ma tante me soutient.

Odette me regarda avec surprise :

— Est-ce possible ? Peut-être sont-ils déroutés par la situation ? Lorsque tu seras institutrice, ils changeront d'avis. Ils seront fiers de toi, tu verras.

Cette conversation fit de nous, tout de suite, des amies. La nature primesautière et bavarde d'Odette s'accorda immédiatement à la mienne, réservée et silencieuse. De plus, nous venions du même milieu, nous pouvions parler des mêmes choses en sachant que l'autre nous comprendrait. C'était une amie comme elle qui m'avait manqué pendant mes quatre années de Cours Complémentaire.

Cette amitié toute neuve m'aida à ne pas me sentir désorientée, au début, par le rythme de vie qui nous était imposé. La discipline était stricte. Une sonnerie nous réveillait tous les matins à six heures. Nous avions une demi-heure pour notre toilette, puis une heure d'étude jusque sept heures trente. Ensuite nous allions au réfectoire et nous prenions le petit déjeuner : café au lait, pain à volonté, beurre. A huit heures, c'était le « ménage » : chacune d'entre nous devait faire son lit, ranger sa chambre. Celles qui étaient de service avaient une tâche précise à effectuer : balayer le couloir, les escaliers, le dortoir, remplir d'encre les encriers des salles de classe, veiller à ce qu'il y eût suffisamment de craies, et autres choses du même genre.

A huit heures vingt commençait la journée proprement dite. Nous nous rassemblions dans la grande galerie, et selon les semaines chaque promotion devait chanter. Les élèves les plus douées en musique, dont je fis bientôt partie, s'installaient sur les marches d'entrée de la bibliothèque et entonnaient gaiement *Le Chant du pays d'Artois*, ou *Vive la Canadienne* dont nous changions malicieusement les paroles pour en faire *Vive la Normalienne*. Mais nous revenions vite au texte original car nous voyions apparaître, dans le couloir vitré, du côté gauche de la galerie, la silhouette de « Madame ».

C'était ainsi que nous nommions Mlle Fabre, la directrice. Nous savions qu'elle était une grande musicienne, et nous donnions le meilleur de nous-mêmes afin qu'elle fût satisfaite. Nous éprouvions pour elle un mélange de respect et d'admiration. Je la trouvais très belle. Petite, avec un visage de poupée et des cheveux blonds frisés, souvent vêtue d'une jupe noire et d'un chemisier blanc, elle me semblait inaccessible. Mais, derrière sa sévérité, nous ressentions sa bienveillance. Elle nous avait expliqué qu'elle exigerait beaucoup de nous parce qu'elle souhaitait avant tout que nous réussissions. J'avais approuvé cet avis, qui s'accordait tout à fait au mien.

Ensuite, nous allions en classe. Les cours duraient jusqu'à midi, coupés à dix heures par une récréation de quinze minutes. L'après-midi, ils se terminaient à dix-sept heures. Nous avions alors une demi-heure pour le goûter, et ensuite nous allions en étude surveillée. Nous faisions notre travail, nos devoirs, nous apprenions nos leçons. Après le repas du soir, qui se terminait à vingt heures, nous étions libres jusqu'au coucher. Nous devions être dans notre lit à vingt et une heures.

C'étaient des journées haletantes, basées sur le travail. Nos professeurs, à l'image de « Madame », exigeaient de nous des efforts constants, mais nous savions qu'elles agissaient ainsi pour notre bien. Pas une d'entre nous n'aurait osé aller en classe sans avoir fait tout son travail et appris parfaitement ses leçons. Nous étions conscientes de la chance que nous avions d'être normaliennes, et nous nous préparions au métier d'institutrice avec ardeur.

J'aimais les cours d'histoire. Notre professeur, que nous avions surnommée « Clio », appuyait ses dires de sentiments personnels. Elle déclarait par exemple qu'elle était d'accord avec Bismarck qui considérait Napoléon III comme « une grande incapacité méconnue ». L'histoire était une matière qui me plaisait, et je me passionnais pour tout ce que « Clio » nous racontait.

Les cours de musique étaient également parmi mes préférés. Notre professeur, Mlle Dagbert, que certaines appelaient « Dag-Dag », approchait des soixante ans et nous semblait très âgée. Elle était affublée d'un dentier qui voyageait dans sa bouche, et qui nous valut, à Odette et à moi, bien des fous rires.

Dans cet univers aride du travail, il existait heureusement quelques plages de détente. Le matin et l'après-midi, au cours des récréations, et plus encore le soir, après le repas, nous allions dans la grande galerie, où il y avait un piano. L'une de nous s'installait et se mettait à jouer. Les autres chantaient, et bien souvent dansaient. C'est là que j'ai appris toutes les danses, polkas, tangos, valses et mazurkas. Je dansais avec Odette « le quadrille des lanciers » sans jamais me lasser. Parfois, « Madame » venait nous voir et nous disait de danser « librement ». Nous ne comprenions pas ce que cela voulait dire et, derrière elle, nous gesticulions en riant.

Il y avait aussi les sorties. Le jeudi après-midi, coiffées de notre chapeau, rangées deux par deux, nous partions en promenade, accompagnées par une surveillante. Nous n'avions pas le droit de franchir la passerelle au-dessus de la voie ferrée. Il nous était interdit d'aller en ville. Alors nous nous dirigions vers la campagne environnante, nous efforçant de baisser les yeux et de garder un maintien modeste. Mais nous ne pouvions nous empêcher de regarder partout. Nous bavardions, nous riions de tout et de rien. Odette me poussait du coude :

— Sur l'autre trottoir... ce monsieur que nous venons de croiser, soufflait-elle. As-tu remarqué comme il t'a dévisagée ?

Nous riions de plus belle. Et, dès que nous arrivions dans la campagne, nous nous mettions à chanter gaiement. Ces promenades, distractions bien innocentes, mettaient une bouffée d'oxygène dans notre vie de fourmis laborieuses.

Il existait aussi les sorties du dimanche. C'était, pour moi, le moment que j'attendais toute la semaine. Chaque dimanche, après l'étude du matin, il y avait à dix heures un office pour les volontaires. Odette et moi, nous y assistions régulièrement. Depuis ma plus tendre enfance, j'avais été habituée à aller à la messe ; les marins sont très croyants, et pas un propriétaire de bateau ne prendrait la mer sans que son bateau ne soit béni par le curé. Après l'office, ma tante Marceline venait me chercher. Elle m'attendait au parloir, devait signer pour m'emmener, et devait me reconduire à dix-sept heures et signer de nouveau.

Lorsque je sortais de l'école avec elle, j'avais l'impression de retrouver, pour quelques heures, une liberté qui m'enivrait. J'étais un oiseau hors de sa cage, cette cage dans laquelle il reviendrait pourtant s'enfermer volontairement pour une autre semaine. Je serrais le bras de ma tante, je sautillais d'excitation sur le trottoir comme une enfant. Plus loin dans la rue, monsieur Casimir, au volant de la voiture, nous attendait. Car ma tante était l'une des rares femmes de l'époque à posséder une automobile. Elle ne la conduisait pas. C'était son régisseur, monsieur Casimir, qui faisait office de chauffeur.

Pendant le voyage jusqu'à son domicile, je racontais, pêle-mêle, tous les événements qui avaient marqué ma semaine. Je rapportais à ma tante mes notes, et j'étais heureuse de ses félicitations.

Chez elle, nous faisions un repas succulent. Maria, la bonne, avait tout préparé la veille et, sachant que j'allais venir, s'était surpassée. Il y avait toujours un gâteau ou une charlotte au chocolat dont je me régalais sous l'œil attendri de ma tante.

— Tu féliciteras Maria de ma part, lui disais-je. Son dessert est délicieux.

— Elle sera contente de savoir que tu l'as aimé. Dans son esprit, tu n'es qu'une pauvre prisonnière, enfermée toute la semaine.

Cette réflexion m'amusait. Et pourtant, pensais-je parfois, elle n'était pas tout à fait fausse. Moi qui étais habituée à l'immensité de la plage, de la mer, à la sensation de liberté qu'elle pouvait donner, j'avais parfois l'impression d'étouffer entre les hauts murs de l'école. Je commençais à comprendre ce qu'avait voulu dire Marinette, je comprenais mieux également l'amour que mon père, mon frère, Pierrot et tous les autres portaient à leur métier. Mais je me disais que ma réussite valait quelques sacrifices, et bien vite, ma passion pour l'étude me faisait oublier cet inconvénient.

Mon amie Odette, qui n'avait pas de famille dans les environs d'Arras, passait son dimanche après-midi à l'école. Elle me regardait partir chez ma tante avec envie. Elle me disait :

— Tu as de la chance d'avoir une tante aussi formidable ! Moi, j'ai ma Mamé, mais elle est à Boulogne et je ne peux la voir qu'aux vacances scolaires.

Après plusieurs semaines, une idée me vint. Le règlement permettait d'emmener, pour ces petites sorties du dimanche, une amie ou une voisine de dortoir dont la famille habitait trop loin. J'en parlai à ma tante, qui par mes récits connaissait déjà Odette. Elle accepta tout de suite de recevoir mon amie chez elle. Dès que ses parents eurent donné leur accord signé, Odette put ainsi m'accompagner, chaque dimanche, chez ma tante Marceline. Et cette évasion devint pour moi deux fois plus agréable.

Il y avait quelquefois ce que nous appelions « la grande sortie », une ou deux fois par trimestre. Ces fois-là, ma tante venait me chercher le samedi soir et me ramenait le dimanche soir. C'était une véritable fête. J'en profitais pour lire, dans mon lit, jusqu'à ce que la fatigue me brouillât la vue. Le lendemain matin, je paressais, puis je prenais le petit déjeuner avec ma tante. La journée se passait calmement, et me procurait une détente bienfaisante, après une semaine scandée par les sonneries incessantes.

Une autre distraction nous était parfois offerte. Nous allions de temps en temps au théâtre, toujours strictement surveillées, voir une pièce que nous étudiions ensuite en cours de français. C'était, pour Odette comme pour moi, une nouveauté excitante, car jamais auparavant nous n'avions mis les pieds dans un théâtre. Dans la salle, nous étions placées à l'étage, tandis qu'en bas se trouvaient les élèves de l'École Normale des garçons. Nos surveillantes évitaient soigneusement que nous les rencontrions, à l'entrée et à la sortie du théâtre. De plus, une fois que nous étions installées, nous n'avions pas le droit de baisser les yeux vers eux ; de leur côté, il leur était interdit de lever le regard vers nous. Odette, toujours frondeuse, profitait du déroulement de la pièce pour désobéir. Quelques garçons, dans leurs rangs, faisaient de même. Je me souviens d'une tragédie de Racine, au cours de laquelle Odette me poussait sans cesse du coude : il y avait, parmi les Normaliens, un jeune homme qui, au moment des longues tirades, levait les yeux vers nous et prenait des poses tragiques, comme s'il eût été lui-même l'acteur, en accentuant les gestes dramatiques. C'était cocasse ; Odette et moi gloussions tout bas, en évitant soigneusement de nous faire repérer par la surveillante. Nous nous serions fait gronder, et peut-être aurions-nous été privées de théâtre la fois suivante.

Car la discipline était très sévère. Aucune fantaisie n'était tolérée. On nous interdisait le moindre maquillage. Nous étions obligées de dormir nues sous notre chemise de nuit. Notre chambre devait toujours être d'une propreté rigoureuse : lit parfaitement refait, lavabo nettoyé, brosse et peigne à cheveux d'une netteté irréprochable. Des contrôles étaient effectués. Il fallait que nos habits soient propres, nos chaussures impeccablement cirées. C'était madame l'Économe, que nous avions surnommée « l'Éco », qui en assurait elle-même la surveillance. Nous craignions sa sévérité. Elle vérifiait notre tenue, nous toisant des pieds à la tête, et son regard incisif nous glaçait. Nous savions qu'elle n'hésitait pas à mettre en retenue ou à priver de sortie celles qui n'avaient pas correctement ciré leurs chaussures ou nettoyé leur chambre. Un bruit courait à son sujet — vrai ou faux, je ne l'ai jamais su — selon lequel elle était dominée par sa mère et se vengeait, sur les pauvres élèves que nous étions, en faisant preuve d'une autorité abusive.

C'était elle également qui surveillait les repas dans le

réfectoire. Nous étions nourries convenablement, mais les mêmes menus revenaient inlassablement jour après jour. Et nous devions obligatoirement manger ce que l'on nous présentait, même s'il s'agissait d'un plat que nous n'aimions pas.

Le repas du vendredi était ma hantise, à cause de mon dégoût pour le poisson. Odette, quant à elle, éprouvait une aversion identique pour la purée de pois cassés. Ces jours-là, nous allions au réfectoire avec, dans la poche de notre blouse, une enveloppe ou un sachet épais. En profitant d'un moment où « l'Éco » nous tournait le dos, nous faisions subrepticement passer la nourriture de notre assiette dans l'enveloppe, que nous allions ensuite jeter dans les W.C. C'était une habitude qui s'était répandue, et nous agissions toutes de cette façon lorsqu'un plat ne nous plaisait pas. Je me souviens d'un vendredi où l'on nous servit une brandade de morue particulièrement rebutante — surtout pour moi ! Ce jour-là, les W.C. furent bouchés. « L'Éco » entra dans une colère noire et, faute de trouver les coupables, menaça de priver de sortie tout le monde si cela se reproduisait.

Elle nous terrorisait. C'était elle qui, avant chaque sortie, vérifiait notre tenue. Un dimanche, ma tante Marceline vint nous chercher, Odette et moi ; elle nous avait promis de nous emmener au cinéma l'après-midi. Cette perspective rendait mes joues roses d'excitation, et « l'Éco » crut que je m'étais maquillée. Elle m'apostropha sèchement :

— Dites-moi, jeune personne... Qu'avez-vous mis sur votre visage ? Allez vous démaquiller immédiatement. Vous ne sortirez pas ainsi.

J'osai protester faiblement :

— Mais... je n'ai rien mis.

— Allons, ne me prenez pas pour une imbécile ! Vos joues sont fardées, je le vois bien. Allez m'enlever ça.

Que faire ? Encore protester ? Je ne l'osais plus. De toute façon, elle ne m'aurait pas crue. En désespoir de cause je sortis du parloir, allai jusqu'aux lavabos, me passai le visage à l'eau froide. Je m'observai avec inquiétude dans le miroir. Il n'y avait aucun changement ; mes joues étaient toujours aussi roses. Je revins dans le parloir, tremblant intérieurement, imaginant la colère de « l'Éco » : « Vous vous moquez de moi ? Puisque c'est ainsi, vous ne sortirez pas aujourd'hui ! » Mais elle ne prononça pas ces paroles que je redoutais. Elle lança à mon visage le coup d'œil incisif auquel nous étions habituées, et sans un mot me laissa partir. Nous attendîmes d'être dehors, sur le trottoir, pour pousser un énorme soupir de soulagement.

Nous supportions cette discipline sévère parce que nous étions tendues vers un seul but : devenir institutrice. Et puis, il existait entre nous une fraternité qui rendait l'ambiance agréable. Je garde un souvenir délicieux des moments de détente que nous passions dans la grande galerie où se trouvait le piano, chantant et dansant à perdre haleine. Le rythme studieux de nos journées ne nous empêchait pas d'être gaies. J'avais aussi, moi qui adorais lire, les moments d'évasion que me procuraient les livres de la bibliothèque. Et surtout, l'amitié qui m'unissait à Odette m'était précieuse. Grâce à elle, la vie n'était jamais pesante, ni terne.

Le courrier, lui aussi, était surveillé. Au dos des lettres que nous recevions, l'expéditeur devait inscrire son nom. Chacune de nous avait dû donner une liste de gens susceptibles d'écrire. Mes parents y figuraient, et leurs lettres m'étaient remises sans problème. Ils me donnaient des nouvelles de leur vie, de leur travail, de leurs voisins, et il me semblait qu'ils parlaient d'un monde révolu, que j'avais quitté et dans lequel je n'avais aucune envie de revenir.

Je leur écrivais fidèlement chaque dimanche soir. Je leur racontais les petits événements de ma semaine, je leur parlais de mes notes et de mes résultats, en espérant les intéresser. Je me rendais compte que, à eux également, ma lettre devait donner l'impression de venir d'un autre univers, qu'ils ne connaissaient pas et qui leur était totalement étranger.

Une fois, au réfectoire, pendant le repas de midi, la

surveillante m'appela. Une lettre était arrivée pour moi, mais au dos, aucun nom ne figurait. Je reconnus l'écriture de ma cousine Marinette. Je le dis. On ne me crut pas. Je dus décacheter l'enveloppe et donner la lettre à lire. Je me sentis humiliée, accusée alors que je n'étais pas coupable. Ce fut l'une des rares fois où je ressentis, contre le règlement qui me parut ce jour-là borné, une révolte impuissante.

Pierrot m'écrivait également, mais il envoyait les lettres chez ma tante Marceline, qui me les remettait lors de ma sortie du dimanche. Ses missives étaient rares et courtes. Après avoir embarqué à Brest, il faisait le tour du monde, et les cachets de la poste parlaient de villes et de pays que je ne connaissais que par mes leçons de géographie : Dakar, Konakry, le Venezuela, la Martinique... Pierrot disait qu'il était heureux et bien nourri, et que cette vie, entre ciel et mer, lui convenait parfaitement. Il était aide-cantonnier et, dans mon ignorance, je me demandais quel rapport cette activité pouvait avoir avec le métier de pêcheur.

Deux choses me gênaient lorsque je lisais les lettres de Pierrot. Pourtant, il les terminait toujours en répétant qu'il pensait à moi et qu'il m'aimait. Mais il ne parlait que de lui-même, ne demandant jamais si mes études se passaient bien. D'autre part, ses propos étaient émaillés de tant de fautes que j'avais honte pour lui. J'éprouvais une sorte d'allergie envers les fautes d'orthographe. Dès que j'en voyais une, je grimaçais intérieurement. Et j'aurais aimé que Pierrot, au moins, écrivît correctement.

Malgré tout, je m'attachais à ses déclarations d'amour. Sa vie actuelle lui convenait, mais il me disait qu'il comptait les mois le séparant de son retour. Alors, affirmait-il, il viendrait faire sa demande à mes parents et nous pourrions nous marier. C'était ce que j'avais toujours voulu, mais, parfois, je me demandais comment je parviendrais à concilier mon mariage et ma carrière d'institutrice. Étaient-ce vraiment deux choses incompatibles ? Je me persuadais que non. Je repoussais à plus tard ce problème, me disant que nous trouverions bien une solution. Et, de nouveau, je me remettais au travail avec ardeur.

* * *

A chaque congé scolaire, toutes les six semaines environ, je retournais chez mes parents. Pour quelques jours, je laissais de côté mes habits de pensionnaire et je revêtais mes robes de tissu grossier. J'avais l'impression, ainsi, d'être déguisée. Je n'en prenais pas conscience, et pourtant, à mon insu, je changeais.

Ce fut ma cousine Marinette qui me le fit comprendre. Un jour où j'allais chez elle, alors que je parlais de ma vie de pensionnaire, elle remarqua :

— Tu n'es plus pareille, Céline. Je l'ai déjà dit à maman. Tu changes, tu deviens différente. Tu prends des allures de demoiselle.

Je fus surprise, sur le moment. Avec dérision, je montrai ma vieille jupe de coton :

— Une demoiselle ? Dans cette tenue ?

Mais Marinette ne sourit pas.

— Tes vêtements n'y sont pour rien, Céline. C'est ton attitude, et puis tes gestes, ta façon de parler... Tu n'es plus pareille, répéta-t-elle.

Cette affirmation me fit réfléchir. Bien que la lucidité de Marinette me surprît, je finis par admettre qu'elle devait avoir raison. Il était vrai que nos professeurs exigeaient de nous un maintien impeccable. Elles nous répétaient qu'il nous faudrait montrer l'exemple, plus tard, et représenter pour nos élèves un modèle. Alors, je devenais plus policée, je perdais mes allures de sauvageonne. J'apprenais à discipliner ma coiffure, je brossais soigneusement mes vêtements, je cirais mes chaussures — ce qui, de toute façon, était exigé par le règlement. Le métier de responsable que j'allais exercer demandait que je sois une jeune femme digne, posée, toujours irréprochable. C'était nécessaire, je le comprenais bien. Ainsi, malgré la remarque de Marinette, ce fut sans regret que j'oubliai la petite Céline qui, il n'y avait pas si longtemps, courait sur la plage, les cheveux dans les yeux.

* * *

Notre amitié, à Odette et à moi, se resserrait. Elle était la sœur que je n'avais pas eue, une sœur qui m'aimait et me comprenait. Elle qui n'avait que des frères m'avouait qu'elle éprouvait la même impression. Nous avions le même sens de l'humour, nous riions des mêmes choses. Nous étions inséparables. Elle était auprès de moi en classe, en étude, pendant les promenades, elle m'accompagnait chez ma tante le dimanche. Elle était la seule à connaître l'existence de Pierrot et, autour de nous, à l'école, sur ma demande elle n'en parlait jamais.

Nous étions alors en deuxième année. A la rentrée des vacances de Pâques, que nous avions toutes passées dans notre famille, je retrouvai mon amie en larmes.

— Ma Mamé... hoqueta-t-elle, le visage désespéré. Ma Mamé est morte...

A travers ses explications entrecoupées de sanglots, je compris que sa grand-mère avait succombé à une congestion cérébrale. Elle était morte brutalement, et son enterrement avait eu lieu pendant le séjour d'Odette auprès des siens. Je demeurai sans voix, abasourdie par une telle nouvelle, et malheureuse pour mon amie, car je savais combien elle aimait et admirait sa Mamé.

Je la serrai contre moi, embrassai ses joues mouillées de larmes. Elle s'agrippa à moi et sanglota de plus belle. Je ne savais comment la consoler. Au bout d'un moment, elle se calma un peu, s'essuya les yeux, soupira :

— Elle était si fière de moi... Elle me félicitait, elle me disait qu'elle attendait comme une récompense le moment où je serais institutrice... C'était pour elle aussi que je voulais réussir... Et maintenant, elle ne verra rien, elle ne connaîtra pas cette joie que je voulais lui offrir...

Toute la journée, elle pleura. Pendant les cours, elle retenait ses sanglots, mais ses larmes coulaient silencieusement. Nos professeurs, mises au courant, ne firent aucune remarque. Et moi, assise auprès d'Odette, je lui serrais furtivement le bras, pour lui montrer que j'étais là et que je comprenais sa peine.

Au cours de la nuit, je me réveillai. Dans le dortoir silencieux, un bruit me parvint, assourdi mais parfaitement identifiable : Odette pleurait. Pleine de compassion, j'écoutai. Mon amie s'efforçait d'étouffer ses sanglots, mais ils exprimaient un chagrin si intense et si désespéré qu'il me fut impossible de rester là, dans mon lit, sans bouger. Je me levai, allai jusqu'à ma « porte », puis, silencieusement, je me glissai dans le box voisin. Je m'approchai du lit :

— Odette... chuchotai-je. Odette, je suis là.

Mon amie leva la tête. Dans la pénombre, elle m'aperçut, se remit à sangloter :

— Céline... Si tu savais ! Je suis si malheureuse...

Je m'accroupis sur le sol, lui pris une main, caressai ses cheveux.

— Ta Mamé est au ciel maintenant, dis-je, me souvenant de mes leçons de catéchisme. De là-haut, elle veillera sur toi. Pense à cela, Odette.

— Mais je ne la verrai plus... Je l'aimais tellement !

De l'autre côté de la cloison, la voisine d'Odette remua dans son sommeil.

— Ne faisons pas de bruit, dis-je très bas. Il ne faut pas réveiller les autres. Veux-tu que je reste près de toi ?

Odette serra ma main, m'attirant à elle :

— Oh oui, s'il te plaît, Céline... Ne me laisse pas seule !

Je m'assis au bord de son lit, tenant toujours sa main. Pieds nus, vêtue de ma seule chemise de nuit, je frissonnais. Je chuchotai :

— Fais-moi une petite place sous les couvertures. J'ai froid.

Elle se poussa contre la cloison, et je me glissai auprès d'elle. Dans le lit étroit, nous étions serrées l'une contre l'autre. J'entourai mon amie de mes bras, l'embrassai tendrement.

— Essaie de dormir maintenant. Je vais rester jusqu'à ce que tu sois complètement endormie.

Elle mit sa tête au creux de mon épaule et se blottit

contre moi comme un enfant perdu. Ce geste m'attendrit. Je ne savais que dire pour la consoler, je ne pouvais lui offrir que ma présence et mon amitié. Je demeurai ainsi, près d'elle, sans bouger. Peu à peu, sa respiration se fit régulière, et je compris qu'elle s'était assoupie.

Je restai encore un long moment. Puis, avec précaution, je sortis du lit et sur la pointe des pieds regagnai rapidement mon box. En silence, je me couchai, me recroquevillai sous les couvertures. Je fermai les yeux et, bientôt, je m'endormis.

Le lendemain, à la récréation du matin, les deux filles qui occupaient les deux chambres voisines, à gauche de la mienne, vinrent nous trouver, Odette et moi, avec des mines de conspiratrices :

— Attendez-vous à être interrogées par notre surveillante de dortoir, nous dit l'une d'elles. Elle nous a déjà convoquées, Andrée et moi.

Je fus tout de suite inquiète :

— Que se passe-t-il ?

— Figurez-vous qu'elle a vu, ou cru voir, une silhouette blanche se glisser furtivement dans le couloir pendant la nuit. C'était une fille qui regagnait son box, à peu près à l'endroit où se trouvent nos chambres. Alors elle mène une enquête pour trouver la coupable.

J'échangeai un coup d'œil rapide avec Odette, mais j'eus la prudence de me taire.

— Et si elle la trouve, demanda mon amie, que va-t-elle faire ?

— Je pense qu'elle va en parler à « Madame ». C'est très grave. Dans un cas pareil, les deux filles risquent d'être renvoyées. Ça s'est produit dans le lycée où ma tante était pensionnaire. Elle me l'a souvent raconté.

Je me sentis glacée. Renvoyées ? Ce serait une véritable catastrophe. Après le départ de nos deux compagnes, nous nous mîmes à chercher, Odette et moi, quelle attitude nous devrions avoir si nous étions interrogées.

— Nous n'avons qu'à nier, disait Odette. Si tu affirmes que ce n'est pas toi, elle ne pourra jamais le prouver. Et moi, je dirai que j'ai dormi et que je n'ai rien vu, rien entendu.

Cette solution ne me convenait qu'à moitié. Je ne savais pas mentir, et je craignais que ma culpabilité ne se lût sur mon visage.

— C'est quand même risqué, objectai-je. Imagine que Marguerite, ton autre voisine, t'ait entendue pleurer. Si elle est interrogée aussi, elle dira que tu ne dormais pas. Et peut-être nous a-t-elle entendues chuchoter. Elle ou une autre.

— Alors, que proposes-tu ?

— C'est moi la coupable, dis-je d'un ton catégorique, c'est à moi à me dénoncer. Je vais aller trouver la surveillante et lui dire la vérité.

— Mais... et si nous sommes renvoyées ?

L'argument me laissa sans voix un instant. Mais je repris avec assurance :

— Je ne vois pas pourquoi. J'ai fait quelque chose d'interdit, mais je n'ai rien fait de mal. J'expliquerai pourquoi j'ai agi ainsi. Nous serons sans doute punies, surtout moi. Toi, après tout, tu n'es pas coupable. Mais je ne pense pas être renvoyée pour si peu.

Notre discussion dura longtemps. Finalement, Odette se rangea à mon avis, mais elle me supplia de ne pas tout raconter.

— Si tu as commis une faute, essayons de la minimiser. Ne dis pas que tu es restée longtemps avec moi. Dis simplement que tu m'as entendue pleurer et que tu es venue quelques minutes, pas plus. Si je suis interrogée, je dirai la même chose.

Toute la journée, je demeurai crispée. Pour une fois, je fus inattentive en cours, et je reçus une réprimande de « Clio », notre professeur d'histoire. Quand arriva le soir, je n'attendis pas d'être convoquée par la surveillante. Dès que je fus libre, j'allai la trouver. J'avais les paumes moites, et mon cœur battait très fort. Mais je m'obligeai à demeurer calme. Je déclarai tout de suite en arrivant :

— Je viens me dénoncer. C'est moi que vous avez vue, la nuit dernière.

Elle posa le livre qu'elle tenait, me considérant avec stupéfaction :

— C'était vous ?... Vous, Céline ?...

Je compris à son ton qu'elle ne m'avait pas soupçonnée. J'étais une élève calme, obéissante, sérieuse. Je ne transgressais jamais les interdits, je m'acquittais toujours parfaitement de mes tâches, et pas une fois elle n'avait eu un reproche à me faire.

J'avalai ma salive, regrettant presque d'être venue me dénoncer. Pourtant, j'affirmai avec force :

— Oui, c'était moi.

— Mais... vous savez pourtant que c'est interdit ?

Honteuse, je baissai la tête :

— Oui, je le sais. Mais je n'ai pas réfléchi. Odette pleurait. Je n'ai pensé qu'à aller la consoler.

— Et... que s'est-il passé, dans sa chambre ?

— Je lui ai parlé tout bas, je suis restée assise sur son lit quelques minutes en lui tenant la main. Elle s'est arrêtée de pleurer, et je suis repartie, parce que j'avais froid.

— C'est tout ? C'est vraiment tout ?

— Oui, c'est tout.

Elle m'observa, se mordant les lèvres, semblant hésiter. D'une main, elle lissa ses cheveux. Elle soupira, puis se décida à parler :

— Je vais être franche avec vous, Céline. Ce que vous avez fait est grave. Il faut que je sache si... euh... eh bien, il faut me jurer qu'il ne s'est rien passé de répréhensible dans la chambre d'Odette.

Comme j'ouvrais de grands yeux, elle précisa :

— Je veux parler des relations coupables qui existent parfois entre deux personnes du même sexe.

Je demeurai abasourdie, ne comprenant pas ce qu'elle voulait dire. Ce n'est que bien après, des années plus tard, que m'est apparu le sens de ses paroles. Je crois que mon ignorance me sauva. A seize ans, nous savions vaguement comment naissaient les enfants, nous savions que pour cela les hommes et les femmes avaient des relations dont la nature nous échappait totalement. Mais nous étions loin d'imaginer que ces relations pouvaient concerner des femmes entre elles.

— Je ne sais pas, dis-je. Je ne comprends pas.

Elle me scruta. Elle vit ma sincérité, elle vit mon

immense et candide étonnement. Un long soupir lui échappa, et j'eus l'impression qu'elle était soulagée.

— C'était la première fois que vous alliez ainsi chez Odette ?

— Oui, acquiesçai-je avec sincérité.

— Eh bien, si vous me donnez votre parole de ne jamais recommencer, je fermerai les yeux. Je n'en parlerai pas à « Madame ». Ceci restera entre nous.

Je vis s'éloigner la menace d'un renvoi. Avec gratitude, je m'exclamai :

— Oh merci ! Merci ! Non, bien sûr, je ne recommencerai pas ! Je vous le promets.

— Je l'espère, Céline. Car, dans le cas contraire, je serai impitoyable.

— Merci ! répétai-je encore une fois.

Je m'en allai avec la sensation d'avoir échappé à un grave danger. Si j'avais été renvoyée, que serait-il advenu de ma carrière ? Et qu'aurait dit ma tante Marceline ? En même temps, j'avais la conscience plus claire. Je n'avais pas nié, au contraire, je m'étais dénoncée, et j'avais été absoute. Je ressentais envers notre surveillante une infinie reconnaissance.

Elle interrogea également Odette, qui fit des réponses identiques aux miennes. Et ce qui aurait pu devenir un drame ne resta finalement qu'un incident sans conséquences.

Fidèle à ma promesse, je ne quittai plus jamais ma chambre la nuit. Pourtant, à deux ou trois reprises, il m'arriva encore d'entendre mon amie pleurer. Mais je n'osai plus aller la consoler. Je restai immobile dans mon lit, contrariée et malheureuse, attendant que les sanglots d'Odette se calment, et partageant silencieusement son chagrin.

Je travaillais toujours avec énergie, avec passion. En plus des cours théoriques que nous avions, nous allions de temps à autre en stage, pour deux semaines, dans des écoles primaires ou maternelles prévues à cet effet. C'étaient les moments que je préférais. Nous pouvions alors mettre en pratique les leçons de pédagogie que nous avions reçues, et surtout nous étions en contact avec les enfants. Sous la direction de leur maîtresse habituelle, nous leur faisions la classe. Au début, le plus difficile, pour moi, ce fut d'organiser une discipline rigoureuse. J'aurais aimé préserver leur spontanéité, les laisser bavarder, se déplacer, venir me voir. Mais je compris bien vite que, si je voulais les faire travailler correctement, ce n'était pas possible. La première règle, m'expliqua-t-on, était d'éviter tout désordre et d'obliger les enfants à se tenir tranquilles et silencieux afin de bien écouter.

A la fin de chaque année, nous passions un examen, et si nous étions reçues, au bout des trois ans, nous serions titulaires du Brevet supérieur, qui nous donnerait le droit d'enseigner. A chaque fois, je fus malade de trac malgré les encouragements et la confiance de ma tante Marceline. Mais tout se passa bien, et l'année de mes dix-neuf ans, je sortis de l'École Normale avec le Brevet supérieur et le Brevet de gymnastique, osant à peine croire à la réalité : je possédais le statut d'institutrice, j'avais réalisé mon rêve d'enfant.

6

Je revins chez mes parents complètement euphorique. En plus de mon succès, il y avait une autre raison à ma joie : je savais que Pierrot et mon frère, après avoir fini leurs trois ans de service dans la Royale, étaient rentrés depuis plusieurs semaines. Notre longue séparation était terminée, j'allais enfin revoir mon bien-aimé.

Lorsque j'arrivai, Pierrot était en mer et il me fallut encore attendre jusqu'au dimanche. L'impatience me mettait des picotements dans les mains, dans les jambes. Je fis à peine attention à la réaction peu enthousiaste de mes parents, de ma mère surtout.

— Alors, ça y est, tu vas être institutrice à la rentrée ? me dit-elle. Où vas-tu être nommée ?

— Je n'en sais rien encore. Pas trop loin, j'espère.

— Tu arrangeras ça avec Pierrot, si tu le peux. En tout cas, il n'est pas encore venu nous voir.

— Il attendait que je revienne, affirmai-je, sûre de moi. Il le fera sans tarder.

— Jusqu'à la rentrée, tu viendras encore vendre le poisson avec moi, ma fille. Il ne faut pas croire que tu vas rester ici tout l'été à ne rien faire.

J'acquiesçai sans révolte, en pensant que ce serait la dernière fois de ma vie où j'irais vider ces poissons que je détestais. Ensuite, je serais institutrice, j'aurais un métier différent qui me donnerait mon indépendance, et jamais plus je ne mettrais les pieds sur un marché.

Mon père fut un peu plus chaleureux. Il me regarda

avec, dans les yeux, une fierté que je voyais pour la première fois.

— J'ai une fille qui va être maîtresse d'école ! Ça alors ! Je n'en reviens pas.

Mon frère me tapa sur l'épaule :

— Hé mais ! Tu as grandi, tu es devenue une vraie demoiselle ! Tu vas faire une institutrice parfaite, j'en suis sûr.

Autour de moi, les amis, les voisins me félicitèrent, mais je devinais, derrière les paroles, une incompréhension informulée. Je savais qu'ils pensaient : « Quelle idée a eue notre petite Céline ? Vouloir faire l'école ! Ne pouvait-elle pas se contenter d'un bon métier de chez nous comme le font toutes nos filles ? » Je n'y prêtais aucune attention. La seule réaction qui, au fond, m'importait, était celle de Pierrot.

Je savais qu'il rentrait chez lui le samedi soir. Toute la soirée, j'attendis. J'étais allée saluer sa mère l'avant-veille, et elle lui annoncerait certainement mon retour. S'il était aussi impatient que moi, il ne pourrait pas attendre jusqu'au lendemain, il viendrait me voir aussitôt.

Mais il ne vint pas. Je passai ma soirée à guetter les bruits du dehors, espérant de toutes mes forces entendre l'écho de son pas. Lorsqu'il fut l'heure d'aller se coucher, mon frère vit ma déception.

— Tu le verras demain, ton Pierrot, me dit-il avec affection. Ça fait trois ans que tu attends, tu peux bien attendre quelques heures de plus, non ?

Ce raisonnement était juste, mais j'étais déçue. Longtemps, avant de m'endormir, je me tournai et me retournai dans mon lit : pourquoi Pierrot n'était-il pas venu ?

Le lendemain, je me préparai fébrilement pour la messe. Il n'était pas dans l'église lorsque j'arrivai. J'allai m'installer à ma place habituelle, guettant du coin de l'œil la rangée où Pierrot ne manquerait pas de venir. Lorsque je le vis s'avancer dans l'allée, tenant sa mère par le bras, mon cœur se mit à battre plus vite. Comme il avait changé ! Il était plus mûr, plus viril que dans mon souvenir. Le hâle de son visage faisait ressortir ses yeux clairs. Lorsque nos regards se croisèrent, je lus dans le sien l'admiration et l'amour qui me tendaient vers lui. Je sentis mon visage s'empourprer, tandis que ma cousine Marinette me poussait du coude :

— As-tu vu comme Pierrot est séduisant ? Depuis son retour, toutes les filles lui font les yeux doux.

— Voyons, Marinette, chuchotai-je avec colère, tu dis ça pour me rendre jalouse. Tout le monde sait bien que Pierrot et moi, nous sommes quasiment fiancés.

— Mais il n'y a rien d'officiel. Il n'est pas allé faire sa demande chez tes parents.

— Ça ne va pas tarder, dis-je avec une assurance que je n'éprouvais pas totalement.

Jamais la messe ne me parut plus longue que ce jour-là. A la sortie, sur la place, je me trouvai enfin face à face avec Pierrot. Je restai un moment, mes yeux dans les siens, n'ayant qu'une envie : me jeter dans ses bras, l'embrasser et lui dire tout mon amour. Mais les gens qui nous entouraient m'en empêchèrent. Il se pencha vers moi, murmura d'une voix sourde :

— Que tu es belle, Céline ! Tu étais presque encore une enfant quand je suis parti, et maintenant tu es une vraie demoiselle.

— Une demoiselle, c'est toujours ce que je lui dis ! s'exclama d'une voix criarde Marinette, collée à moi comme une sangsue. Elle va être maîtresse d'école à la rentrée, sais-tu, Pierrot ?

Pierrot eut un sourire amusé :

— Ma petite Céline maîtresse d'école... ça paraît presque incroyable.

— Et pourquoi donc ? dis-je en me redressant. C'est ce que j'ai toujours voulu faire. Souviens-toi, Pierrot, je t'en ai souvent parlé.

Il fit un signe d'assentiment, ne dit plus rien. Je voulus lui demander pourquoi il n'était pas venu la veille chez mes parents, mais je me rendis compte de la présence des gens, autour de nous. Certains lançaient dans notre direction des regards curieux. Et puis, Marinette, qui s'incrustait près de moi et qui ne semblait pas vouloir bouger, m'agaçait. Je m'adressai à Pierrot :

— Nous nous retrouverons cet après-midi sur la plage,

comme nous le faisions avant. Nous avons beaucoup de choses à nous dire, n'est-ce pas ?

Il se pencha davantage, m'offrant la caresse de son regard :

— Oui, beaucoup. A tout à l'heure, ma Céline.

Je m'éloignai, allai rejoindre ma mère et ma tante Gervaise. Marinette m'accompagna, tout en suivant du regard Pierrot qui se dirigeait vers mon frère et d'autres compagnons. L'expression de son visage était révélatrice, et je me souvins qu'elle m'avait souvent répété à quel point j'avais de la chance d'être aimée de Pierrot. L'idée vint m'effleurer, à cet instant-là, qu'elle aussi l'aimait, et je me sentis contrariée.

Mais, l'après-midi, lorsque je courus au devant de Pierrot sur la plage, j'oubliai Marinette. Il m'attendait tout au bout, à l'écart des vacanciers, et sa silhouette qui se découpait sur le ciel et sur l'eau venait vers moi. Je voyais son visage empreint d'amour, je voyais son sourire, je voyais ses bras qui se tendaient, qui me saisissaient, qui me serraient contre lui. Je levai la tête, et il m'embrassa. Tout se mit à tournoyer. Je fermai les yeux, m'accrochai à lui, emportée par un tourbillon irrésistible et grisant. Ensuite, je blottis ma tête au creux de son épaule, reprenant conscience du monde environnant, du bruit de la mer et du cri des mouettes.

— Céline... murmura-t-il. Comme je t'aime !

— Moi aussi, Pierrot, dis-je tout bas, je t'aime.

Il me regarda et, avec douceur, avec amour, il leva une main et caressa lentement mon visage.

— Comme tu es belle ! répéta-t-il avec la même ferveur. Tu m'impressionnes.

J'eus un petit rire flatté. Main dans la main, nous nous mîmes à marcher à pas lents. C'était un instant parfait. Les rayons du soleil filtraient à travers quelques gros nuages floconneux, parsemant la mer de nappes d'or scintillantes. Venant du large, une légère brise soufflait, nous apportant une odeur d'algue et de varech. J'étais si heureuse que je souhaitai, très fort, que notre vie commune, à Pierrot et à moi, soit à l'image de cet instant, tout de tendresse et d'harmonie.

Ce fut moi, pourtant, qui provoquai la discussion. Je ne pus m'empêcher de remarquer :

— Je t'ai attendu hier soir. Pourquoi n'es-tu pas venu ?

Il baissa la tête et, tout en marchant, regarda ses pieds sans répondre. Puis il se tourna vers moi, sérieux et grave :

— Justement, j'ai réfléchi. Avant d'aller voir tes parents, il faudrait savoir certaines choses.

— Quelles choses ?

De nouveau il baissa la tête, se tut quelques instants puis reprit, avec une pointe d'inquiétude dans la voix :

— Avant tout, savoir ce que tu vas faire à la rentrée. Je suppose que tu vas faire l'école ?

Le menton en avant, je m'exclamai avec force :

— Bien sûr ! J'ai fait toutes mes études dans ce seul but.

— Oui, je sais, admit-il avec une expression plus résignée que joyeuse. La question qui importe est celle-ci : où vas-tu faire l'école ?

Je fis un geste d'ignorance :

— Je ne le sais pas encore, Pierrot. Pas trop loin, j'espère.

— Pas trop loin... Que veux-tu dire par là ?

— Dans un village des environs. Je pourrai partir chaque matin et revenir le soir. Par le train, ce doit être possible.

Il me lança un regard critique :

— Alors, tu seras absente toute la journée ?

Je me forçai à expliquer avec patience :

— Il n'y a là rien de dramatique. Mon amie Odette, qui est de Boulogne, m'a raconté que sa mère a travaillé de nombreuses années comme fileuse à la maison de salaison de Capécure. Au moment de la saison du hareng, puis après, à la saison du maquereau, elle partait à sept heures du matin et ne rentrait chez elle que tard dans la soirée, jamais avant dix ou onze heures. Ce que je ferai ne sera pas pire, tu sais. Je reviendrai en tout cas beaucoup moins tard. L'école se termine à cinq heures.

— Oui, je sais, dit-il, sourcils froncés. Mais... et si tu

es nommée plus loin ? Imagine que tu ne puisses pas faire la route tous les jours ?

Je pris un ton volontairement léger :

— Dans ce cas, je reviendrai chaque semaine, le samedi soir. Après tout, c'est ce que tu fais, non ?

— Mais moi, je suis en mer, je travaille. Pour une femme, ce n'est pas pareil. Elle doit être chez elle et s'occuper de son foyer. Et si nous avons des enfants, comment feront-ils, tout seuls toute la semaine ?

— Si nous vivons avec ta mère, comme tu me l'as déjà dit, ils ne seront pas seuls. Elle s'occupera d'eux. Et puis, même si la première année je suis nommée loin d'ici, je pourrai demander mon changement et revenir plus près. C'est une question de patience, Pierrot. Un an ou deux, peut-être un peu plus. Mais ça s'arrangera, de toute façon.

Il garda son air contrarié, tout en bougonnant comme un enfant têtu :

— Mmmouais... Ça ne me plaît pas, à moi. Je ne veux pas d'une femme continuellement absente.

Je ne dis rien, contrariée moi aussi. Il me regarda, comme saisi d'une inspiration subite :

— Mais si tu es nommée trop loin, tu peux refuser, non ? Tu dirais que ce n'est pas possible pour raisons familiales.

Sa naïveté me fit sourire. Je secouai la tête :

— Non, je ne peux pas. Je suis obligée d'accepter ce qu'on me donne. Je n'ai pas le droit de refuser, parce que j'ai signé un contrat, selon lequel je me suis engagée à enseigner pendant au moins dix ans. Ce contrat, je dois le respecter.

— Dix ans ! C'est bien long !

— Je ne trouve pas. J'ai l'intention de faire toute ma carrière comme institutrice. Dix ans, ça n'en représente qu'une partie.

— Mmmouais... marmonna-t-il de nouveau. En tout cas, maintenant, te voilà coincée. Tu n'aurais jamais dû signer ça.

— Mais il le fallait, Pierrot. C'était en compensation des études gratuites. Pour toi, c'est la même chose. Être inscrit maritime te donne des avantages, comme le droit de pêche et le bénéfice du fonds de prévoyance, mais en échange tu as dû t'engager à servir dans la Royale et à faire trois ans de service au lieu des dix-huit mois normaux.

Il marcha plusieurs minutes en silence, tête basse, semblant réfléchir. Puis il se tourna vers moi :

— Attendons la rentrée, Céline, proposa-t-il. En ce moment, nous discutons dans le vide. Attendons de savoir où tu seras nommée, et comment nous pourrons organiser notre vie. J'irai voir tes parents à ce moment-là. Qu'en penses-tu ?

— Si tu veux, Pierrot.

Il s'arrêta, m'attira à lui, me caressant les cheveux :

— Je t'aime, Céline. Je désire que tu sois ma femme. Depuis toujours.

— Moi aussi, Pierrot.

Il m'embrassa de nouveau, et en fermant les yeux sous ses baisers, je songeai que je me trouvais dans la situation de quelqu'un qui bénéficie d'un sursis, mais dont l'avenir demeure tout aussi incertain.

* * *

L'été passa lentement, chaud, doré, lumineux. Pour la dernière fois, j'accompagnai ma mère au marché ; en plein soleil, sous le regard critique des clientes, je vidai ces horribles poissons que j'espérais bien ne plus jamais voir. Pour m'évader, je m'imaginais dans ma salle de classe, entourée d'enfants que j'aimais et qui m'aimaient. J'avais hâte d'exercer le métier que depuis toujours j'avais choisi.

Mais à mon impatience se mêlait une inquiétude. Pourtant, j'aurais dû être parfaitement heureuse. D'une part, à la rentrée, je serais maîtresse d'école. D'autre part, Pierrot m'aimait et je l'aimais, et nous allions nous marier. Mais c'était là, justement, que se situait le problème. Si Pierrot n'acceptait pas que j'aille enseigner trop loin, que ferions-nous ? Ma carrière et ma vie d'épouse seraient-elles incompatibles ? Je priais de toutes mes forces, chaque soir, pour que je sois nommée à une distance raisonnable, afin que je puisse concilier les deux. Je priais et j'attendais.

Mon amie Odette m'écrivit. Elle aussi se sentait excitée et impatiente. Mais elle ne pouvait pas non plus se réjouir totalement. Son succès, son premier poste d'institutrice, elle voulait le fêter avec sa Mamé, qui aurait été si fière. Et sa Mamé, morte trop vite, n'était plus là pour se réjouir avec elle.

Ma tante Marceline vint me chercher et m'emmena à Arras faire des achats, afin de me constituer une garde-robe à la fois simple et élégante.

— Tu comprends, me dit-elle, pour les enfants que tu vas instruire et pour leurs parents, tu te dois d'être toujours bien habillée et d'avoir une tenue irréprochable.

Cet avis rejoignait celui de mes professeurs de l'École Normale, et je remerciai ma bonne tante avec gratitude.

Et le temps passait, jour après jour. Le gouvernement avait voté l'année précédente, parmi d'autres mesures, les congés payés et la prolongation de la scolarité jusque quatorze ans. En tant que future institutrice, ce deuxième point m'intéressait davantage que le premier. Pour les enseignants, les congés payés n'étaient pas une nouveauté.

— Des congés payés, je te demande un peu ! grommelait mon père. Pas pour nous, en tout cas.

— Où sont-ils allés chercher une idée pareille ? renchérissait Pierrot. Payer les gens à ne rien faire, c'est le meilleur moyen de les encourager à la paresse.

Je savais qu'il ne disait pas ces paroles pour moi, mais je me sentais blessée. Allait-il me reprocher les vacances que m'offrait mon métier d'enseignante ? Je me taisais prudemment, mais je me rendais compte que ce métier auquel je tenais, Pierrot ne l'appréciait pas. Il aurait préféré, je le savais, que je sois sautrière comme ma cousine Marinette, ou vendeuse de poisson, ou ramendeuse, ou encore verrotière *. Et ce point de vue, de la part de celui qui m'aimait, me désolait.

* Pêcheuse de vers de sable

* * *

Quelques jours avant la rentrée, je reçus ma nomination. C'était une lettre de l'Inspection Académique que j'ouvris avec des mains tremblantes. Il y était dit que, par arrêté préfectoral, j'étais nommée stagiaire à Vallaincourt.

Une bouffée de fierté me monta au visage. Maintenant, je tenais ma victoire ! Elle était écrite sur la feuille que je lisais, elle devenait une réalité. D'une simple phrase, ma mère doucha ma joie :

— Vallaincourt ? Ça se trouve où, ça ?

Je retombai brutalement sur terre, confrontée au problème majeur de ma nomination. Vallaincourt... Je ne connaissais pas ce nom. C'était donc un village qui n'était pas dans les environs immédiats. Avec appréhension, je pris le calendrier des Postes et, avec ma mère, me penchai sur la carte.

Ce fut ma mère qui trouva :

— C'est ici ! s'exclama-t-elle en posant son doigt sur l'endroit précis. Eh bien ! Le moins qu'on puisse dire, c'est que ce n'est pas tout près !

Je regardai attentivement la carte, calculai. Vallaincourt était un petit village qui, à vol d'oiseau, se trouvait environ à soixante kilomètres. Par le train, si la ligne était directe, peut-être pourrais-je faire le trajet chaque jour.

Je courus jusqu'à la petite gare de notre village. Amédée, le chef de gare, dont l'un des frères était pêcheur, nous connaissait bien. Il me vit arriver tout essoufflée, repoussa le registre sur lequel il écrivait :

— Eh bien, Céline ? Que se passe-t-il ?

Je lui montrai ma nomination, expliquai mon espoir. C'était si important pour moi que je tremblais tout en parlant. Amédée tenta de me calmer :

— Allons, ne t'énerve pas. Nous allons voir ça.

Il prit une carte du réseau ferré, se pencha pour l'étudier. Près de lui, je regardai avec avidité. Je parvins à situer Vallaincourt, et je fus rapidement fixée. Il n'y avait pas de ligne directe. Il fallait d'abord rejoindre la ville la plus proche, de là prendre une correspondance pour le bourg voisin de Vallaincourt, et ensuite changer encore une fois de train pour arriver à destination. Je calculai rapidement que la distance, avec un tel détour, allait être multipliée par trois. Quant au temps... combien durerait le voyage ?

Amédée me renseigna aussitôt en consultant ses horaires :

— Il y a le train de 7 heures 27. Après, tu dois attendre celui de 8 heures 31. Tu as une demi-heure de trajet, et ensuite il y a une correspondance pour Vallaincourt à 9 h 47. Tu arrives à 10 h 10.

Les larmes me montèrent aux yeux. 10 heures 10 ! Beaucoup trop tard pour moi, si je devais commencer à huit heures trente ou à neuf heures ! J'interrogeai d'une voix tremblante :

— Il n'y a pas un train plus tôt ?

Amédée fit un geste désolé :

— Eh non, ma petite Céline. Il n'y a que celui-là.

— Et il n'y a pas une autre solution ? Choisir un autre trajet, par exemple ?

Il se pencha de nouveau sur la carte, et je cherchai avec lui. Mais il fallait me rendre à l'évidence. Les autres trajets étaient encore plus longs. Je ne pourrais pas arriver à temps à mon travail.

Je fis un effort pour chasser les larmes de déception qui emplissaient de nouveau mes yeux. Ainsi, ce n'était pas possible, je ne pourrais pas faire le trajet chaque jour. Il faudrait que je parte pour la semaine, et que je revienne seulement le dimanche. Je remerciai Amédée et m'en allai à pas lents, tandis que dans ma tête tournait sans cesse la même question : qu'allait dire Pierrot ?

* * *

Deux jours plus tard, le dimanche après les vêpres, je me posais la même question en allant rejoindre mon bien-aimé sur la plage. Le matin, à la sortie de la messe, il ne m'avait rien dit. Nous nous étions trouvés face à face, mais Marinette, qui ne me quittait pas, s'était écriée :

— Tu sais la nouvelle, Pierrot ? Céline est nommée à soixante kilomètres d'ici, et elle ne pourra pas revenir chaque soir.

Elle guettait la réponse de Pierrot avec des yeux qui me parurent briller d'une satisfaction et d'une curiosité avides. Pierrot avait répondu sobrement, en me regardant avec gravité :

— Je sais. Nous nous retrouverons cet après-midi, Céline, et nous en parlerons.

Et maintenant, je courais, essoufflée, le cœur battant à la fois d'angoisse et d'espoir. Le temps était maussade ; une bruine très fine, presque impalpable, portée par le vent, mouillait mon visage, mes cheveux. La mer, grise sous le ciel gris, agitait ses vagues ourlées d'écume, et les mouettes volaient en poussant de grands cris mélancoliques.

Sur la plage déserte, Pierrot m'attendait. J'allai vers lui, et tout en avançant mon regard inquiet l'interrogeait. Je lui tendis mes deux mains. Il les prit, m'attira à lui. Notre baiser avait le goût salé des embruns et de la mer.

— Je t'aime, Pierrot, murmurai-je avec sincérité, avec amour.

— Moi aussi, Céline, je t'aime. C'est pour ça qu'il faut que nous discutions de notre avenir. Maintenant, nous savons que tu devras partir pour une semaine, ne revenir que le samedi soir pour t'en aller de nouveau le dimanche soir. C'est bien ça ?

J'avalai ma salive, acquiesçai avec difficulté :

— Oui, c'est ça. Mais ce n'est que pour cette année. L'an prochain, je demanderai mon changement. Je serai nommée plus près.

— C'est vraiment sûr ?

Je fis un geste d'incertitude :

— Je le pense.

— Mais, même si tu es nommée plus près, imagine que les correspondances des trains ne te permettent pas de revenir chaque jour, une fois encore ? Que feras-tu ?

J'eus un faible sourire :

— Pierrot, tu vois tout en noir. Même dans ce cas,

rien n'est perdu. Je demanderai à nouveau mon changement pour l'année suivante.

Il haussa les épaules avec humeur :

— Et tu vas passer ta vie à solliciter un poste qui te permette enfin de vivre une vie normale ? Quel est donc ce métier ? Ne peut-on pas tenir compte du fait que tu vas te marier, et que tu dois vivre avec ton mari ?

— Je pense que non, Pierrot. Il faut que j'obéisse et que je rejoigne le poste qu'on m'attribue. L'an prochain, je...

— Tu demanderas à venir plus près, je sais, sans être sûre d'être acceptée. Et moi, pendant ce temps-là, qu'est-ce que je fais ? J'attends, comme un imbécile ?

Il se tourna vers moi, passa une main dans ses cheveux, d'un mouvement rageur :

— Je ne veux pas bâtir ma vie sur des probabilités, Céline. Je veux une certitude. Je veux avoir une femme qui soit chez elle, et non je ne sais où. Comprends-tu ?

— Mais, Pierrot, tu ne t'en rendras pas compte. Tu es toute la semaine en mer.

Il me fixa d'un air sérieux et important :

— Ça ne va peut-être plus durer longtemps. Je vais passer l'examen pour être patron. Tu sais bien que j'ai toujours rêvé d'avoir mon propre bateau ? Si j'y arrive, je reviendrai chaque soir, et j'entends bien retrouver ma femme à chacun de mes retours.

— D'ici là, Pierrot, je pourrai peut-être...

Il m'interrompit avec impatience :

— Peut-être, peut-être !... Mais je ne veux pas, moi, d'un peut-être ! Je veux t'épouser en sachant que tu t'engages à être près de moi, chaque jour de notre vie. C'est normal, non ? C'est ce qui se passe avec les autres, tous les autres. Pourquoi pas moi ? Je ne demande là rien d'extraordinaire, quand même !

Je lui jetai un coup d'œil, pris conscience de son expression butée, du pli boudeur de sa bouche. Son raisonnement borné m'agaça. Je commis l'erreur de dire, avec fierté :

— Mais les autres n'ont pas une femme institutrice.

Moi, j'ai fait des études, et j'entends bien exercer ce métier.

Il eut une exclamation amère :

— Ah, nous y voilà ! Finalement, c'est là qu'est le problème : ton métier. Si tu ne devais pas partir enseigner je ne sais où, tout irait parfaitement.

— Mais, Pierrot... je t'ai déjà expliqué. D'abord, je ne peux pas refuser. Ensuite, je n'irai pas toujours enseigner aussi loin. Je te demande un peu de patience. Un an, peut-être deux...

— Et peut-être plus, pourquoi pas ? Non, Céline, je ne marche pas. Je veux t'épouser tout de suite, et savoir que tu seras près de moi.

Je vis son regard sombre, pareil à une mer houleuse et tourmentée. Je dis, d'un ton suppliant :

— Pierrot, s'il te plaît... ne sois pas aussi catégorique. Tout peut s'arranger, je t'assure.

Du même mouvement rageur, il haussa les épaules :

— Si tu m'aimais vraiment, tu ne t'en irais pas. Tu refuserais pour m'épouser.

J'eus un cri d'horreur et d'angoisse :

— Pierrot, je ne peux pas faire ça ! Ce métier, je l'ai choisi, et je veux l'exercer. Essaie de comprendre !

— Tout ce que je vois, c'est que tu le préfères à moi.

Un sursaut d'indignation me poussa à répliquer :

— Je peux te dire la même chose. Si tu m'aimais vraiment, tu ne me demanderais pas de choisir. Tu accepterais, et même, tu serais fier de moi.

Nos regards se heurtèrent. Si, à cet instant, l'un de nous avait capitulé, notre amour aurait pu être sauvé. Mais il m'était impossible de céder, et Pierrot n'entendait pas non plus le faire. J'avais envie de le supplier, mais en même temps une colère me prenait contre son intransigeance. Il me regarda de haut en bas :

— Je ne suis plus assez bien pour toi, maintenant, c'est ça ? Mademoiselle la maîtresse d'école ! s'exclama-t-il sur un ton où se mêlaient ironie et amertume. J'aurais dû m'en douter en voyant tes manières de demoiselle. Marinette les a remarquées tout de suite. Elle a bien vu que tu changeais, que tu n'étais plus la même.

Avec sincérité, je protestai :

— Ce n'est pas vrai, Pierrot. Je ne suis pas une demoiselle, comme tu dis. Au fond de moi, je suis toujours ta petite Céline... C'est simplement que, pour être institutrices, nous avons appris à avoir un maintien digne, une allure correcte.

Il rejeta la tête en arrière, grommela avec une expression hargneuse que je ne lui avais jamais vue :

— Bien sûr, ton métier ! C'est lui le responsable de tout. Pour lui, tu changes, tu joues à la grande dame. Pour lui, tu pars enseigner sans t'occuper de moi.

Mortifiée, je secouai la tête :

— Tu te trompes. Pourquoi ne veux-tu pas comprendre ?

— Tout ce que je vois, c'est que tu vas partir. Eh bien, laisse-moi te dire ceci : Si tu t'en vas, tout est fini entre nous.

Il soutint mon regard, le visage dur et déterminé. La bruine mettait sur ses cheveux, sur ses cils, de minuscules perles argentées, et je pensai que je l'aimais, que je ne voulais pas le perdre. Je criai :

— Pierrot ! Ce n'est pas possible ! Tu ne peux pas vouloir une chose pareille !

— Ce n'est pas moi qui le veux. C'est toi.

— Mais non, pas du tout. Pierrot, je...

Catégorique, il croisa les bras :

— Réponds simplement par oui ou par non : vas-tu partir ?

Une exclamation m'échappa, qui ressembla à un sanglot. Je me tordis les mains.

— Je t'ai déjà expliqué, Pierrot... Je ne peux pas refuser ma nomination.

Malgré moi, un sursaut d'orgueil me poussa à ajouter :

— Et puis, je ne le veux pas non plus.

Il redressa la tête comme si je l'avais frappé. Avec colère, il lança :

— Ah, tu avoues quand même ! Eh bien, si tu me préfères ta carrière, il est inutile que je t'encombre plus longtemps. Adieu, Céline !

Et subitement, il ne fut plus là. Il s'était détourné et

s'en allait à grands pas. Quelque chose en moi s'affola. J'appelai :

— Pierrot !

Il ne se retourna pas. Je courus derrière lui, je criai de nouveau, avec angoisse :

— Pierrot ! Attends, Pierrot ! Reviens !

Le vent emporta ma voix, le cri des mouettes couvrit mon appel. Pierrot accéléra le pas, et je m'arrêtai, impuissante et désolée. Que pouvais-je faire ? Avec désespoir, je regardai sa silhouette s'éloigner sous la pluie qui tombait maintenant, fine et serrée, et qui, sur mes joues, se mêlait à mes larmes.

Je rentrai chez moi effondrée. A ma mère qui m'interrogeait, je répondis d'une voix sans timbre :

— Pierrot et moi avons rompu.

Ma tante Gervaise, qui était là, eut une exclamation d'incrédulité. Dans les yeux de Marinette, assise auprès d'elle, je crus remarquer un éclair de satisfaction, mais je n'y prêtai pas attention. J'étais trop malheureuse.

— Que s'est-il passé ? demanda ma mère.

— Nous nous sommes disputés. Il ne veut pas que j'exerce un métier qui ne me permettra pas de revenir chaque soir.

Ma mère hocha la tête :

— Dame ! Il faut le comprendre. Quand on se marie, c'est pour avoir une femme à la maison.

— Ne t'inquiète pas trop, me dit ma tante Gervaise pour me consoler. Ton Pierrot réfléchira et finira bien par changer d'avis.

Je secouai la tête avec doute :

— Je ne sais pas. A vrai dire, je n'y crois pas.

Lorsque mon frère rentra, je le pris à part et lui racontai mon entrevue avec Pierrot.

— Que dois-je faire, Aurélien ? dis-je pour terminer. Dois-je aller chez Pierrot et le supplier à nouveau ?

Mon frère me regarda bien en face :

— Ce qu'il te demande, tu ne veux pas le faire ?

J'eus un sursaut :

— Refuser mon poste ? Bien sûr que non ! C'est à Pierrot de comprendre. Avec un peu de patience, tout peut s'arranger. Il faudrait que je le lui explique encore, peut-être...

— Ça ne servirait à rien. De toute façon, en ce moment, tu ne le trouveras pas chez lui. Il est au Café du Port, et j'ai l'impression qu'il va y rester un bon bout de temps. A mon avis, il va boire pour oublier. Il est malheureux, Céline.

— Et moi, je ne le suis pas ? C'est sa faute, uniquement. Boire ou s'enivrer ne résoudra pas les choses. Il agit comme un irresponsable.

— Laisse-lui un peu de temps. Si tu pars, il se rendra compte que tu lui manques, et peut-être changera-t-il d'avis. Pour le moment, il est buté. Ce n'est pas la peine d'essayer de le raisonner. Il peut être très têtu quand il le veut.

— Oui, soupirai-je. Je sais.

Pour me changer les idées, je commençai mes préparatifs. Dans une valise et un grand sac, je mis des draps, du linge, des vêtements. J'y ajoutai quelques livres, ceux que je préférais. J'essayai de me réjouir en pensant que quelques jours seulement me séparaient du but que depuis si longtemps je m'étais fixé : faire l'école. Mais mon cœur était pesant comme une pierre, et tout enthousiasme m'avait quittée.

7

J'arrivai à Vallaincourt la veille de la rentrée. Le train me déposa à la gare dans la matinée. Il faisait beau. Sur le quai, le chef de gare lança à mes bagages un regard intrigué. J'hésitai un instant, puis décidai de m'adresser à lui. Sans doute était-il au courant, comme tout le monde dans le village, de la venue de la nouvelle institutrice. Et puis, qui sait ? Peut-être un de ses enfants figurerait-il parmi mes élèves ?

Je m'approchai de lui :

— Pardon, monsieur ? Je suis la nouvelle institutrice. Pourriez-vous m'indiquer le chemin de l'école ?

Il souleva légèrement sa casquette en poussant une exclamation :

— Ah, c'est ça ! Je me disais bien aussi... Bienvenue parmi nous, mademoiselle. J'espère que vous vous plairez ici.

— Je l'espère aussi, dis-je en souriant.

Il baissa les yeux sur mon gros sac et ma valise, repoussa sa casquette en arrière et se gratta le front :

— Vous me semblez bien chargée, et l'école n'est pas tout près. Deux bons kilomètres à faire.

— N'y a-t-il pas un moyen de transport ? Un autocar ?

De nouveau il se gratta le front :

— Le bus est passé ce matin. Il n'y en a pas d'autre avant ce soir.

— Ce n'est rien, déclarai-je en soulevant mes lourds

bagages. Deux kilomètres ne me font pas peur. Ça me fera une promenade.

— Vous trouverez l'école facilement. Elle est au centre du village, sur la place, face à l'église.

Je remerciai et, d'un pas allègre, pris la route qui conduisait au village. Elle serpentait à travers les champs, et je trouvai le paysage agréable. Des peupliers chuchotaient dans la brise, les oiseaux chantaient. Dans le ciel d'un bleu profond, les dernières hirondelles se poursuivaient en trissant joyeusement. Je marchais avec enthousiasme, heureuse de commencer ma nouvelle vie. Je ne pensais plus à Pierrot, ou plutôt, je ne voulais plus y penser. J'avais repoussé notre rupture dans un coin de mon esprit. Je refusais de croire que tout pût être fini entre nous. C'était impossible. Nous nous aimions depuis trop longtemps.

Devant moi, au-delà des champs, j'apercevais le village, serré autour de l'église. Là se trouvait l'école où j'allais bientôt enseigner. Cette pensée me donna un regain d'ardeur, et je me mis à avancer plus vite.

Mais, bientôt, je dus ralentir. Le soleil me donnait chaud, et la poussière de la route me desséchait la gorge. Je m'arrêtai un instant, posai mes bagages sur le bas-côté, sortis un mouchoir de ma poche et tamponnai les gouttes de sueur que je sentais perler à mon front. J'avais si chaud que je pensai à ôter mon chapeau et ma veste, mais je ne le fis pas. Au cas où quelqu'un m'apercevrait, il ne fallait pas que je donne de moi une allure débraillée.

Courageusement, je soulevai de nouveau mes bagages et repris ma route. Un nouvel inconvénient vint bientôt s'ajouter à la chaleur et à la poussière : je me rendis compte que mes nouvelles chaussures me faisaient de plus en plus mal à chaque pas.

Après quelques centaines de mètres, je me mis à boitiller. Je fis une nouvelle halte à l'ombre d'un arbre. Mon enthousiasme faisait place au découragement. Il me semblait que cette route n'en finissait pas. J'ôtai mon chapeau, lissai mes cheveux en arrière, m'essuyai le front et le cou. Quelle image allais-je donner de moi, si j'arrivais le visage rouge, en sueur et couverte de poussière ?

A cet instant, j'entendis le pas d'un cheval. Je tournai la tête. Un attelage arrivait, qu'un homme d'une soixantaine d'années conduisait. En m'apercevant, il tira les rênes :

— Hooo ! Doucement, mon beau !

Le cheval s'arrêta, et le conducteur me salua :

— Bien le bonjour, ma jeune demoiselle. Si vous me permettez... Que faites-vous là, toute seule ? Avez-vous besoin d'aide ?

Je remis mon chapeau, fis quelques pas vers la charrette :

— Je suis la nouvelle institutrice. Je viens d'arriver par le train et je me rends au village.

Il me regarda avec intérêt :

— Ah, la nouvelle institutrice ! Elvire, ma petite-fille, m'en parlait encore ce matin. Vous allez l'avoir parmi vos élèves. Si j'osais... Il y a encore un bon bout de chemin à faire jusqu'à l'école. Une charrette pleine de foin n'est peut-être pas digne d'une belle demoiselle comme vous, mais je vous la propose de bon cœur.

Il avait un visage rond et sympathique, un sourire qui plissait ses yeux. J'acceptai son offre avec gratitude :

— Merci, dis-je. C'est très aimable à vous.

Mes bagages se retrouvèrent dans le foin, et je grimpai sur la charrette, près du conducteur. Il fit avancer le cheval, me jeta un regard de côté, remarqua :

— Vous êtes bien jeune pour être institutrice.

— Je vais avoir dix-neuf ans, monsieur.

— Oui, c'est bien ce que je dis. C'est votre premier poste ?

Un peu froissée, je répondis :

— Oui. Je suis normalienne, et parfaitement capable de faire l'école.

— Je n'en doute pas. Je ne voulais pas vous vexer, vous savez. Plus vous êtes jeune, plus vous serez proche de vos élèves. Celle qui était là avant vous avait une trentaine d'années et elle était trop sévère avec les enfants. Surtout, elle manquait de fantaisie. Les élèves la craignaient mais ne l'aimaient pas.

Je le laissais bavarder, et je l'écoutais, bercée par le pas lent et régulier du cheval. La brise rafraîchissait légèrement mon front et mon cou en sueur, et j'étais heureuse de n'avoir plus à marcher. Mon compagnon continuait, interrogeait :

— Et, sans indiscrétion... vous venez de loin ?

Je ne vis pas l'utilité de le lui cacher. Je racontai que je venais d'un village de pêcheurs, et sans entrer dans les détails, j'avouai que j'étais contrariée de ne pas pouvoir rentrer chez moi tous les soirs.

— Mais ça ne fait rien, dit mon interlocuteur avec bonhomie, loin de se douter que cette situation était à l'origine de ma rupture avec Pierrot. A l'école, il y a un logement prévu pour vous. Il faut bien que vous l'occupiez, sinon, à quoi servirait-il ?

Il sourit en me regardant, d'un sourire qui de nouveau plissa ses yeux.

— Vous paraissez bien gentille. Je suis content pour Elvire. Elle s'inquiétait. Une nouvelle maîtresse, c'est quelque chose d'important à son âge. Elle a sept ans, et elle avait peur de se retrouver avec un dragon comme Mlle Lahure. Trop sèche, pas assez maternelle, si vous voyez ce que je veux dire.

Je hochai la tête sans répondre.

— L'an dernier, Elvire a eu quelques difficultés avec le calcul. Elle en a reçu, des coups de règle sur la tête, je peux vous le dire. Elle est bien souvent revenue à la maison en pleurant. Ce n'était pas pour ça qu'elle comprenait mieux. Le résultat était qu'elle finissait par avoir peur de sa maîtresse.

Je me souvins des coups de règle que recevait Marinette, quand elle s'obstinait à écrire de la main gauche, et de ses larmes. Je m'étais promis, alors, que le jour où je serais institutrice, je ne frapperais jamais mes élèves. Je le dis à mon compagnon, et je le vis approuver d'un signe de tête satisfait.

Tout en discutant, nous étions arrivés sur la place du village. Le cheval s'arrêta devant une école peinte en gris clair, que je trouvai pimpante et qui me plut. Je descendis, pris mes bagages, remerciai mon conducteur. Il me montra une porte :

— Frappez là. C'est le logement de la directrice. A cette heure-ci, elle doit être chez elle.

Après un nouveau remerciement, je me dirigeai vers la porte indiquée. Je donnai quelques coups timides, attendis. Rien ne bougea. Sous le soleil de midi, la place était déserte. Je frappai de nouveau, quelques coups plus forts. Cette fois-ci, j'entendis remuer à l'intérieur. Un pas rapide s'approcha de la porte. Je réalisai que j'aurais dû interroger le grand-père d'Elvire au sujet de la directrice. Comment était-elle ? Je souhaitai rapidement que je lui plaise et que nous puissions nous entendre.

La porte s'ouvrit sur une petite femme d'environ quarante-cinq ans, à la silhouette rondelette, au visage avenant. Elle me regarda et comprit immédiatement :

— Ah, vous êtes la nouvelle stagiaire ! Entrez, entrez. Je vous attendais. Vous avez fait la route à pied depuis la gare ? J'espère que vous n'êtes pas trop fatiguée. Posez vos bagages ici, donnez-moi votre veste et votre chapeau. J'allais justement me mettre à table, vous partagerez mon repas. Ensuite, je vous montrerai votre logement et votre salle de classe. Venez. J'espère que vous avez faim ?

Elle parlait si vite qu'elle ne me laissait pas le temps de répondre. Un peu étourdie, je la suivis dans une cuisine agréable, où un couvert effectivement était mis. Elle en ajouta un autre, tout en m'invitant à m'asseoir. Un gros chat roux apparut et vint se frotter contre mes jambes en ronronnant.

— C'est Mouchette, ma chatte. Elle est ma seule compagnie. Les soirées d'hiver, ici, sont très longues. Vous verrez. Heureusement qu'il y a le travail, c'est une bonne occupation. Parce que, dans ce village perdu, les distractions sont rares. Vous venez de la ville, peut-être ?

Elle attendit ma réponse, et je pus dire que j'avais habité, moi aussi, dans un petit village au bord de la mer. Elle enchaîna immédiatement :

— Alors vous ne serez pas trop dépaysée. Tant mieux. Allons, asseyez-vous. Nous allons manger. C'est prêt.

J'obéis, amusée par son ton autoritaire, celui qu'elle employait sans doute pour parler à ses élèves. Elle me servit un gratin de pâtes que je mangeai de bon appétit, puis posa sur la table un plat contenant des pommes et des poires :

— Tenez. Mangez un fruit. Et puis, parlez-moi un peu de vous. Vous êtes normalienne ?

Je racontai l'intervention de ma tante Marceline, grâce à qui j'avais pu entrer à l'École Normale, et je dis ma satisfaction de pouvoir enfin exercer le métier que j'avais toujours choisi. Ma directrice eut un hochement de tête compréhensif et approbateur.

— C'est un métier passionnant, exaltant. Mais laissez-moi vous dire une chose. Souvenez-vous de cette réponse du précepteur d'un dauphin de France au roi qui se plaignait des résultats médiocres de son fils : « Que voulez-vous, Sire, je ne peux rien lui apprendre : Monseigneur ne m'aime pas. » Voyez-vous, tout le secret est là : il faut aimer vos élèves, et il faut également qu'elles vous aiment.

— Oh ! dis-je avec impulsivité, je me sens toute prête à les aimer. Et puis, je ne les frapperai pas. Je ne me montrerai jamais trop sévère.

— Mais ne soyez pas non plus trop gentille. Il faut trouver le juste milieu. Au début, ce n'est pas facile. Des réprimandes pour les bêtises, le manque de travail, la paresse. Et inversement, des encouragements pour les efforts, des félicitations pour les bons résultats.

J'acquiesçai :

— Oui, c'est ce que nous faisions lors de nos stages, à l'École Normale.

— Vous n'aurez pas de problèmes, j'en suis sûre. Les enfants, ici, sont faciles, et en général obéissantes et bien élevées. Votre classe comportera plusieurs niveaux, et il faudra apprendre à vous organiser. Vous aurez les élèves de cinq à huit ans. L'ensemble ne dépasse pas trente. Nous sommes dans un petit village. Moi, j'ai les grandes classes, y compris celle du certificat d'études.

Elle se tut, m'observa un instant tandis que je pelais mon dernier quartier de pomme. Sur son visage passa quelque chose comme un attendrissement mêlé d'amusement :

— Comme vous êtes jeune ! Vous me rappelez mes débuts. J'étais comme vous, impatiente et heureuse de commencer, et en même temps j'éprouvais un peu d'appréhension. J'avais peur de ne pas être à la hauteur, de ne pas me faire aimer de mes élèves. Et puis, tout s'est bien passé. C'était en 1912. Il y a déjà vingt-cinq ans !

Elle eut un soupir chargé de regret :

— Comme le temps a passé vite ! Il me semble que c'était hier. Je me suis mariée en juillet 1914. Un mois après, la guerre a éclaté. Mon mari est parti, et je ne l'ai jamais revu. Il a été tué dans les premiers. Alors je suis restée seule, et je me suis consacrée à mon métier. J'ai fait plusieurs postes, avant de me retrouver ici comme directrice. Se vouer aux enfants prend tout votre temps, vous vous en rendrez compte par vous-même.

Comme je posais mon couteau, elle se leva :

— Si vous avez terminé, venez avec moi. Je vais vous montrer votre logement. Il est juste au-dessus du mien. Vous aurez l'escalier à monter, mais ça ne vous gênera pas : vous êtes si jeune !

Je pris mes bagages et je la suivis. En haut, elle ouvrit une porte. J'entrai dans une grande pièce aux murs peints en gris clair, meublée d'un étroit lit de fer, d'un buffet, d'une table et d'une armoire. Il y avait un évier dans un coin, près de la fenêtre. Une cuisinière permettait à la fois de chauffer les lieux et de préparer les repas. Le logement était terne et anonyme, mais je saurais le personnaliser, égayer les murs avec des images colorées et, pourquoi pas, les meilleurs dessins de mes élèves. J'allai à la fenêtre. Elle donnait sur l'arrière, et la première chose que j'aperçus fut le cimetière. Je retins une grimace de déplaisir : ce n'était pas une vue bien gaie. Mais, au-delà, s'étendaient les champs et leur immensité, qui donnaient une impression agréable de liberté.

— Ça vous plaît ? interrogea ma directrice. Bien entendu, vous pouvez aménager la pièce à votre gré, installer des doubles rideaux, une courtepointe sur le lit, une nappe sur la table, et tout ce qu'il vous plaira. Allons, je vous laisse à votre installation. Je vais aller faire ma vaisselle Dans une petite heure, je viendrai vous chercher pour vous montrer votre salle de classe. A tout à l'heure !

Elle sortit, et je fus heureuse de rester seule un instant.

Je regardai autour de moi, envahie d'une soudaine excitation. Un logement rien que pour moi, que je pourrais arranger comme je le désirerais ! Je me sentais très importante. J'étais devenue une grande personne, indépendante et libre.

J'ouvris mes bagages. Dans l'armoire, je rangeai mes vêtements. Je fis l'inventaire du buffet : il contenait suffisamment de vaisselle et d'ustensiles de cuisine pour une personne seule. Je pensai qu'il faudrait que j'aille à l'épicerie du village avant le soir pour un premier ravitaillement. Je ne pouvais pas toujours partager les repas de ma directrice.

J'inspectai mon logement minutieusement. Tout était propre. J'ouvris la fenêtre et respirai profondément l'air de la campagne. Puis je pris les draps que j'avais emportés et je refis le lit.

Je venais de terminer lorsqu'on frappa à la porte. Je lançai un coup d'œil au réveil que j'avais eu la précaution d'emmener avec moi : une heure déjà s'était écoulée. J'allai ouvrir ; ma directrice se tenait sur le seuil, souriante.

— Ça va ? me demanda-t-elle aimablement. Votre installation se passe bien ? Si vous êtes prête, allons voir votre salle de classe.

Je la suivis, et je ressentais l'exaltation de quelqu'un qui a enfin atteint son but. Elle me conduisit, au rez-de-chaussée, dans une grande salle éclairée par de hautes vitres, à laquelle le soleil donnait un aspect agréable et chaleureux. Elle était semblable aux salles de classe de mon enfance, dont j'avais gardé un souvenir attendri. J'y retrouvai avec plaisir l'odeur indéfinissable de craie, de vieux bois, et je m'y sentis tout de suite à l'aise. Dans un élan d'enthousiasme, je sus que dans cette salle nous ferions du bon travail, mes élèves et moi.

Je la détaillai plus attentivement. Un bureau, une estrade, une quinzaine de tables et de bancs. Au milieu, un antique poêle à charbon, protégé par une grille circulaire. Un grand tableau noir occupait le mur qui faisait face aux élèves. Sur les autres murs étaient affichés des cartes de géographie, des tableaux de science décrivant l'anatomie humaine ou exposant différentes sortes de feuilles d'arbres, des tableaux de morale illustrant une maxime comme « L'alcool, voilà l'ennemi » ou « L'oisiveté est la mère de tous les vices ».

Dans le fond de la salle, une longue table rectangulaire, recouverte d'une nappe à carreaux, représentait le coin-cantine.

— C'est pour les élèves qui habitent trop loin, m'expliqua ma directrice, et qui ne peuvent pas rentrer chez elles à midi. Elles ne seront pas nombreuses, quatre ou cinq, pas plus. Elles apportent leurs tartines, avec parfois un fruit, et l'hiver une gamelle que vous ferez réchauffer sur le poêle. Hé oui, termina-t-elle avec un sourire amusé, il faudra être cuisinière aussi, à l'occasion.

Elle se dirigea ensuite vers la grande armoire, au fond à droite, l'ouvrit :

— Il y a ici tout le matériel dont vous pourrez disposer. Voici des bouliers et des bâtons, pour apprendre aux plus petites à compter. Vous devez leur inculquer les premiers éléments de calcul et de lecture. Il y a également des livres ; *Le Tour de France par deux enfants* est à mon avis le meilleur. Il est au programme du cours moyen, mais vous pouvez l'utiliser dès le cours élémentaire. N'hésitez pas à vous en servir souvent. Il est à la fois un livre de lecture, de morale, d'histoire, de géographie, et les élèves l'apprécient beaucoup. Vous avez aussi plusieurs exemplaires des *Lectures enfantines* de Bouillot, à donner aux élèves des cours préparatoires dès qu'elles savent lire. Et tout en bas, voici les livres de bibliothèque. Je sais bien qu'il n'y en a pas beaucoup, mais le maire a promis d'étudier la question au prochain conseil municipal.

Elle se tourna vers moi :

— En parlant du maire, il serait bon que vous alliez le saluer. Il a été mis au courant de votre nomination. Il vous attend certainement.

— Dois-je y aller aujourd'hui ?

— Si vous avez un peu de temps, oui. Allez-y avant le repas du soir. Il sera chez lui. C'est un des fermiers les plus importants du village. Sa ferme est la première, dans la rue qui part de l'église.

Elle se dirigea vers le bureau, ouvrit les tiroirs :

— Ici vous avez des craies, un compas, un rapporteur, une équerre, et tout le nécessaire pour vos leçons. Je vous apporterai l'encre dont vous aurez besoin, et les cahiers à distribuer aux élèves. N'oubliez pas de tout noter dans le cahier du jour.

Elle jeta un coup d'œil au poêle :

— J'espère que vous savez allumer un feu ? En ce moment, ce n'est pas encore nécessaire, mais les hivers ici sont parfois rudes. Vous devrez allumer le feu tous les matins. Si je peux vous donner un conseil, faites-vous aider par vos élèves. Chaque soir, avant de partir, l'une d'elles devra préparer le petit bois, et remplir le seau de charbon. Ne craignez rien : elles ne considèrent pas ce travail comme une corvée. Au contraire, elles sont très fières de s'en acquitter, et elles se battent pour en avoir la responsabilité. Vous pouvez en charger celles qui l'ont mérité par leur travail, mais attention aux jalousies ! Le plus simple est encore de nommer une responsable à tour de rôle, par exemple pour une semaine. Vous pouvez faire la même chose pour essuyer le tableau, ou balayer la classe. Vous verrez, les élèves sont pleines de bonne volonté pour ces petites tâches, cela leur donne de l'importance. Et comme il n'y a pas de femme de service, il faut bien que nous nous fassions aider. Nous ne pouvons quand même pas tout faire !

Son bavardage de nouveau m'étourdissait, mais je la laissais parler, heureuse des conseils qu'elle me donnait. Je me penchai pour refermer un des tiroirs du bureau et, dans le mouvement que je fis, la croix d'or que je portais au cou sortit de mon corsage. Comme je me relevais, je vis nettement le visage de ma directrice prendre une expression de désapprobation.

— Que portez-vous là ? demanda-t-elle d'un ton abrupt. C'est une croix ?

Je la pris entre mes doigts, la lui montrai :

— Oui. Elle m'a été offerte par ma tante le jour de ma communion solennelle. Depuis, je la porte tout le temps.

Ma directrice secoua la tête, ses lèvres se serrèrent :

— J'interdis aux élèves de venir en classe avec des objets religieux. J'attends de vous que vous fassiez la même chose. Elles le savent d'ailleurs, et elles ne s'y risquent pas. Mais il faut évidemment que vous montriez l'exemple. C'est pourquoi je vous demanderai d'ôter cette croix pendant vos heures de cours.

Je la regardai, désorientée :

— Mais... elle ne me quitte jamais. Je la mettrai sous ma chemise, elle ne se verra pas.

— Et au moindre mouvement, elle sortira de votre col, comme elle vient de le faire, et toutes les élèves la verront ! Non, je suis catégorique, et vous ferez bien de m'écouter. Mettez-la lorsque vous êtes chez vous, ou pour dormir, peu m'importe. Mais pas en classe.

Ses yeux me fixaient, réprobateurs. Je ne voulus pas lui déplaire, et jugeai plus sage de m'incliner :

— Bien, dis-je. J'agirai comme vous le souhaitez.

Son visage se détendit un peu. D'une voix plus amène, elle consentit à expliquer :

— Je ne crois pas en Dieu. Si Dieu existait, il n'aurait pas permis que mon mari fût tué à la guerre, et tant d'autres avec lui. Des objets comme votre croix ne sont que des fétiches ; quant à ce qu'on appelle la foi, ce n'est qu'une ridicule superstition. J'espère que vous n'irez pas à l'église ?

Je baissai la tête comme si j'étais prise en faute :

— Eh bien... c'est-à-dire que... je viens d'un milieu où l'on est très croyant, et j'ai toujours assisté à la messe le dimanche.

Les lèvres de ma directrice de nouveau se pincèrent, en un pli dur :

— Enfin... Cela vous regarde. Vous ferez comme vous voudrez. Mais, je vous le rappelle : pas de croix en classe. Et si une élève vient avec un objet de ce genre, n'hésitez pas à sévir.

Sur ces paroles, elle quitta la pièce. Je la regardai fermer la porte d'un mouvement brusque qui traduisait sa mauvaise humeur. J'étais désolée de lui avoir déplu. Tout semblait commencer si bien ! Et puis, cela me gênait d'avoir à interdire aux élèves de venir en classe avec une croix au cou. Songeuse, je tournai ma chaîne entre mes doigts, malheureuse à l'idée de devoir la quitter pendant mes heures de travail.

Je terminai l'inventaire de la salle, et je me dis que je passerais ma soirée à tout préparer pour le lendemain. Auparavant, je décidai d'aller saluer le maire, et faire quelques provisions pour mes repas.

Je remontai dans mon logement, que je parcourus d'un regard satisfait. Déjà, il était devenu mien. Les draps du lit, mon réveil, mes livres, mes vêtements accrochés au porte-manteau derrière la porte lui donnaient une note personnelle. Je pensai de nouveau que je pourrais l'égayer davantage en ornant les murs de photos ou d'images colorées.

Je pris de l'argent, un sac, et me rendis à l'épicerie, de l'autre côté de la place. Je croisai une femme qui me regarda avec un mélange de curiosité, d'intérêt et de considération. Je la saluai aimablement. Sans doute avait-elle appris la venue de la nouvelle institutrice, comme tout le monde dans le village. Je me sentis soudain importante.

Je poussai la porte de l'épicerie, dont le grelot tinta avec un bruit adorablement vieillot. Il n'y avait personne à l'intérieur. Des conserves occupaient plusieurs étagères, des cageots de fruits et de légumes étaient rangés contre le mur de droite. Sur le comptoir, des bocaux de bonbons me rappelèrent ceux de mon enfance. A gauche, une porte ouverte faisait communiquer la pièce avec le *Café de la Place*, et je vis plusieurs hommes en train de boire une bière. En m'apercevant, l'un d'eux leva son verre en guise de salut, les yeux plissés par un large sourire. Je reconnus celui qui m'avait amenée au village dans sa charrette. Je lui fis un signe de tête et lui souris.

— Julie, dit-il à la tenancière qui essuyait des verres, il y a du monde pour toi à l'épicerie.

— Voilà, voilà ! J'y vais !

Une femme d'une quarantaine d'années arriva, dotée d'un embonpoint certain. Dans son large visage, les yeux brillaient de curiosité.

— Ainsi, c'est vous la nouvelle maîtresse d'école ? Le père Vincent a raconté votre arrivée à tout le monde. Il a raison de dire que vous êtes jeune ! C'est votre premier poste ?

— Oui, dis-je sans entrer dans les détails. Je suis venue chercher un peu de ravitaillement. Du beurre, du sucre, des pâtes, du riz. Quelques conserves. Un peu de légumes. Quelques pommes.

— Je vais vous servir ça. Que pensez-vous de notre village ? Votre logement vous plaît ? Vous êtes bien installée ? Et la directrice ? Croyez-vous que vous allez vous entendre avec elle ? Et l'école ? Comment la trouvez-vous ?

Elle me bombardait de questions, auxquelles je répondais aimablement, mais le plus brièvement possible. Lorsqu'elle eut rassemblé mes achats sur le comptoir, elle constata avec satisfaction :

— Vous êtes là pour toute l'année, n'est-ce pas ? J'espère que vous serez une bonne cliente.

— Sans doute, dis-je. Vous avez en plus l'avantage d'être juste en face de l'école. Je n'aurai pas loin à aller.

Ma réponse lui plut. Alors que je sortais, elle me lança avec sympathie :

— Allez, au revoir, mademoiselle, et bonne rentrée pour demain matin !

Chez moi, je rangeai mes achats, puis , comme l'après-midi s'avançait, je décidai qu'il était temps d'aller saluer le maire. Je brossai ma jupe, remis ma veste, mon chapeau, pris mon sac à main. Je me sentais intimidée en me dirigeant vers la ferme que m'avait indiquée ma directrice.

Comme je traversais la place, un groupe d'enfants me croisa en courant. Ils ralentirent un peu en me voyant, et la plus grande des filles me fit un salut poli :

— Bonjour, mademoiselle.

Les autres l'imitèrent. Je leur répondis avec gentillesse, et, en les regardant s'éloigner, je me demandai si ces filles seraient dans ma classe le lendemain. Leur salut m'avait fait chaud au cœur, et ma fierté était agréablement flattée. Je n'étais pas habituée à ce que l'on me saluât avec déférence, m'appelant mademoiselle. Dans mon village, on m'avait toujours appelée Céline.

Arrivée devant la maison du maire, je frappai. Personne ne répondit. J'insistai, frappai de nouveau. Un homme, qui passait à ce moment-là sur un vieux vélo, me cria :

— Entrez de l'autre côté, par la cour !

Je descendis les marches, longeai la façade, pénétrai dans la cour de la ferme. Quelques poules, qui picoraient paisiblement, s'enfuirent à mon approche en poussant des gloussements effarouchés. Un chien, allongé près de la porte, yeux mi-clos, profitait des derniers rayons du soleil. Mon arrivée le réveilla. Il bondit sur ses pattes et se mit à aboyer avec conviction.

La porte s'ouvrit. Un homme apparut, en chemise de toile, chaussé de hautes bottes de caoutchouc. Il me considéra avec surprise.

— Que désirez-vous ?

Je m'éclaircis la gorge, déclarai d'une voix que je voulais assurée :

— Je voudrais voir monsieur le maire.

— C'est moi.

Ce fut à mon tour d'être surprise. J'avais imaginé un magistrat imposant me recevant dans un bureau, et je me trouvais face à un fermier aux allures simples et débonnaires. Quelque peu désorientée, je ne pus m'empêcher de bredouiller :

— Eh bien... euh... je suis la nouvelle institutrice et je...

Il fit quelques pas vers moi :

— Ah, vous êtes la nouvelle ? Je suis ravi de vous voir. J'ai reçu une lettre du préfet m'annonçant votre nomination. J'espère que vous ferez du bon travail parmi nous.

— Je l'espère aussi, dis-je avec un sourire contraint.

Ne me ferait-il pas entrer ? Debout près du tas de fumier, avec le chien qui tournait autour de moi et reniflait mes chaussures, je me sentais mal à l'aise.

— Et surtout, j'espère que vous ne viendrez pas me dire sans cesse que votre matériel est insuffisant, et que vous désirez ceci ou cela. L'institutrice qui était là avant vous avait toujours besoin de quelque chose. Mais tout coûte cher, et nous ne sommes pas riches. Elle a exigé des bouliers, pour apprendre à compter aux enfants. Pourquoi ne pas leur donner des haricots, ou des cailloux ? Moi, c'est ainsi que j'ai appris, et je ne m'en porte pas plus mal.

Il s'arrêta, passa les pouces dans la ceinture de son pantalon, m'observa un instant.

— Attention, je ne suis pas non plus contre le progrès. Mais raisonnablement, hein ? On ne va pas acheter n'importe quelle nouveauté sans savoir si ça peut être vraiment utile. J'espère que le matériel de votre salle de classe vous convient ?

— D'après ce que j'ai pu voir, il y a le nécessaire. Peut-être que quelques livres illustrés, pour les enfants... suggérai-je en me souvenant de ma passion pour la lecture.

Il leva la main :

— Nous verrons, nous verrons. Commencez par travailler avec ce que vous avez. Maintenant, il faut m'excuser, je dois vous laisser. Je m'en allais justement à l'étable. La Roussette s'apprête à vêler.

Avec un sourire paternel, il me tendit une main robuste :

— Je vous remercie de votre visite. Bonne rentrée, et bon travail.

Ainsi congédiée, je repartis. Je retrouvai mon petit logement, qui déjà me parut familier. Je me dis que je m'y plairais, et je m'imaginai assise à la table, les soirs d'hiver, sous la lampe, préparant mon travail du lendemain. En pensant à la journée de rentrée qui m'attendait, une excitation fébrile me saisissait, en même temps qu'une inquiétude. Ma responsabilité me donnait un peu le vertige : saurais-je être à la hauteur ?

8

Je rêvais que je courais sur la plage, et Pierrot s'avançait vers moi. Il m'ouvrait tout grand les bras, et je me jetais contre lui en riant de bonheur. Il me serrait très fort, il enfouissait ses lèvres dans mes cheveux, il me disait :

— J'ai réfléchi, Céline. Je t'aime trop, je ne peux pas vivre sans toi. J'attendrai le temps qu'il faudra pour que tu sois ma femme. Après tout, tu es encore jeune, tu n'as que dix-neuf ans.

Mon réveil sonna brutalement, me faisant sursauter. J'ouvris des yeux ahuris, et pendant une fraction de seconde, je me demandai où je me trouvais. Puis je réalisai, et la même excitation me reprit. Ma première rentrée ! Je repoussai les draps avec une détermination heureuse et me levai.

Je fis chauffer du café, pris mon petit déjeuner, et ensuite je me coiffai et m'habillai avec soin. Il me fallait être à la fois simple et élégante. Je pris le journal de classe que j'avais préparé avec mon emploi du temps, et bien avant l'arrivée des premières élèves, je descendis. L'odeur de la salle de classe m'accueillit, déjà familière elle aussi. J'écrivis soigneusement la date au tableau. Je vérifiai une fois de plus le matériel dont je disposais, je préparai les syllabaires, ainsi que les cubes et les bouliers pour les plus jeunes. La porte s'ouvrit, et ma directrice entra.

— Alors, ça y est ? Vous êtes prête ? C'est un grand jour pour vous, n'est-ce pas ? Je me souviens de ma première rentrée, moi aussi. J'étais encore plus crispée que mes élèves ! Mais ne vous inquiétez pas, tout se passera bien. S'il y a quoi que ce soit, vous pouvez toujours m'envoyer chercher. Ma classe est juste à côté.

Je la remerciai d'un sourire. Elle semblait avoir oublié l'altercation de la veille. Je calquai mon attitude sur la sienne, mais, en m'habillant, j'avais dû ôter la chaîne et la croix qui depuis ma communion ne me quittaient pas, et j'en avais été contrariée.

— Venez dans la cour. Voici les premières élèves.

Le cœur battant plus rapidement, je la suivis. Elle traversa la cour, ouvrit les grilles. Plusieurs filles d'une dizaine d'années entrèrent, nous saluant avec politesse. Elles me regardèrent avec une curiosité pleine d'expectative. Celles-là ne seraient pas dans ma classe, pensai-je, c'étaient des élèves de la directrice. Mais d'autres arrivaient, plus jeunes, et je regardai leur visage et leurs joues roses avec sympathie. Elles avaient toutes soigné leur tenue : blouse fraîchement repassée, chaussures bien cirées, cheveux tirés en tresses ou en queue de cheval ornées d'un ruban. Des mamans amenaient les plus petites, celles de cinq ans, qui avaient de la peine à retenir leurs larmes. Une enfant d'environ huit ans vint vers moi, un gros bouquet de soucis à la main :

— C'est pour vous, mademoiselle. Je m'appelle Elvire.

— Ah oui, Elvire ! En effet ! J'ai rencontré ton grand-père hier. Merci, mon enfant, dis-je en prenant les fleurs.

Peu à peu la cour se remplissait. Mais les enfants restaient calmes, ne jouaient pas, ne criaient pas. Le jour de la rentrée conférait à leur attitude une solennité qui, par la suite, serait bien vite oubliée.

D'elles-mêmes, les plus grandes se rangeaient à leur place. Toutes connaissaient déjà l'école, sauf les petites de cinq ans qui y venaient pour la première fois et qui, intimidées, s'accrochaient à la main de leur mère. Une à une, j'allai les chercher et les amenai dans la cour en leur disant des paroles rassurantes.

— Allons, n'aie pas peur. L'école, c'est très bien, tu verras. Tu vas apprendre beaucoup de choses, tu auras des amies, et puis, c'est moi qui vais m'occuper de toi. Tout va très bien se passer.

Enfin, la directrice donna plusieurs coups de sifflet, et les élèves se mirent en rang, les plus anciennes d'abord, pour finir par les nouvelles. Je laissai entrer la directrice et ses élèves, puis je tapai dans mes mains pour faire avancer mon petit monde jusqu'à ma salle de classe. Là, elles s'installèrent également d'elles-mêmes, celles de même niveau ensemble. Seules les quatre plus petites demeurèrent à la porte, indécises. Je les pris par la main et les plaçai aux tables du fond, sur lesquelles j'avais déjà déposé les cubes et les bouliers qui, tout de suite, éveillèrent leur intérêt.

Puis j'allai jusqu'à mon bureau et, debout sur l'estrade, je regardai « mes » enfants. La tête levée vers moi, elles demeuraient sagement immobiles, dans une position d'attente. En un instant, je me revis à leur place, lorsque j'étais élève et que je contemplais la maîtresse avec admiration. Une bouffée de joie et d'orgueil m'envahit : maintenant, c'était moi la maîtresse.

Je souris à mes élèves, je pris la liste d'appel et dis :

— Bonjour, mes enfants. Je suis votre nouvelle maîtresse d'école, et nous allons travailler ensemble toute l'année. Je suis certaine que nous allons très bien nous entendre, et que nous ferons du bon travail. D'abord, pour apprendre à vous connaître, je vais vous appeler, l'une après l'autre.

Je fis l'appel, et à leur nom elles se levèrent, chacune à son tour. Je posai quelques questions rapides, concernant la profession des parents ou le nombre de frères et sœurs. La grande majorité avait des parents cultivateurs. Par contre, l'une de mes élèves, qui répondait au prénom d'Esther, me déclara d'une petite voix nette, avec un air important :

— Mon papa est instituteur à l'école des garçons.

Je ne fis aucune remarque, continuai mon appel. Lorsque j'eus terminé, je posai ma feuille, regardai à nouveau mes élèves. L'une des petites avait quitté son banc et était venue se coller contre une élève plus grande, au deuxième rang. Je fronçai les sourcils :

— Que fais-tu là ? demandai-je. Pourquoi as-tu quitté ta place ?

La petite me regarda avec des yeux craintifs et ne répondit pas. Ce fut la plus âgée qui répondit en rougissant :

— C'est ma petite sœur, mademoiselle.

— Elle doit retourner à sa place, objectai-je.

La petite se blottit davantage contre sa sœur et ne bougea pas. Je vis que ses lèvres tremblaient, et je compris que, désorientée par la nouveauté de cette première journée d'école, elle avait peur. Un instant, j'eus envie de la laisser près de sa sœur qui représentait pour elle le seul élément de sécurité auquel elle pouvait se raccrocher. Puis je pensai que, si je voulais avoir de l'ordre dans ma classe, il fallait dès le début instaurer une certaine discipline. Je descendis donc de mon estrade, allai vers l'enfant qui se prénommait Justine :

— Allons, Justine, viens à ta place. Ici, chaque élève a une place et doit y rester. Tu vois, ta sœur est là, et elle ne s'en ira pas. Montre que tu es une grande fille, et fais comme les autres.

Je la pris par la main et, avec une certaine réticence, elle consentit à me suivre. Je la reconduisis à sa place, où elle s'assit docilement en levant sur moi de grands yeux tristes qui me donnèrent des remords.

Revenue à mon bureau, de nouveau sous les regards attentifs de toute la classe, je dis :

— Avant toute autre chose, je vais maintenant vous raconter une histoire.

Je vis les visages s'éclairer, les regards s'animer. Les plus grandes se redressèrent et croisèrent les bras.

— Connaissez-vous l'histoire du petit ours qui avait mangé trop de miel ? Et du petit lapin qui avait mangé trop de salade ?

Avec beaucoup d'imagination, j'inventai une histoire, d'où il résultait que des petits gourmands récoltaient une indigestion. Je terminai en demandant :

— Qui peut me dire ce que l'on doit conclure de cette histoire ?

Elles se regardèrent, hésitantes.

— Allons, réfléchissez. Si on se montre trop gourmand, on finit par être malade. Donc la gourmandise est... est... ?

Esther leva un doigt décidé. Je l'interrogeai du regard. Elle se mit debout et déclara d'un ton docte :

— La gourmandise est un vilain défaut.

— C'est très bien, dis-je. Eh bien, voyez-vous, chaque semaine, nous commencerons la classe par une histoire, et vous aurez à trouver vous-mêmes la conclusion à en tirer.

Il y eut des signes de tête affirmatifs, des sourires approbateurs. Un élan d'affection me porta vers ces enfants qui m'étaient confiées, que j'étais toute prête à aimer et qui, je l'espérais, m'aimeraient aussi. Je fus persuadée que, ensemble, nous formerions une bonne équipe.

Ainsi commença ma première journée d'école. Tout se passa bien, tout me parut facile. Pourtant, au fil des jours suivants, je me rendis compte qu'enseigner dans une classe unique présentait une certaine difficulté. Il fallait jongler sans cesse avec le travail à donner aux élèves, de façon à ne jamais les laisser inoccupées. Je répartissais les tâches toutes les vingt à trente minutes. Je distribuais des bûchettes à compter aux petites, donnais aux moyennes leur leçon d'écriture, pendant que les grandes faisaient des exercices de calcul. Ensuite, je corrigeais ces exercices tandis que les moyennes s'appliquaient sur leur page d'écriture à recopier. Et ainsi de suite toute la journée. Au fil des jours, j'appris à m'organiser. Je m'arrangeais pour que la leçon de sciences ou d'histoire fût commune, et je choisis Elvire comme monitrice pour surveiller les petites lorsque j'étais occupée ailleurs. Vive et intelligente, pleine de bonne volonté, elle me secondait de façon utile et efficace. Je me félicitais de mon idée ; je ne me rendis pas compte tout de suite qu'elle avait suscité quelque jalousie dans la classe.

Très vite, je les connus toutes, et je m'occupai d'elles à la fois avec fermeté et douceur. Il y avait Henriette, qui s'obstinait à écrire de la main gauche. Je me souvenais de ma cousine Marinette, des coups de règle qu'elle recevait, de ses larmes. J'agissais avec plus de douceur. Je prenais le crayon de l'enfant et le lui plaçais dans sa main droite. Je recommençais ainsi inlassablement, sans jamais m'énerver. Petit à petit, elle y parvenait, et je la félicitais.

J'appliquais le principe qui nous avait été recommandé : féliciter chaque élève pour des petits résultats acquis chaque jour. « Les encouragements, nous avait-on dit à l'École Normale, sont beaucoup plus constructifs que les reproches. Si vous voulez que vos élèves progressent, n'hésitez pas à les féliciter dès qu'elles font quelque chose de bien. » Je me rendais compte à quel point ce conseil était vrai. Bien entendu, cela ne m'empêchait pas de gronder également celles qui faisaient des bêtises.

Mais en général elles s'appliquaient à me satisfaire et faisaient preuve d'une bonne volonté que je trouvais adorable. Pour les leçons de choses, elles m'apportaient des feuilles, des rameaux, des fruits, des fleurs des champs qu'elles m'offraient avec un sourire timide et ravi. J'appliquais le principe de Rousseau : « Nos premiers maîtres sont nos pieds, nos yeux, nos oreilles, nos mains », et j'écoutais toujours attentivement les observations de chaque élève.

Ainsi, petit à petit, une réelle affection s'établissait entre nous. Elles adoraient l'histoire de morale du lundi matin, ainsi que la lecture du conte avec laquelle je terminais la semaine chaque samedi après-midi. Lorsqu'elles étaient de service, elles montraient un zèle exemplaire, que ce fût pour balayer, pour essuyer le tableau, ou pour préparer le feu dès les premiers froids. Elles chantaient avec enthousiasme les chants que je leur apprenais, elles décoraient de façon ravissante leur cahier de récitation, et chaque matin, lorsqu'elles arrivaient, leur sourire et leur « Bonjour, mademoiselle » à la fois respectueux et chaleureux me mettaient du soleil dans le cœur pour toute la journée.

Le soir, je préparais le travail du lendemain. Le jeudi, lorsqu'il faisait beau, je sortais et j'allais me promener dans la campagne. Je commençais à connaître les parents de mes élèves, qui me saluaient toujours aimablement.

Avec ma directrice, je m'entendais bien. Elle n'était pas exigeante, et à part l'histoire de la croix à ne pas porter en classe, elle me laissait agir à ma guise. Parfois, elle m'invitait chez elle, m'offrait une tasse de café, me donnait des conseils, me racontait ses débuts d'institutrice. Je l'écoutais toujours avec plaisir, et je n'hésitais pas à lui demander son avis lorsque je me trouvais embarrassée pour un détail dans mon travail.

Et, lorsque je regardais ma nouvelle vie, je devais m'avouer qu'elle me convenait totalement. C'était ce que j'avais voulu faire, depuis toujours. J'avais eu la chance d'y parvenir, et c'était pour moi un immense privilège. Je comptais bien exercer ce métier toute ma vie.

Tandis que l'automne dorait les champs, et faisait flamboyer les feuilles des arbres, je pensais à Pierrot. Je ne retournerais pas chez mes parents avant Noël, et je n'avais aucune nouvelle de lui. Mais l'amour que je ressentais n'avait pas quitté mon cœur. Je me disais que notre brouille ne pouvait être que passagère, qu'il finirait par comprendre et par accepter mon travail. Et, forte de cet espoir, je me donnais entièrement à mon métier d'institutrice.

* * *

Je reçus une lettre de mon amie Odette. Elle m'avait écrit chez ma tante Marceline, qui avait fait suivre. Elle me donnait de ses nouvelles, me disait à quel endroit elle avait été nommée, me parlait de ses élèves et se plaignait de sa directrice qui, d'après elle, n'aimait pas les Normaliennes et était un véritable tyran. En étudiant la carte du département, je découvris avec une surprise ravie que le village où elle travaillait, éloigné d'une trentaine de kilomètres, était facile d'accès par la ligne du chemin de fer qui, elle, était directe. Je répondis avec enthousiasme à mon amie, en lui suggérant que nous pourrions mutuellement nous rendre visite. Nous parlerions de nos débuts, nous échangerions nos impressions, et surtout nous serions heureuses de retrouver la complicité qui nous avait unies durant toutes nos années d'études.

Un dimanche, ma tante Marceline vint me voir. Son arrivée dans le village, dans sa voiture conduite par monsieur Casimir, fit sensation. Je la reçus dans mon petit logement, je lui fis visiter ma salle de classe, je lui expliquai mon travail et lui parlai de mes élèves avec tant de passion qu'elle me regarda en souriant :

— Tu es contente, n'est-ce pas, Céline ? Tu ne regrettes rien ?

Je ressentis un petit pincement au cœur en pensant à Pierrot, mais je l'ignorai. Avec sincérité, je dis :

— Oui, je suis contente. Ce métier me plaît, même si parfois je le trouve fatigant. C'est exaltant de s'occuper des enfants, de leur apprendre à lire, à écrire. Et puis, mes élèves et moi, nous nous aimons bien. Elles font preuve d'un zèle touchant pour me faire plaisir, elles rivalisent de petites attentions. Ce bouquet de fleurs, là, au milieu de la table, est un cadeau de l'une d'elles.

Le sourire de ma tante se fit approbateur :

— C'est bien. Je suis heureuse pour toi, Céline.

J'embrassai ma bonne tante avec effusion :

— Merci. C'est grâce à toi, tante Marceline. Je ne l'oublierai jamais.

Elle posa une main sur la mienne :

— C'est grâce à toi aussi, à ton travail assidu. Continue à bien travailler avec tes élèves, mon enfant. Ce métier t'apportera beaucoup de satisfactions, tu verras.

Nous passâmes un après-midi agréable, et j'eus un sentiment de fierté en lui offrant du café et des biscuits dans mon petit logement. J'étais la maîtresse de maison qui, chez elle, reçoit une invitée. Lorsque monsieur Casimir, qui était allé se désaltérer à l'auberge, revint la chercher à l'heure fixée, ma tante me serra dans ses bras :

— Allons, je m'en vais. Les jours raccourcissent, bientôt il fera nuit, et pour rouler ce n'est pas agréable. J'ai été très heureuse de te revoir, mon enfant, et de constater que tout va bien pour toi. Je reviendrai encore te voir à l'occasion. Au revoir, ma petite Céline.

Debout sur le seuil de la maison, je lui fis des signes d'adieu. Puis, tout en regagnant mon logement, je me dis que ce serait merveilleux si je pouvais montrer tout ceci à Pierrot et susciter chez lui la même compréhension. Était-ce vraiment impossible ? Un espoir tenace, au fond de moi, me disait que tôt ou tard il comprendrait son erreur. Alors, je serais comblée. Par mon métier d'abord, par mon amour ensuite.

* * *

— Faites la chasse aux poux, me dit ma directrice un jour. Chaque année, c'est la même chose. Il faut être vigilant. Il suffit qu'une seule enfant en ait pour que toute la classe soit contaminée.

J'avouai que je n'y avais pas pensé. Chaque matin, dans le couloir, avant de faire entrer mes élèves, je passais l'inspection des mains. Il me faudrait également surveiller leurs cheveux.

— Faites-le avec tact, conseilla ma directrice. Vous ne pouvez pas vous imaginer à quel point les parents sont susceptibles à ce sujet.

J'eus l'occasion de m'en apercevoir quelques jours plus tard.

Le midi, une demi-douzaine d'enfants, qui avaient plusieurs kilomètres à faire pour venir à l'école, restaient à la cantine. Je les surveillais pendant qu'elles prenaient leur repas à la table prévue à cet effet, dans un coin de ma classe. En me penchant sur la tête de l'une d'elles, j'aperçus des lentes dans ses cheveux bruns. C'était une enfant dont la propreté laissait parfois à désirer, et si je ne fus pas surprise, je fus néanmoins contrariée. Que faire ?

Dans l'après-midi, je me réservai quelques minutes pour parler à toute la classe. Je rappelai que la propreté était la base de la santé, et je fis un cours rapide sur les parasites que sont les poux. J'en dessinai un au tableau, agrandi et suffisamment horrible pour voir les yeux de mes élèves s'écarquiller d'horreur et de dégoût. Je leur recommandai vivement une inspection soigneuse de leur chevelure.

A l'heure de la sortie, alors qu'elles s'habillaient dans le couloir, je retins la petite Josiane. Je soulevai quelques mèches de ses cheveux, et dus me rendre à l'évidence : pas de doute, il s'agissait bien de lentes.

— Dis à ta maman de te nettoyer toute la tête avec une lotion contre les poux. Tu n'oublieras pas ?

L'enfant, qui n'avait que six ans et qui n'était pas particulièrement intelligente, me considéra avec des yeux inexpressifs.

— Tu as compris ? insistai-je. Tu le lui diras ?

Elle fit un signe de tête affirmatif en répondant d'une voix soumise :

— Oui, mademoiselle.

Je considérai l'incident clos et n'y pensai plus. Mais, le lendemain soir, à la sortie, parmi les mères d'élèves qui, quelquefois, venaient attendre leurs enfants, l'une d'elles se détacha du groupe et vint vers moi. Le visage mécontent, elle m'apostropha :

— Je suis la maman de Josiane. Ma fille m'a répété ce que vous lui avez dit hier. Mais attention, hein ! Si elle a des poux, c'est dans votre école qu'elle les a attrapés. Chez nous, on est propre, qu'est-ce que vous croyez ?

Les autres femmes écoutaient sans prendre parti. Interloquée par cette attaque imprévue, sur le moment, je ne sus que répondre. La directrice, près de moi, intervint d'un ton conciliant :

— Nous ne savons pas où votre fille a attrapé des poux, et nous n'accusons personne. Nous vous recommandons simplement de lui frictionner le cuir chevelu avec une lotion pour que ces parasites disparaissent rapidement.

Les autres mères approuvèrent. L'une d'elles dit :

— Moi, je vais le faire sans même attendre que les poux soient là. Il vaut mieux prévenir que guérir.

— C'est une épidémie qui revient après chaque rentrée, intervint une autre. C'est vrai qu'il faut faire attention. Nous ne tenons pas à récolter ces sales bestioles.

La conversation se fit générale, et je m'écartai un peu. J'étais reconnaissante à ma directrice d'être intervenue, et lorsque les femmes se furent éloignées, je le lui dis. Elle hocha la tête :

— Je vous ai prévenue, les parents sont susceptibles. Ceci est un exemple, vous en rencontrerez d'autres. Bah, ne vous en faites pas pour si peu, ajouta-t-elle en voyant mon air contrarié. Lorsque vous aurez davantage de métier, vous saurez comment répondre à ce genre d'algarade, et vous n'y ferez même plus attention.

Néanmoins, je demeurai contrariée toute la soirée. Au cours des journées suivantes, je ne parlai plus des poux à mes élèves. Je remarquai simplement que les cheveux de Josiane avaient été coupés très court, et visiblement peignés et frictionnés. Bientôt, tout rentra dans l'ordre, et le problème des poux fut oublié.

* * *

J'avais choisi Elvire comme monitrice pour me seconder auprès des petites lorsque j'étais accaparée par les autres élèves. Elle s'acquittait parfaitement de sa tâche, et je n'hésitais pas à la féliciter. Je ne m'étais pas rendu compte qu'Esther, la fille de l'instituteur, vexée de n'être pas choisie, en avait conçu du dépit.

Je ne sais ce qu'elle raconta à ses parents, mais je pense qu'elle se plaignit. L'instituteur prit l'habitude de me considérer d'un air dédaigneux et supérieur, celui de l'ancien sûr de lui vis-à-vis d'une débutante incapable. Quant à sa femme, elle me saluait a peine et me toisait avec condescendance. J'ignorais ces manifestations d'hostilité et, en classe, me comportais avec Esther de la même façon qu'avec les autres élèves.

Mais cette enfant avait le don de m'agacer. Un matin, j'expliquai le principe de la division d'une manière qui me parut la plus facile à comprendre. Le lendemain, lors de la correction des exercices que j'avais donnés à faire, Esther leva le doigt :

— Mademoiselle, papa a dit qu'il y a une méthode plus simple que la vôtre pour faire des divisions.

Je me raidis.

— Ah oui ? dis-je froidement. Eh bien, peut-être, mais c'est celle-ci que vous apprendrez avec moi.

Je m'en voulus de me sentir attaquée, et j'essayai de ne plus penser à cette remarque. Mais cela continua, jour après jour. Je finissais par appréhender les moments où, en classe, Esther levait le doigt :

— Mademoiselle, papa dit qu'il y a un autre couplet au chant que nous avons appris hier.

— Mademoiselle, vous nous avez dit que si l'on a plusieurs choses à faire, il faut commencer par le plus difficile. Papa dit que ce n'est pas vrai.

— Mademoiselle, papa dit que la conjugaison d'hier était trop compliquée. Il dit que c'est au programme de l'an prochain seulement.

— Mademoiselle, papa dit que...

Je finissais par ne plus supporter ces remarques, mais je réprimais mon impatience et m'obligeais à répliquer posément. Je savais bien que cette enfant n'agissait pas ainsi d'elle-même. Elle ne faisait que répéter les critiques que son père énonçait devant elle.

Un jour je décidai d'aller le trouver. Dès la sortie des classes, lorsque les dernières élèves furent parties, je traversai la place et me rendis à l'école des garçons, qui était située juste en face. Lorsque j'arrivai, le père d'Esther sortait du couloir. Je me dirigeai vers lui, affichant une démarche assurée qui contrastait avec les battements de mon cœur :

— Bonsoir, monsieur. Je suis désolée de vous déranger mais, si vous n'y voyez pas d'inconvénient, j'aimerais vous parler.

Il se redressa et me toisa, l'air hautain :

— Oui ? dit-il, à peine aimable. De quoi s'agit-il ?

Sous son regard glacial, je perdis contenance :

— Eh bien... euh... voilà. Esther ne cesse de faire, en classe, des réflexions désobligeantes sur la façon dont j'enseigne. Je pense qu'elle répète ce que vous lui dites. Je voudrais vous demander de cesser, car vous comprendrez aisément que ce genre de réflexions ne peut que me discréditer dans l'esprit des autres élèves.

Je levai la tête vers lui, serrant machinalement mes mains l'une contre l'autre. Il secoua la tête et me regarda avec un dédain mêlé de commisération :

— Si je trouve que vous faites des erreurs, libre à moi de le faire remarquer à mon enfant. Vous n'avez rien à m'interdire. Ce serait à vous, plutôt, d'enseigner correctement.

— Mais, dis-je, je... nous n'avons pas forcément les mêmes méthodes. Ce n'est pas parce que ma méthode est différente de la vôtre qu'elle n'est pas valable. Pourquoi tentez-vous de démolir ce que j'essaie de construire ?

Il se redressa davantage, avec une expression offusquée, comme si je l'avais insulté :

— Je ne démolis rien. Je dis mon avis, un point c'est tout. Et s'il ne vous plaît pas, tant pis pour vous. Maintenant, veuillez m'excuser, j'ai du travail qui m'attend.

Sur ces paroles, il se détourna et me planta là. Je revins chez moi à pas lents, complètement découragée. Qu'avais-je fait pour mériter une telle animosité ? Je ne comprenais pas.

Je me confiai à mon amie Odette lorsqu'elle vint me voir, le dimanche suivant. Nous étions heureuses de nous retrouver, et nous bavardions comme des pies, chacune de nous ayant une foule de choses à raconter.

— A mon avis, me dit Odette, je ne répondrais même pas quand cette enfant fait ses remarques. Ou bien je lui interdirais de parler, tout simplement. Je comprends que cela t'agace. Moi, ce n'est pas une élève qui me crée des problèmes, c'est ma directrice ! Si tu savais à quel point elle est tyrannique ! Elle exige que j'aille allumer son poêle tous les matins, tu te rends compte ? Il y a une autre adjointe avec moi, et nous avons cette corvée à tour de rôle.

— Et cette adjointe accepte sans protester ?

— Oui. Elle dit que tant que nous ne sommes pas titularisées, il vaut mieux se montrer conciliantes. Elle affirme que nous devons obéir à notre directrice et ne pas la mécontenter. Je t'assure que j'ai hâte de passer mon C.A.P. et de demander mon changement ! Une directrice pareille, c'est une vraie calamité ! Sais-tu qu'il lui arrive de venir dans ma classe, de temps en temps, d'ouvrir la porte et de crier : « Il y a trop de bruit ici ! On ne s'entend plus à côté ! » Tu imagines l'effet désastreux de ces interventions sur les élèves. Et je n'ose rien dire, de peur de la braquer davantage. Ah, il n'est pas toujours rose, notre métier !

Mais, bien vite, notre nature optimiste reprenait le dessus, et nous riions de ces inconvénients qui, assurait Odette, ne dureraient pas toujours. Nous énumérions, plutôt, les avantages : nous exercions un métier qui nous passionnait, nous nous entendions bien avec nos élèves, nous étions indépendantes et fières de l'être, et, nous qui avions toujours vu nos parents économiser sou à sou, nous étions satisfaites de notre salaire qui, sans être élevé, était néanmoins appréciable et régulier.

— Tu verras, affirmait Odette, plus tard, lorsque nous serons retraitées, nous regretterons nos débuts !

Nous prîmes l'habitude de nous rencontrer chaque dimanche, une fois chez elle, une fois chez moi. Et ces retrouvailles hebdomadaires étaient un rayon de soleil dans ma vie solitaire.

Le onze novembre, il y eut une cérémonie commémorative autour du monument aux morts. Je fis chanter à mes élèves « Ceux qui pieusement sont morts pour la Patrie ». Je les avais fait répéter longuement ; moi qui avais toujours aimé la musique, je m'étais montrée exigeante pour que tout soit parfait. Elles chantèrent très bien et, après la cérémonie, je reçus les félicitations du maire. J'en fus flattée et le remerciai. Ce soir-là, je m'endormis avec, au cœur, la satisfaction de voir mes efforts appréciés.

Ma vie se déroulait régulièrement, au rythme des jours d'école et des heures de classe. Je connaissais maintenant parfaitement mes élèves, et je m'efforçais d'être une bonne maîtresse, en leur inculquant ce qu'elles devaient savoir, tout en restant attentive à leurs problèmes.

Je découvris ainsi que Henriette, qui éprouvait tant de difficultés pour écrire de la main droite, avait un gros problème familial. Je fus alertée, d'abord, par les traces de coups que portait la fillette. Un jour, elle vint à l'école avec un énorme bleu sur le front.

— Où as-tu récolté une bosse pareille ? demandai-je.

Elle baissa les yeux, évitant mon regard :

— Je m'ai cogné ma tête.

Sur le moment, je ne pensai qu'à rectifier son erreur de langage :

— On dit : Je me suis cogné la tête.

— Oui, mademoiselle.

Je n'y attachai pas davantage d'importance. La bosse diminua puis disparut. Mais, deux semaines plus tard, l'enfant vint en classe avec une lèvre enflée.

— Eh bien, Henriette ! Qu'as-tu fait, encore ?

— Je suis tombée dans les escaliers, mademoiselle.

Je la regardai avec reproche :

— Tu es bien maladroite, ma pauvre enfant. Fais donc attention !

— Oui, mademoiselle.

Cela ne s'arrêta pas là. La fillette continua à venir avec des traces de coups qui finirent par m'alerter. Je me mis à soupçonner le drame le jour où, pendant la leçon de morale, je parlai de l'alcoolisme. Je terminai en montrant le tableau de morale affiché à l'un des murs de la classe : « L'alcool, voilà l'ennemi ! » avec, à gauche, l'homme sobre à la barbe bien taillée et, à droite, le même homme sous l'emprise de l'alcool, hirsute, le regard vitreux. Une autre image montrait, dans un taudis, une femme qui pleurait, agenouillée auprès d'un grabat sur lequel gisaient deux petits enfants hagards. La légende disait : « Avec l'alcool, c'est la misère qui s'installe au foyer ».

A la fin de ma leçon, je m'aperçus que Henriette pleurait. Je ne compris pas, sur le moment, la raison de ses larmes. Je l'interrogeai. Ses pleurs redoublèrent, et elle refusa de me répondre. A la fin, pressentant un problème grave, je cessai de la questionner devant toute la classe, me promettant de le faire en aparté et de trouver l'explication qui m'échappait.

Le lendemain, qui était un jeudi, tandis que nous bavardions, ma directrice et moi, autour d'une tasse de café, je me décidai à lui parler de ces incidents. Elle fronça les sourcils et son regard s'assombrit :

— Vous n'avez pas compris ? C'est pourtant bien

simple. Nicolas, le père de Henriette, se laisse souvent entraîner à boire. Ce n'est pas un mauvais bougre, mais lorsqu'il est ivre, il devient violent. Il bat sa femme, et Henriette, en essayant de protéger sa mère, reçoit parfois quelques coups. C'est un véritable drame pour cette enfant. Il y a encore, après elle, un petit garçon de quatre ans, et un bébé de quelques mois...

Elle eut un long soupir :

— Nos tableaux de morale ont bien raison de dire que l'alcool est l'ennemi du foyer.

— Que pourrais-je faire pour aider cette enfant ? demandai-je.

Elle me regarda, haussa les épaules avec impuissance :

— Que pouvez-vous faire ? Rien, j'en ai bien peur. Comment pourriez-vous empêcher Nicolas de boire ?

Je ne répondis pas mais, au fond de moi, je pris la décision de chercher une solution.

J'eus beau me creuser la tête, je ne trouvai rien de satisfaisant. Aller trouver la mère de Henriette ? Elle n'était qu'une victime, et ma visite ne pourrait que la gêner. Essayer de parler à Nicolas, à un moment où il était sobre ? Peut-être n'apprécierait-il pas mon intervention ? Il aurait honte, et il pourrait me reprocher de me mêler de ses affaires. Pourtant, je voulais trouver le moyen d'aider Henriette.

Lorsqu'elle venait en classe avec des traces de coups, son petit visage me faisait mal. Un jour, pendant la leçon de morale, je parlai du respect des enfants envers les parents. Je lus un texte qui disait : « Nos parents savent ce qui est bon pour nous. Nous devons toujours leur obéir. » En regardant le bleu qui marbrait, ce jour-là, la tempe de Henriette, j'eus des remords. Comment cette pauvre enfant pouvait-elle respecter un père qui rentrait ivre et qui la battait ? Pour la première fois, je me rendis compte que les maximes que j'avais moi-même apprises dans mon enfance pouvaient parfois être bien difficiles à appliquer.

Et puis, un jeudi où je revenais d'une promenade, je croisai le médecin du village. C'était un homme d'une cinquantaine d'années, très apprécié par tous les habitants pour son dévouement et sa bonté. Il me salua, s'arrêta pour échanger avec moi quelques mots. Il me demanda si j'étais satisfaite de mes élèves et, sans l'avoir prévu, je lui parlai de Henriette et de l'inquiétude que j'éprouvais pour elle.

— Je ne sais pas comment l'aider, dis-je. Je cherche une solution et me désole de ne pas en trouver.

— Ne vous inquiétez plus, me répondit-il. Tout va s'arranger. J'ai fait comprendre à Nicolas qu'il ne peut plus continuer ainsi, et lui-même l'a admis. Il n'est pas méchant, c'est simplement un faible qui se laisse entraîner par d'autres. Sur mon conseil, il va aller faire une cure de désintoxication. Il a promis qu'ensuite, il ne touchera plus à une goutte d'alcool.

Cette nouvelle me fit plaisir, et je remerciai le docteur. J'étais soulagée à l'idée que je n'aurais plus devant mes yeux, en faisant la classe, le petit visage meurtri de Henriette.

* * *

Un dimanche de novembre, je trouvai mon amie Odette fort excitée.

— Tu ne devineras jamais ce qui m'est arrivé ! s'écria-t-elle dès qu'elle me vit. Figure-toi que j'ai mon C.A.P. Ça y est !

Je la regardai en souriant, étonnement et joie mêlés.

— C'est vrai ? Mais c'est formidable ! Raconte...

Elle prit le temps de me faire ôter mon manteau, de m'installer, avant de me raconter avec volubilité :

— Ils sont arrivés vendredi matin, alors que je ne les attendais pas du tout. Quelques élèves m'avaient apporté des fleurs, et nous étions occupées à les mettre dans des vases. Ils étaient trois : l'inspecteur, et deux directeurs d'école. Lorsqu'il sont entrés, j'ai cru mourir de frayeur ! Ils se sont mis dans le fond de la classe, en m'ordonnant de faire comme s'ils n'étaient pas là. Comme s'il était facile de les ignorer ! Ils me terrorisaient ! J'essayais de ne pas les regarder, mais je sentais leur présence, et elle me paralysait. J'ai commencé la classe comme je le faisais habituellement, mais je n'étais pas naturelle ; je parlais d'une voix blanche, mes mains tremblaient. Mes élèves s'en rendaient compte, et je voyais qu'elles étaient inquiètes, elles aussi. Je me demandais si nous ne courions pas tout droit à la catastrophe !

Son sens de l'humour reprit le dessus, et elle pouffa :

— Si tu m'avais vue ! Je suis sûre que je devais être aussi raide qu'un manche à balai ! Néanmoins, j'ai commencé mes cours comme d'habitude : leçon de vocabulaire, lecture, grammaire, conjugaison. Après la récréation, calcul, puis leçon de géographie. Ils m'ont demandé de faire un quart d'heure d'éducation physique, et nous sommes ressortis dans la cour. J'ai fait ce que j'avais prévu pour ce cas-là : échauffement, mouvements respiratoires, petite course, saut en longueur, lancement de balle. Puis, de nouveau dans la classe, nous avons terminé avec une leçon de poésie et un chant. Je ne peux pas t'expliquer ce que je ressentais pendant tout ce temps. J'avais l'impression d'être une autre. Je bougeais, je parlais, mais il me semblait être en dehors de la réalité. C'était étrange comme sensation. Et après, quand tout a été fini, je me suis sentie toute faible, comme si j'étais en caoutchouc. J'ai eu peur de m'effondrer !

Elle rit de nouveau, puis battit des mains comme une enfant :

— Et j'ai été reçue ! Tu te rends compte, Céline ? Ils m'ont envoyée dans le couloir pour délibérer, et je n'en menais pas large ! Quand ils m'ont rappelée, je devais être blanche comme les craies du tableau ! Je crois que l'inspecteur s'en est rendu compte, et il a eu pitié de moi. « Vous êtes admise, mademoiselle », m'a-t-il dit tout de suite. J'ai eu un étourdissement et en le remerciant, pour la première fois de la journée, j'ai bégayé !

Elle rit encore, puis redevint sérieuse pour déclarer :

— Je serai titulaire au premier janvier. Ça me permettra de demander mon changement, et de quitter cette directrice exigeante et impossible. Je demanderai un poste plus proche de chez moi, et j'espère que je l'obtiendrai !

— Tu as de la chance, dis-je. Moi, je n'ai que dix-neuf

ans, je ne passerai pas mon C.A.P. avant l'an prochain. C'est long...

Je retins un soupir en pensant à Pierrot. Si seulement il acceptait d'attendre ! Un instant, j'enviai mon amie Odette. Je souhaitai être, comme elle, plus âgée.

* * *

Ce dimanche-là, pendant le trajet du retour, dans le train, j'aperçus parmi les voyageurs un jeune homme que j'avais déjà remarqué au cours des dimanches précédents. Toujours plongé dans un livre, il ne prêtait que peu d'attention aux gens qui l'entouraient. Je me trouvai assise en face de lui, et je déchiffrai le titre de son livre : *Les Caractères* de La Bruyère. Je crus me souvenir qu'une autre fois, j'avais constaté qu'il lisait un traité de pédagogie.

L'idée me vint qu'il était peut-être instituteur, lui aussi, et je le regardai avec un intérêt nouveau.

Lors de la conférence pédagogique à laquelle je fus convoquée, en novembre, je ne fus pas surprise de le voir parmi les assistants. Lui-même me reconnut, et me salua. Odette me poussa du coude :

— Tu le connais ? Qui est-ce ? Il a un air sérieux qui me plaît, et de beaux yeux intelligents. Comment s'appelle-t-il ?

Je ne pus qu'avouer mon ignorance. J'expliquai que je le rencontrais dans le train mais que je ne savais rien le concernant.

— Eh bien, à ta place, je m'arrangerais pour lier connaissance, me dit Odette. Tu devrais suivre mon conseil, crois-moi. Ça te changerait les idées, et puis, qui sait ? Un mari instituteur, quelle revanche à prendre sur ton Pierrot qui ne veut rien comprendre !

J'eus une moue de désapprobation. Je n'avais pas pu m'empêcher de me confier à mon amie, et elle connaissait notre rupture, à Pierrot et à moi. Elle me recommandait de l'oublier définitivement, affirmant, comme ma tante Marceline, que je méritais un mari plus intelligent et plus instruit. Mais je ne voulais pas l'écouter. J'aimais

Pierrot depuis toujours, et notre idylle gardait, dans mon souvenir, l'odeur salée du vent du large et des embruns. De toutes mes forces, je voulais croire à une réconciliation entre nous.

Le dimanche suivant, alors que je revenais de chez mon amie, dans le train, le jeune homme me salua avec un sourire plus amical, qui contenait une certaine connivence. Sans le vouloir, je le saluai moi aussi plus chaleureusement que précédemment. Il se sentit encouragé et se permit de m'aborder :

— Ainsi, vous êtes institutrice également ? me demanda-t-il. Puis-je vous demander où vous exercez ?

Je lui répondis, et il me parla du village où lui-même enseignait. Il possédait son C.A.P. depuis un an déjà et il était adjoint depuis le premier janvier. Puis ses confidences prirent un tour plus personnel. J'appris qu'il s'appelait Marcel Valmont, qu'il était fils unique et que sa mère, veuve, avait fait des sacrifices pour qu'il pût devenir instituteur.

— C'était son rêve, comprenez-vous. Maintenant que je l'ai atteint, elle dit qu'elle peut mourir en paix. Je prends le train pour aller la voir, chaque dimanche. Elle me dorlote, recoud mes boutons, et me prépare de bons repas. Je suis toujours son petit garçon, mais en même temps je suis le maître d'école, et le respect avec lequel elle me considère a quelque chose de touchant.

Les dimanches où j'allais voir Odette, nous prîmes ainsi l'habitude de nous rencontrer, en un rendez-vous tacite. Nous bavardions de notre métier, et ce point commun créait un lien entre nous. Mais nous ne restions que des collègues qui parlaient de leurs problèmes. Je demeurais volontairement distante. Mon cœur appartenait toujours à Pierrot.

9

Chaque dimanche soir, j'écrivais à mes parents. Je leur racontais ma vie d'institutrice, je leur répétais que mon métier me plaisait. J'omettais volontairement de mentionner Pierrot, et eux-mêmes, lorsqu'ils me répondaient, ne m'en parlaient jamais. J'étais donc sans nouvelles de lui, mais j'espérais que, comme moi, il aspirait à une réconciliation entre nous. Ce fut pourquoi la lettre que je reçus, quelques jours avant Noël, me laissa totalement effondrée.

C'était une lettre de mon frère Aurélien. Sur le moment, je fus surprise. Aurélien ne m'écrivait jamais. Tout au plus ajoutait-il parfois, en bas de la lettre de mes parents, quelques mots du genre : « Je t'embrasse » ou « Porte-toi bien ». Que s'était-il passé pour qu'il m'écrivît lui-même cette fois-ci ? Avec une certaine appréhension, je dépliai la feuille.

Il n'y avait que quelques lignes, mais après les avoir lues, je dus m'asseoir, les jambes coupées. « Il faut que je te prévienne, disait Aurélien, puisque personne ne veut le faire. Je trouve que c'est encore plus cruel de te le cacher. C'est au sujet de Pierrot. Il vient de se fiancer avec Marinette. Ils comptent se marier au cours de l'été prochain. Comme tu vas venir passer quelques jours parmi nous au moment de Noël, je préfère que tu sois au courant. Ça te permettra de te composer une attitude, car je sais que ça va être un coup dur pour toi. A bientôt, petite sœur. Je t'embrasse. Ton frère affectionné, Aurélien. »

Je fixai la lettre avec des yeux hagards. Peu à peu, les phrases pénétraient dans mon esprit, et je commençai à réaliser. J'étais atterrée, et en même temps une indignation brûlante me faisait suffoquer. Cette Marinette, comment avait-elle osé me prendre mon Pierrot ? J'avais déjà remarqué la façon dont elle le regardait et dont elle parlait de lui ; je m'étais dit que peut-être elle l'aimait. Mais jamais je n'avais éprouvé de crainte. J'étais tellement sûre de notre amour, à Pierrot et à moi ! Que s'était-il donc passé ?

J'essayai de repousser mon chagrin et me mis à réfléchir. Une chose était certaine : je n'admettrais pas que Pierrot m'échappât ainsi. Lors des vacances de Noël, puisque je serais chez mes parents, je mènerais mon enquête personnelle. Tandis que je repliais la lettre, une résolution féroce se faisait en moi : il me fallait reconquérir Pierrot, coûte que coûte. Toute ma vie en dépendait.

* * *

Je terminai mes derniers jours de classe dans une impatience grandissante. J'aidai mes élèves à faire des guirlandes en papier coloré et des étoiles de Noël, afin de garnir la salle de classe, mais mon esprit était ailleurs. Je ne pensais qu'à Pierrot.

Dès que je fus en congé, je pris le premier train pour me rendre chez mes parents. Mon impatience se faisait de plus en plus fébrile. Il fallait que je sache ce qui s'était passé en mon absence. Pourquoi Pierrot agissait-il ainsi ? Était-ce pour me rendre jalouse ? J'étais persuadée, au fond de moi, qu'il m'aimait toujours autant.

Lorsque j'arrivai chez mes parents, seule ma mère était présente. Mon père et mon frère étaient en mer. Je ne perdis pas de temps en préliminaires. Je posai mon sac de voyage, ôtai mon chapeau et mon manteau, embrassai ma mère, et la question d'elle-même jaillit, sans que je puisse la retenir :

— Que s'est-il passé, concernant Pierrot et Marinette ? J'ai reçu une lettre d'Aurélien.

Le visage de ma mère prit une expression à la fois embarrassée et réprobatrice :

— Aurélien t'a écrit ? Alors tu sais ? Eh bien, Pierrot et Marinette vont se fiancer, et ce n'est pas la peine de te mettre en colère. Tu as ta part de responsabilité, Céline. Si tu ne l'avais pas laissé tomber...

— Je ne l'ai pas laissé tomber, coupai-je, furieuse. C'est lui qui n'a pas voulu que... Enfin, nous nous sommes disputés, mais je ne pensais pas que c'était définitif. Et surtout, je n'aurais jamais cru qu'il se fiancerait avec Marinette dès que j'aurais le dos tourné. Il n'a jamais été amoureux d'elle. Que s'est-il passé ? Il faut que je sache.

Ma mère haussa les épaules :

— Je l'ignore. Marinette est venue nous annoncer, voici deux semaines, que Pierrot lui avait fait sa demande. Elle paraissait très heureuse.

— Ça ne m'étonne pas, dis-je amèrement. J'ai toujours remarqué la façon dont elle le regardait. Elle a profité de mon absence et du désarroi où il se trouvait pour le séduire, mais ça ne se passera pas comme ça ! Il faut que je lui parle. Je vais aller la trouver.

De nouveau, ma mère haussa les épaules, cette fois-ci dans un geste fataliste. Elle ne tenta pas de me retenir. J'allai dans ma chambre, je me changeai, mis mes vieux vêtements de coton épais, auxquels je n'étais plus habituée. J'eus l'impression de me déguiser. Était-ce cela qu'avait voulu dire Marinette, lorsqu'elle m'avait traitée de demoiselle ? En tout cas, peu importait. Ce qui comptait avant tout, c'était l'amour de Pierrot.

Je sortis et courus jusqu'à la maison de tante Gervaise. Je trouvai cette dernière assise au coin du feu, le nez rouge, les yeux gonflés, toussant à s'en déchirer la poitrine.

— Bonjour, ma tante, dis-je. Vous êtes malade ?

Elle me regarda, s'efforçant de reprendre sa respiration.

— Ah, c'est toi, Céline ? Tu es revenue passer quelques jours parmi nous ? Comment...

Une nouvelle quinte la plia en deux, et elle se remit à

tousser. Lorsqu'elle s'arrêta, les yeux pleins de larmes, elle secoua la tête avec découragement :

— Ça fait plusieurs jours que j'ai comme un feu dans la poitrine. Aujourd'hui, je n'ai pas pu aller pêcher mes sauterelles. Marinette y est allée seule.

— Il faut vous soigner, dis-je avec sollicitude. Mettez-vous des cataplasmes ?

— Oui, ne t'inquiète pas. Marinette s'occupe de moi. C'est une bonne fille. Heureusement qu'elle est là, je n'ai plus qu'elle maintenant.

— Il faut que je la voie. Je dois lui parler.

Ma tante me jeta un regard interrogateur, mais ne demanda rien. Je ne la renseignai pas non plus. Ce que j'avais à dire à Marinette ne regardait que nous deux.

— Va sur la plage, tu la trouveras. Elle va bientôt revenir avec ses crevettes. Aujourd'hui, elle a dû faire double travail, parce que je n'ai pas pu y aller. Mais demain je l'accompagnerai.

— Ce n'est pas prudent, objectai-je. Si vous avez une bronchite, votre état risque de s'aggraver. Attendez plutôt d'être guérie.

Elle eut un geste d'impatience :

— Attendre, attendre... Et puis quoi encore ? Je ne peux pas me le permettre. Qui va me donner l'argent si je n'ai pas de crevettes à vendre ? Ce n'est pas comme toi, Céline. Si je suis malade, je ne gagne rien.

Sans savoir comment interpréter cette réflexion — était-ce une constatation ? une critique ? — je pris congé et m'en allai. Comme je refermais la porte, tante Gervaise était de nouveau en proie à une quinte de toux, et je ne pus m'empêcher de la plaindre.

Je me dirigeai vers la plage. Le temps était humide et doux, et le vent m'apportait l'odeur salée de la mer. Elle me rappela mes rendez-vous avec Pierrot, et le regret serra douloureusement mon cœur.

J'avançai rapidement sur le sable humide, faisant fuir quelques mouettes qui s'envolèrent avec des cris aigus. La marée était basse et, parmi d'autres sautrières, j'aperçus Marinette. De l'eau jusqu'en haut des cuisses, elle poussait devant elle son filet à long manche, avec une patience et une ténacité qui lui ressemblaient bien. Avait-elle fait preuve des mêmes qualités vis-à-vis de Pierrot, attendant le moment propice pour me le prendre ? Je serrai les poings avec colère et m'approchai des premières vagues.

Après un instant, Marinette m'aperçut. Elle me fit un signe, mais continua à pêcher, n'interrompant pas son travail. J'attendis. Rien n'aurait pu me faire bouger. Je voulais une explication et je l'aurais. Moi aussi, je savais faire preuve de patience.

Je la regardai marcher dans l'eau en poussant inlassablement son filet devant elle. Comment pouvait-elle aimer ce métier ? Moi, au moins, je travaillais dans une classe bien chauffée, et je n'avais pas à entrer dans l'eau glaciale par tous les temps. En cet instant encore, malgré les circonstances présentes, je ne regrettais pas le choix que j'avais fait.

Lorsque Marinette sortit enfin de l'eau, elle renversa le contenu de son filet dans une manne en osier qui contenait des crevettes encore frémissantes. Elle la referma, la souleva, la passa autour de ses épaules.

— Voilà, c'est terminé pour aujourd'hui. Je rentre. Que fais-tu là, Céline ? Il est bien rare de te voir ici.

— Je t'attendais, dis-je brièvement. Je veux te parler.

Elle me lança un regard rapide mais ne dit rien. Elle se mit à avancer d'une démarche alourdie par ses jupes trempées, et son allure tranquille m'agaça. N'éprouvait-elle même pas quelques remords ?

— Tu ne devines pas pourquoi je désire te parler ? demandai-je d'une voix agressive.

Elle se tourna vers moi et dit calmement :

— C'est au sujet de Pierrot, je suppose. Tu as appris que lui et moi...

— Que s'est-il passé, Marinette ? Qu'as-tu fait pendant que j'étais partie ?

Elle secoua la tête, remonta la manne d'osier sur son dos et répondit, avec un accent de sincérité qui m'incita à la croire :

— Je n'ai rien fait, Céline. Simplement, je voyais qu'il

était malheureux, et j'ai essayé de lui remonter le moral. C'est tout.

— Tu as essayé de me discréditer dans son esprit ?

Comme elle me regardait avec un air interrogatif, ne comprenant pas ma question, je repris :

— Tu disais des choses contre moi, c'est ça ?

Son visage prit une expression de surprise offusquée :

— Bien sûr que non. Je n'ai jamais rien dit sur toi. Nous parlions de son métier, et il répétait que c'était tout ce qui lui restait. La plupart du temps, je me contentais de l'écouter. Mais j'étais toujours d'accord avec ce qu'il me disait. Il aime la mer, et moi aussi.

Je l'observai quelques instants avec suspicion, me demandant si elle m'avouait toute la vérité. Elle vit mon doute, et son visage se ferma.

— Tu ne me crois pas ? Je t'assure que je n'ai rien fait d'autre. Et même si j'avais voulu le séduire, tu n'aurais pas à me le reprocher. Tu étais partie. Entre lui et toi, tout était fini. Il était libre.

— Il s'est passé quelque chose, insistai-je. Comment a-t-il pu, si vite, changer d'avis et décider de t'épouser ?

Avec une sorte d'humilité, elle dit :

— Je ne suis pas aussi belle que toi, Céline, ni aussi intelligente. Mais je le comprends mieux. Et je serai, pour lui, une femme selon ses désirs.

D'une voix tremblante, je demandai :

— Tu l'aimes, n'est-ce pas ?

Elle ne chercha pas à nier. Elle me fixa calmement :

— Oui, je l'aime. Mais je savais qu'il était pour toi, et je m'étais résignée. Maintenant, tout est changé, et je suis heureuse.

Sur son gros visage placide descendit une infinie douceur. Un agacement, une révolte me saisirent. Je voulus la blesser :

— Ne sais-tu pas que c'est de moi qu'il est amoureux, depuis toujours ? Je suis certaine qu'il n'a pas pu cesser de m'aimer aussi rapidement.

— Peut-être, admit-elle. Mais il m'aime bien, moi aussi. Et je l'entourerai de tant d'amour qu'il finira par t'oublier, à la longue.

Cette perspective amena dans mon cœur un brûlant sursaut d'indignation :

— M'oublier ? Et s'il n'y parvient pas ? objectai-je. Il sera malheureux, et toi aussi. Sans compter que moi, de mon côté...

Un sanglot étrangla ma voix. Je me tournai vers elle et dis, sur un ton d'ardente supplication :

— Laisse-le, Marinette. Ne l'épouse pas. Je suis sûre qu'il s'est tourné vers toi par dépit. Laisse-le-moi. Il finira par comprendre son erreur et par me revenir.

Elle hocha la tête négativement, avec une expression si obstinée que j'eus envie de la prendre aux épaules et de la secouer.

— Je l'aime, répéta-t-elle avec simplicité. Tu as eu ta chance, Céline, tu étais sa fiancée, il ne fallait pas t'en aller. Maintenant, cette chance, c'est moi qui l'ai. Et moi, je ne la laisserai pas passer, tu peux en être sûre.

Une amère impression de défaite me submergea. Je ne pus que protester faiblement :

— Ça ne te portera pas chance, Marinette.

Elle ne me répondit pas, le visage toujours aussi fermé. Comme nous arrivions aux premières maisons du village, je m'arrêtai.

— Je te laisse, dis-je tristement. De toute façon, il est inutile de continuer cette conversation.

Je pris une rue transversale et me dirigeai vers la maison où Pierrot vivait avec sa mère. J'avais l'intention d'interroger cette dernière. Peut-être pourrait-elle m'aider ?...

* * *

— Je ne peux pas te renseigner, Céline.

Assise en face de moi, elle tricotait un caleçon en grosse laine qui, je le devinai, serait pour Pierrot. Ses yeux, exactement pareils à ceux de son fils, me regardaient avec désolation.

— Je ne sais rien de précis. Il ne m'a rien dit. Tout ce que je peux t'affirmer, c'est qu'après ton départ il a été très malheureux. Et puis, au bout de quelques semaines, il a commencé à aller mieux. Et un jour, il m'a dit : « Je crois que je m'étais trompé. » Il m'a donné l'explication de cette phrase voici une quinzaine de jours, en m'annonçant qu'il allait épouser Marinette et en m'assurant qu'avec elle, il serait heureux.

Je m'agitai sur ma chaise :

— Il essaie de s'en persuader, mais c'est faux. C'est moi qu'il aime.

Elle hocha la tête, l'air pensif :

— Il t'aimait, Céline, ça oui. Mais tu l'as gravement blessé. Alors qu'il te proposait de t'épouser, tu es partie, repoussant votre mariage à une date qu'il t'était impossible de fixer. Il s'est cru rejeté. Il a pensé que tu ne l'aimais plus. Ou que tu lui préférais ta carrière.

— Il se trompe, protestai-je. Je l'aime. J'essaie simplement de concilier mon métier et ma vie de femme à ses côtés. Avec un peu de temps, j'y arriverai. Pourquoi ne veut-il pas attendre un an ou deux ?

— D'après ce que j'ai compris, il n'y a rien de certain dans ce que tu dis. Un an ou deux peuvent très bien en faire trois ou quatre. Et mon Pierrot se refuse à être relégué de côté indéfiniment, comme un paquet qu'on met là en attente et qu'on reprend quand on en a envie. Je le comprends, vois-tu. On a sa fierté, chez nous, Céline.

Je tendis les mains dans un geste d'impuissance :

— Alors, vous ne voulez pas m'aider ? Essayez de lui faire comprendre... Il ne peut pas épouser Marinette, c'est impossible ! J'en aurai le cœur brisé.

Elle eut une moue dubitative :

— Il ne changera pas d'avis, j'en ai peur. Je veux bien essayer de lui parler, mais, le connaissant comme je le connais, ça ne fera que l'ancrer davantage dans sa décision.

— Essayez quand même, suppliai-je. Je vous en prie. Ne serait-ce que pour l'empêcher de faire une erreur. Car c'est une erreur de se marier avec une autre alors qu'il m'aime toujours. Il ne sera pas heureux.

Elle soupira longuement, resta silencieuse un instant, puis admit à contrecœur :

— D'accord, Céline, j'essaierai, mais c'est bien pour te faire plaisir.

Je me levai, lui pris les mains, les serrai dans les miennes :

— Merci, dis-je. Merci à vous. De mon côté, je lui parlerai, moi aussi. Quand rentre-t-il ?

— Ce soir, avec la marée.

— J'irai l'attendre, déclarai-je fermement. J'arriverai à lui faire comprendre qu'il se trompe. Il le faut absolument. C'est toute ma vie qui est en jeu, comprenez-vous ? Ma vie et la sienne.

Elle me regarda, hésitante :

— Tu es une bonne petite, Céline, je te connais depuis toujours et je t'aime bien. J'étais heureuse de savoir que tu serais la femme de mon Pierrot. Mais... pourquoi as-tu tout gâché avec ta folie des grandeurs ? Être maîtresse d'école, c'est donc si important pour toi ? Plus important que d'être la femme de Pierrot ?

Je vis qu'elle ne me comprendrait pas, elle non plus. Je me raidis, expliquai brièvement :

— C'est le métier que j'ai choisi et que j'aime. Je n'ai aucune envie d'aller vendre du poisson ou pêcher des crevettes. Ça n'a rien à voir avec une quelconque folie des grandeurs, terminai-je d'un ton froissé.

Elle n'insista pas, mais son silence avait quelque chose de réprobateur. Je ne dis plus rien, moi non plus, me contentant, avant de partir, de la remercier de bien vouloir plaider ma cause auprès de Pierrot. Alors que je m'en allais, une pensée me vint, suscitée par ses dernières paroles : peut-être préférait-elle avoir Marinette comme bru, plutôt que moi ? Peut-être était-elle satisfaite, au fond, du nouveau choix de Pierrot ? Je redressai la tête avec détermination. Ce choix, moi, je ne l'acceptais pas. Je ne laisserais pas Marinette me ravir mon amour, mon bonheur. J'allais parler à Pierrot, lui faire comprendre que je l'aimais toujours autant, et qu'il ne pouvait pas piétiner de cette façon mon cœur — et le sien.

* * *

À l'heure où la marée le ramènerait, j'allai l'attendre au bout de notre rue. Le soir était tombé, un vent froid soufflait en bourrasques humides. Pourtant, dans le ciel, quelques étoiles commençaient de s'allumer, çà et là. Je frissonnai et remontai le col de mon vieux manteau.

Je fixais la rue obscure, guettant l'arrivée de Pierrot. J'attendis longtemps, et le froid insensiblement me glaçait les pieds. Mais je savais que je ne bougerais pas. Je serais capable d'attendre toute la nuit s'il le fallait.

Il arriva enfin, et malgré l'obscurité de la rue, je reconnus immédiatement sa silhouette, son allure, sa façon de pencher la tête en marchant. Je les aurais reconnues n'importe où. Mon cœur eut un élan vers lui, en même temps qu'un tressaillement douloureux.

Je m'avançai, serrant mes mains l'une contre l'autre. En m'apercevant, il s'immobilisa. Lui aussi me reconnut tout de suite. Il esquissa un geste de retrait, comme pour m'éviter, puis il se ravisa et vint vers moi résolument. Face à face, nous nous regardions, et la faible lueur d'un réverbère éclairait notre visage. Je vis ses yeux, et je compris qu'il m'aimait toujours. Un sursaut d'espoir me donna du courage pour attaquer :

— Pierrot, je suis venue t'attendre. Il faut que je te demande... J'ai appris que toi et Marinette... Pourquoi, Pierrot ?

Malgré moi, ma voix tremblait. Suspendue à ses lèvres, je ne sentais plus le froid. Il avait détourné le regard, il se raidissait, et je voyais apparaître sur son visage l'expression butée que je redoutais.

— C'est pour me punir, Pierrot ? suggérai-je lamentablement, et ma voix trembla davantage. Ou pour me faire changer d'avis ?

Alors il me regarda en face, et je vis que l'expression de ses yeux n'était plus la même. Ils reflétaient maintenant une froide détermination, et mon cœur frissonna d'appréhension.

— Pas du tout. Ne crois pas ça, Céline. Car même si tu changeais d'avis, moi je ne le ferais pas. Il est trop tard maintenant. J'ai pris une décision, et je m'y tiendrai.

J'avalai ma salive, refoulant les sanglots d'affolement que je sentais monter. Je balbutiai :

— Et cette décision, c'est d'épouser Marinette ?

— Oui.

Je le regardai avec impuissance. Cette voix dure, cette attitude rigide, combien peu elles lui ressemblaient ! Je ne pus que répéter la question que je lui avais déjà posée :

— Pourquoi ?

— Elle m'aime. Avec elle, j'aurai une femme soumise, qui m'attendra pendant que je serai en mer, qui élèvera nos enfants comme je le souhaite, dans l'amour du métier de marin. Elle me comprend mieux que tu ne l'as jamais fait, Céline.

Ce reproche, énoncé comme une simple constatation, m'atteignit, me brûla la poitrine. Je voulus me défendre, défendre notre amour. Instinctivement, je criai :

— Mais, Pierrot, tu ne peux pas faire ça ! C'est moi que tu aimes !

L'espace d'une seconde, je vis son regard vaciller. D'une voix vibrante, je continuai :

— C'est vrai, n'est-ce pas ? Ose dire le contraire ! Ose dire que tu ne m'aimes pas !

Il ne nia pas. Il baissa la tête et dit d'une voix sourde :

— Je t'oublierai, Céline. Il le faudra bien. J'apprendrai à aimer Marinette. Elle est douce, elle fait tout ce qu'elle peut pour me plaire. Elle est plus proche de moi. Nous deux, Céline, nous sommes trop différents, je l'ai compris. C'est ta réaction qui m'a ouvert les yeux. La preuve, c'est que tu m'as préféré ton métier, ta carrière d'institutrice.

Je me rappelai les paroles de sa mère : « Nous avons notre fierté » m'avait-elle dit. Un accès de colère me saisit :

— C'est ça que tu ne me pardonnes pas, n'est-ce pas ? Tu as été vexé, et tu veux te venger en me faisant mal, alors tu vas épouser Marinette. C'est ça, hein ?

Je m'arrêtai, haletante. A ma colère, subitement, succédait une impression de désespoir, l'impression que nous étions en train de gâcher notre vie, notre amour, notre bonheur. Je changeai d'attitude, me fis suppliante :

— Pierrot, je t'en prie... Ne l'épouse pas. Je t'aime, Pierrot...

Il me brava du regard et répliqua, comme s'il me mettait au défi :

— Eh bien, si tu m'aimes, prouve-le-moi. Je n'ai pas cette impression, figure-toi. Je t'ai demandé de fixer la date de notre mariage. C'est toi qui ne veux pas, qui recules indéfiniment...

Son expression butée revint, se chargea de rancune. Un grand froid descendit en moi. Je me rendis compte qu'il ne céderait pas. Je tentai faiblement d'objecter :

— Mais je ne peux pas tout abandonner, Pierrot, c'est impossible... Je ne pensais pas que tu en ferais un obstacle, et je me suis engagée à être institutrice...

Ma voix mourut. Son visage se fit dur, sa voix coupante :

— Alors tant pis. Il est inutile de discuter plus longtemps. Nous tournons en rond, Céline. Va faire l'école, puisque c'est ce que tu veux, et oublie-moi.

Il remonta la courroie de son sac, passa devant moi sans me regarder. Affolée, désespérée, furieuse, je criai :

— Et toi, va épouser Marinette ! Vas-y ! Et si tu crois être heureux avec elle, tu te trompes ! Tu seras malheureux tous les jours de ta vie ! Tu verras, tu verras !

Dans la rue vide, mon cri résonna comme une malédiction. Une fraction de seconde, Pierrot s'arrêta, ses épaules fléchirent. Je crus qu'il était touché, qu'il allait faire demi-tour. Mais il reprit sa marche et s'en alla, me tournant le dos, hostile et silencieux. Avec un sanglot, je me détournai et me mis à courir. J'avais l'impression d'être plongée dans un immense trou noir, où jamais plus ne brillerait la clarté du soleil. Plus loin dans la rue, un volet se referma en claquant bruyamment. Nous avait-on entendus, avait-on épié notre conversation ? Peu m'importait. De toute façon, je ne resterais pas plus longtemps dans ce village où personne ne me comprenait, et où bientôt tout le monde me regarderait avec commisération ou ironie, parce que Pierrot m'avait préféré Marinette. Je savais que je ne pourrais pas supporter l'air satisfait et victorieux de ma cousine. Je repartirais le lendemain, à la seule place qui, finalement, était la mienne, et où j'étais comprise et acceptée.

* * *

Je retrouvai la petite école et mon logement qui m'attendait fidèlement. Je me sentais profondément malheureuse, mais je serrais les dents sur mon chagrin. J'éprouvais envers Pierrot, pour son étroitesse d'esprit, une rancune qui m'aiderait à surmonter ma peine. Peut-être ne m'aimait-il pas autant que je le croyais, pensais-je amèrement. Dans ce cas, il ne fallait rien regretter.

Mais la perte de mes illusions, de mon amour, était dure à supporter. Cette nuit-là, je trempai l'oreiller de mes larmes. Au petit matin, je songeai qu'il ne me restait plus que mon métier. Pour lui, j'avais sacrifié mon amour. Grâce à lui, je parviendrais à étouffer le désespoir qui me labourait le cœur, et je me construirais une vie riche, pleine de satisfactions et de joies.

Je passai le jour de Noël avec ma directrice qui, seule également, m'invita à partager son repas. Elle était ravie d'avoir de la compagnie, et je dois dire que je lui fus reconnaissante, ce jour-là, de me distraire un peu de mes soucis. Elle me demanda pourquoi j'étais revenue si vite, et je répondis brièvement qu'il s'agissait d'ennuis de famille. Elle n'insista pas, parla d'autre chose. Elle me montra des photos de ses parents, de son enfance, de son mariage. Des photos de classe, aussi, numérotées année après année, sur lesquelles, jeune institutrice, elle souriait au milieu de ses élèves. Elle me les citait les unes après les autres, racontait des anecdotes, se montrait intarissable. Je l'écoutais, je souriais machinalement, et mon cœur s'engourdissait dans sa souffrance.

Lorsque je me retrouvai seule dans mon logement, je réalisai, malgré le chagrin que j'éprouvais, que j'avais finalement fait le bon choix en gardant mon métier. Si j'avais cédé au chantage de Pierrot — car, me disais-je avec un sursaut d'orgueil blessé, il ne s'agissait pas d'autre chose —, si j'avais abandonné ma carrière pour l'épouser, je n'aurais pas pu être heureuse. Au fond de moi, je n'aurais jamais pardonné à Pierrot de m'avoir obligée à faire un tel choix, et cela aurait empoisonné notre existence. Alors je me persuadais que, finalement, tout était mieux ainsi.

10

En janvier, il fit très froid. Chaque matin, lorsque je me rendais dans ma salle de classe pour allumer le feu, je constatais que l'encre avait gelé dans les encriers. Parmi mes élèves, celles qui habitaient loin et qui devaient faire deux à trois kilomètres à travers les chemins obscurs arrivaient frigorifiées. Je les plaçais quelques instants près du poêle, afin qu'elles puissent se réchauffer, pendant que les autres entonnaient le chant avec lequel nous commencions la journée. Je frictionnais les plus petites, pour rétablir la circulation dans leurs membres gourds, et je me sentais des instincts maternels.

Pour oublier Pierrot et mon cœur meurtri, je me plongeai dans mon travail. J'étais parvenue à trouver le rythme indispensable à une classe unique, et tout allait bien. Il m'arrivait, de temps à autre, de rencontrer le maire. Je ne me précipitais pas sur lui pour réclamer du matériel, ainsi que l'avait fait celle qui m'avait précédée. Pour cette qualité, il m'appréciait. C'était lui qui s'arrêtait, qui me demandait si j'étais satisfaite de mon travail, de mes élèves. La seule réclamation que j'osais lui faire concernait l'achat de nouveaux livres pour la bibliothèque. Je me souvenais de l'enchantement que m'avaient procuré mes premiers livres, et je trouvais que l'armoire de ma classe n'en contenait pas suffisamment. Il me promettait qu'il poserait la question au prochain conseil municipal et s'esquivait rapidement.

J'étais en bons termes, également, avec le curé de la

paroisse. J'allais à la messe chaque dimanche matin, je me confessais régulièrement. Le curé était un homme âgé, au visage doux et candide, aux cheveux blancs. Tous les habitants du village l'aimaient et le respectaient. Seule ma directrice, totalement athée, demeurait irréductible et se contentait de le saluer d'un signe de tête glacial lorsqu'elle le rencontrait.

Pour ne pas lui déplaire, j'ôtais chaque matin ma chaîne et ma croix avant d'aller faire la classe. Il me venait parfois à l'idée de désobéir et de les dissimuler sous mon tricot. Mais une prudence me retenait. Un incident, après la rentrée de janvier, me prouva qu'il valait mieux m'incliner.

C'était un matin. Nous étions dans la cour et nous surveillions l'arrivée des élèves. Il avait gelé pendant la nuit, l'air était piquant et sec, des dentelles de givre s'attardaient aux branches des arbres. Un groupe d'élèves de la directrice, parmi les plus grandes, discutait dans un coin de la cour avec animation. J'entendis des exclamations :

— Tu as osé la mettre ?

— On n'a pas le droit !

— Surtout, cache-la bien !

— Mais à nous, montre-la.

— Allez, montre-la, on verra si elle est aussi belle que tu le dis !

Je m'approchai subrepticement. L'une des enfants ôtait son cache-nez, écartait son col, sortait de dessous son pull une chaîne et une croix en or qui, d'après ce que je compris, constituaient le cadeau de Noël de sa marraine. Je voulus lui dire de dissimuler rapidement ce cadeau compromettant, mais je n'en eus pas le temps. Au milieu des exclamations de ravissement des autres filles, un cri de colère éclata :

— Mathilde ! Comment oses-tu ? Ne sais-tu donc pas que c'est interdit, ici ?

Je me retournai. La directrice était arrivée près de nous sans que nous l'ayons entendue. Les élèves se pétrifièrent, et la dénommée Mathilde demeura immobile, le regard affolé, tenant toujours la chaîne et la croix au bout de ses doigts. La directrice, furieuse, se pencha :

— Enlève ça immédiatement !

Elle tira sur la chaîne avec tant de violence que celle-ci se brisa net. Un murmure effrayé courut parmi les enfants. La directrice les fixa avec sévérité :

— Sachez-le une fois pour toutes : pas d'objets religieux à l'école. Et toi, Mathilde, que ceci te serve de leçon. Ne recommence jamais, tu entends ?

La fillette, en larmes, la chaîne brisée entre les mains, acquiesça en reniflant misérablement. Je m'éloignai en silence. Je ne voulais pas prendre parti. L'enfant avait désobéi, elle avait tort, assurément. Quant à la directrice, elle refusait tout objet religieux dans l'enceinte de l'école, et c'était son droit. Mais je ne pouvais m'empêcher de penser que, pour faire respecter sa décision, elle aurait pu s'y prendre avec plus de douceur. Confisquer la croix jusqu'au soir, par exemple, ou donner une punition à l'enfant. Il était inutile de briser la chaîne comme elle l'avait fait.

Hormis cette question de religion, je m'entendais bien avec elle. Les élèves également l'appréciaient et la respectaient. C'était une excellente pédagogue. Elle se vantait de n'avoir jamais d'échec, chaque année, au certificat d'études. Toutes celles qu'elle présentait étaient reçues. En outre, elle s'occupait activement de la coopérative scolaire, elle donnait des cours du soir aux adolescentes qui avaient quitté l'école pour travailler mais qui désiraient encore apprendre. Le jeudi, elle faisait de l'enseignement ménager, cuisine, couture, broderie. Elle affirmait que tout cela l'aidait à meubler sa vie solitaire. Elle me confia un jour qu'avec l'argent de la coopérative scolaire, et peut-être une aide de la municipalité, elle envisageait d'acheter un appareil de projection.

— Ce serait formidable, me dit-elle. Nous organiserons, une fois par semaine, une séance de cinéma. Des films éducatifs, bien sûr, mais bien choisis. Quel progrès ce serait !

Parmi toutes les activités extra-scolaires me revenait la bibliothèque. C'était moi qui m'occupais du prêt des livres, et je devais tout noter scrupuleusement dans un registre. Je fus heureuse comme une enfant lorsque, en février, le maire vint m'annoncer qu'une somme était allouée pour acheter de nouveaux livres ; il me demanda d'en faire la liste. Ce fut un véritable plaisir de l'établir. Je regrettai seulement que, faute d'argent, elle ne fût pas plus longue.

Je trouvais dans l'affection que me portaient mes élèves un réconfort à mon chagrin. J'étais leur « mademoiselle », elles m'aimaient, m'apportaient des fleurs, de menus cadeaux. Je me comportais envers elles, pendant la classe, avec un mélange de sévérité et de douceur. Je ne badinais pas avec la discipline, et elles le savaient. Mais je ne criais pas non plus sur les élèves qui avaient du mal à apprendre. Avec de la patience, j'obtenais de bien meilleurs résultats.

J'appris avec soulagement que le père de Henriette avait fait une cure de désintoxication et ne buvait plus. Je n'avais plus à craindre que la fillette ne vînt en classe le visage marqué d'hématomes. De ce côté-là, tout allait bien.

Je n'avais de problèmes, finalement, qu'avec une seule élève. C'était Esther, la fille de l'instituteur. Malgré mes efforts, je ne parvenais pas à aimer cette enfant. Avec son nez pointu et ses petits yeux, je lui trouvais un museau de fouine. Mais c'était surtout son attitude qui m'insupportait. Car elle continuait à faire des remarques qui m'agaçaient :

— Mademoiselle, papa dit qu'il y a une solution plus simple au problème que vous avez corrigé hier.

— Mademoiselle, papa dit que sur la carte de la Seine, vous avez oublié une ville.

— Mademoiselle...

Et ainsi de suite. Un jour, excédée, je perdis patience et je criai sur l'enfant :

— Tais-toi ! Tu m'énerves à la fin !

Elle devint rouge, ses lèvres se pincèrent et son visage de fouine prit une expression vexée. Pendant quelques jours, elle cessa ses remarques, et je me crus tranquille. Mais cela ne dura pas. Bien vite elle recommença.

— Mademoiselle, papa dit que...

Je devenais folle. Je serrais les dents pour ne pas perdre patience à nouveau. Je ne savais quelle attitude adopter. Lorsque j'en parlais à ma directrice, elle haussait les épaules :

— Bah, ignorez-la. C'est encore la meilleure solution. Devant votre indifférence, elle s'arrêtera d'elle-même, vous verrez.

J'essayai. Mais cette solution, outre qu'elle me faisait bouillir intérieurement, s'avéra également inefficace. Je commençais à me désespérer. Que faire ? Je n'osais plus aller voir le père d'Esther ; je l'avais fait une fois sans succès, et je ne tenais pas à être humiliée davantage. Les jours, les semaines passaient, et je ne voyais aucune issue.

Cela dura jusqu'au début du mois de mars. Et là, de façon totalement inattendue, la situation se dénoua subitement.

C'était un jeudi, jour sans école. Dans l'après-midi, le soleil se mit à briller dans un ciel fraîchement lavé par les averses de la veille. L'air avait une douceur qui annonçait l'approche du printemps. Il faisait si beau que, mon travail terminé, je décidai d'aller faire une promenade.

Je sortis, traversai le village, répondant par un sourire au salut des gens que je croisais. Dès que je fus dans la campagne, je pris un sentier que je connaissais bien. Il m'arrivait souvent, lorsque le temps était clément, de me promener ainsi. Cela me permettait de faire un peu d'exercice, et de prendre l'air, moi qui travaillais enfermée tout au long de la journée.

Je marchais d'un bon pas, respirant l'odeur d'humus qu'exhalait la terre. J'évitais les flaques d'eau et les endroits trop boueux. Le sentier se fit plus escarpé, se resserrant entre plusieurs arbres. Ce fut alors que j'entendis un cri.

— Au secours ! Au secours !

Je m'arrêtai, tendis l'oreille. Le cri se répéta. Il me sembla que c'était une voix d'enfant. D'une voix forte, je demandai :

— Que se passe-t-il ?

Il y eut une plainte.

— Au secours !

J'avançai dans la direction de la voix. Je dus franchir la crête d'un fossé, contourner un arbre. Et je l'aperçus, couché dans l'herbe mouillée, se tenant la cheville gauche à deux mains. C'était César, le frère d'Esther, un garçon d'une dizaine d'années, que je connaissais de vue. Il leva vers moi des yeux larmoyants :

— Oh, c'est vous, mademoiselle ? Je suis tombé ! Je cherchais des nids et j'ai voulu grimper à l'arbre. Et maintenant, mon pied... Aïe ! Je ne peux plus marcher, ni me mettre debout.

Je m'approchai de lui, me penchai et examinai sa cheville. Avec précaution, je la palpai. Il sursauta, son visage se contracta.

— J'espère qu'elle n'est pas cassée, dis-je. C'est peut-être une simple entorse. Essaie de te lever en t'appuyant sur moi.

Il m'obéit, se mit debout à grand-peine.

— Accroche-toi à moi. Essaie de marcher.

En le portant presque, j'avançai de quelques pas. Il tenta de m'imiter, mais dès qu'il posa le pied gauche par terre, sa jambe eut un fléchissement et, avec une plainte, il s'arrêta.

— Je ne peux pas... Ça fait mal !

Il était très pâle, et je crus qu'il allait s'évanouir. Je compris qu'il valait mieux ne pas le forcer à continuer.

— Je vais te laisser ici et aller chercher du secours. Attends-moi. Tiens, adosse-toi à cet arbre.

Je l'aidai à s'appuyer contre l'arbre le plus proche. Son petit visage tiré par la souffrance me fit pitié.

— Ça ira ? demandai-je avec sollicitude. Je vais me dépêcher, ce ne sera pas long.

Il acquiesça courageusement, et je m'en allai à pas rapides. Nous étions en pleine campagne, à un kilomètre environ du village, et je m'affolai en pensant au temps qu'il me faudrait pour y arriver. De plus, le ciel se couvrait, de gros nuages gris et menaçants s'amoncelaient.

Le vent se leva, et je devinai qu'une averse se préparait. Je me mis à courir.

Là-bas, devant moi, à l'endroit où le chemin rejoignait la route qui menait au village, j'aperçus un attelage, et je reconnus Vincent, le fermier qui, le premier jour, m'avait amenée jusqu'à l'école. Je criai :

— Ho ! Monsieur Vincent ! Attendez !

La distance l'empêcha de m'entendre. Je m'égosillai de nouveau, fis de grands gestes. Peine perdue. Il ne me vit ni ne m'entendit. Dans mon affolement, je pensai à mon sifflet, qui ne quittait jamais ma poche. Je le pris, soufflai dedans avec énergie, en tirai plusieurs sons stridents et répétés. Avec soulagement, je vis Vincent tourner la tête de mon côté. Il m'aperçut et arrêta son cheval.

Je courus jusqu'à lui, trébuchant dans les ornières du chemin. Je ne me souciais plus de la boue. J'arrivai, essoufflée, à la charrette :

— Monsieur Vincent... haletai-je. J'ai besoin de votre aide...

En quelques mots entrecoupés, je lui expliquai la situation. Il ne perdit pas de temps.

— Où est-il ? Je vais y aller et le ramener. Attendez-moi ici, mademoiselle, près de mon cheval.

D'un pas décidé, il s'engagea dans le sentier. Je le suivis du regard, le vis arriver au bouquet d'arbres, puis revenir avec César dans les bras. Le petit garçon était toujours très pâle. Il se mordait les lèvres sans rien dire, et je compris que sa cheville devait le faire souffrir.

Vincent l'installa dans la charrette, le plus confortablement possible, jambes allongées. Puis il m'aida à monter, grimpa à son tour, prit les rênes.

— Eh bien, vous alors ! me dit-il. On dirait que j'arrive toujours à point nommé, non ?

Le sourire dont je me souvenais plissa ses yeux. J'acquiesçai et le remerciai. Le ciel se couvrait de plus en plus, et je reçus sur le visage plusieurs gouttes de pluie.

— Oh, oh, remarqua Vincent en levant les yeux. Ça va se gâter.

Il accéléra l'allure de son cheval. Comme nous arrivions sur la place du village, les gouttes de pluie se firent plus fréquentes, tombant avec force et s'écrasant dans la poussière.

— Eh bien, il était temps ! grommela Vincent.

Il arrêta l'attelage devant l'école des garçons, descendit, prit César dans ses bras. La porte du logement s'ouvrit, et la mère de l'enfant apparut.

— César ! s'écria-t-elle, affolée. Que s'est-il passé ?

— Allons, laissez-nous entrer, dit Vincent, bourru. Ne voyez-vous pas qu'il pleut ?

Ils pénétrèrent dans la maison sans s'occuper de moi, et je demeurai incertaine. Devais-je les suivre ? Je décidai que je ne serais plus d'aucune utilité et traversai la place en courant sous la pluie pour rentrer chez moi.

Je me changeai, brossai ma veste, ma jupe, nettoyai la boue qui maculait mes chaussures. Dehors, l'averse se déchaînait, de lourdes gouttes mêlées de grêlons cinglaient les vitres. Je pensai qu'il avait été heureux, pour César, que je sois passée près de l'endroit où il était tombé. Qu'aurait-il fait, pauvre enfant, sous un déluge pareil, immobilisé et incapable de bouger ?

Il faisait si sombre que je dus allumer la lampe. J'étais occupée à préparer mon repas lorsqu'on frappa à la porte. Croyant qu'il s'agissait de ma directrice, je criai :

— Oui, entrez !

La porte s'ouvrit, et je vis apparaître le père de César. De surprise, je faillis laisser choir la casserole que je tenais. Sans fermer la porte, il s'avança de quelques pas, et je m'aperçus qu'il souriait. Son visage avait une expression d'amabilité que je ne lui avais jamais vue, et mon appréhension s'atténua un peu.

— Mademoiselle, dit-il en se raclant la gorge, je n'ai pas voulu attendre plus longtemps pour venir vous remercier.

Je posai la casserole que je tenais toujours.

— Me remercier ? m'étonnai-je. Et de quoi donc ?

— D'être venue au secours de César. Sans votre intervention, il aurait pu rester là longtemps. Surtout par un temps pareil, ajouta-t-il en jetant un regard significatif aux vitres ruisselantes de pluie.

— Ce que j'ai fait est normal, dis-je. Vous n'avez pas à me remercier.

— Mais si, je le dois, protesta-t-il avec chaleur. D'autant plus que...

Il eut un toussotement embarrassé, tortilla sa moustache :

— D'autant plus que j'ai mal agi envers vous. Je le reconnais, et je vous prie de me pardonner. J'ai critiqué votre manière d'enseigner devant Esther, et je sais qu'elle vous a rapporté mes remarques. Ce ne pouvait qu'être gênant pour vous, je le comprends. Dorénavant, cela ne se produira plus.

La surprise, un instant, me laissa muette. Lorsque je retrouvai ma voix, je m'écriai spontanément :

— Merci, monsieur.

Il leva la main comme pour arrêter mes paroles, et une rougeur colora son visage :

— Je vous en prie, ne me remerciez pas. J'ai honte quand je pense à la façon dont je me suis conduit. Je serai heureux si vous voulez bien oublier mon attitude.

Voyant à quel point il était gêné, j'acquiesçai d'un signe de tête et fis dévier la conversation en demandant des nouvelles de César.

— Nous avons appelé le médecin, me répondit-il. Il dit qu'il s'agit d'une sérieuse entorse, avec déchirure des ligaments. César sera immobilisé quelques jours. Mais, ajouta-t-il en me regardant avec gratitude, cela aurait pu être pire si vous n'étiez pas intervenue.

Il s'en alla en réitérant ses remerciements et, songeuse, je refermai la porte derrière lui. Je ne m'attendais pas à un tel revirement de sa part, et je me disais qu'au fond, cette mésaventure avait son bon côté. Je serais débarrassée de l'appréhension qui me saisissait chaque fois qu'Esther levait le doigt, et de l'agacement que me causaient ses remarques. Au soulagement que je ressentais, je mesurais combien cette sorte de persécution indirecte m'avait été pénible.

* * *

Mon amie Odette attendait avec impatience la fin de l'année scolaire, afin d'être nommée ailleurs, dans un autre poste, et d'être débarrassée de sa directrice, ce « chameau », cette « peau de vache », comme elle l'appelait. A chacune de nos rencontres, elle se plaignait avec indignation :

— Je finis par avoir une vraie terreur des récréations, me confia-t-elle. Dans la cour, elle m'apostrophe devant les élèves. L'autre jour, l'une d'elles est tombée et s'est entaillé le genou assez profondément. La directrice s'est écriée aussitôt : « C'est votre faute ! Si vous surveilliez mieux les enfants, cela n'arriverait pas. » Comme si je pouvais les empêcher de courir et de sauter ! Et c'est comme ça sans arrêt, du matin au soir. Séparément, chaque remarque est déjà pénible, et souvent injuste, mais mises bout à bout, elles forment une accumulation dont je suis saturée. Je ne peux plus les supporter. D'autant plus que cela mine mon autorité sur les élèves. Certaines, parfois, sont au bord de la désobéissance. Si cela continue, un de ces jours je vais lui répondre vertement, j'en ai bien peur. Ce qui n'arrangera pas les choses...

Je lui conseillais de prendre patience. Je lui racontai la mésaventure de César et la façon dont son père avait fait amende honorable. Je disais à mon amie qu'il pouvait se produire un événement inattendu qui, peut-être, arrangerait la situation. Mais elle secouait la tête et refusait de me croire.

Lorsque, après l'avoir quittée, je revenais chez moi, je retrouvais Marcel Valmont dans le train. Par un accord tacite, je montais dans le compartiment où il se trouvait, toujours le même. C'était comme un rendez-vous entre nous. Il m'attendait, et je voyais son regard s'éclairer dès qu'il m'apercevait. Nous discutions de notre travail, et je me rendais compte que le fait d'exercer le même métier créait entre nous une complicité qui, au fil des semaines, se faisait de plus en plus étroite. Il me parlait également des livres qu'il lisait, et, lorsque je lui eus confié ma passion de la lecture, il me les prêta, l'un après l'autre.

J'appréciais ces rendez-vous du dimanche soir, j'aimais la nature calme du jeune instituteur, son visage intelligent, sa voix agréable, ses yeux pleins de douceur et de gravité. Je rentrais chez moi, ensuite, avec le livre qu'il m'avait prêté, et je me sentais, depuis ma rupture avec Pierrot, un peu moins malheureuse.

Lorsque je parlais de lui à mon amie Odette, elle me répondait invariablement :

— Ne serait-il pas amoureux de toi ? Il ferait un excellent mari. Penses-y, Céline. Maintenant que ton Pierrot va en épouser une autre...

Ma tante Marceline, qui continuait à venir me voir de temps à autre, et à qui je racontai tout, me fit la même remarque :

— S'il t'aime, tu ne dois pas hésiter, Céline. Épouse-le. Un mari instituteur, c'est l'idéal. Je te l'ai toujours dit. Ton Pierrot n'était pas pour toi. Il a au moins eu l'intelligence de s'en rendre compte.

Je serrais les lèvres pour ne pas répondre. Pierrot, je continuais à l'aimer, et je savais que, malgré mes efforts, je ne cesserais jamais de l'aimer. Je lui avais donné mon cœur alors que je n'étais qu'une enfant, et il lui appartiendrait toujours. Il n'était pas libre pour un autre. Et je m'appliquais à garder avec Marcel Valmont une attitude de stricte camaraderie.

* * *

Mon problème avec Esther était résolu, et plus rien ne perturbait ma classe. J'en étais heureuse. Les petites du cours préparatoire commençaient à savoir lire couramment, et je ressentais une certaine fierté en pensant que c'était mon œuvre. Elles étaient arrivées dans ma classe encore ignorantes, et maintenant, grâce à moi, elles savaient lire et compter. Je trouvais dans cette constatation quelque chose d'exaltant. De plus en plus, j'aimais mon métier, et j'éprouvais, à l'exercer, une profonde satisfaction.

Pourtant, un autre inconvénient vint m'assombrir,

d'autant plus contrariant qu'il s'était déjà produit et que je ne pouvais rien changer à la situation.

Cela commença un soir, alors que, à l'épicerie du village, je faisais quelques courses. Tandis que l'épicière me servait, je regardais, par la porte ouverte qui communiquait avec le cabaret, plusieurs hommes assis à une table. Il y avait, parmi eux, le père de Henriette, et je m'étonnai de le voir là, lui qui, depuis sa cure de désintoxication, ne mettait plus les pieds au café.

Un des hommes présents l'apostrophait, l'air contrarié :

— Une limonade ! Tu te fiches de moi, Nicolas ! Nous sommes ici pour arroser mon anniversaire, et tu veux boire une limonade ! Allez, trinque avec nous, un verre de vin ne te fera pas de mal !

Il brandissait une bouteille, et les autres renchérissaient :

— C'est vrai quoi ! Ce n'est pas son anniversaire tous les jours !

— Un verre de vin, un seul, tu peux bien faire ça pour lui faire plaisir !

Allez, bois ça à sa santé.

Ils poussèrent devant lui un verre rempli à ras bord. Le père de Henriette secoua la tête :

— Essayez de comprendre, les gars. Je ne dois plus boire d'alcool, même une goutte. Ils me l'ont dit après ma cure. Si je bois ce verre, tout va recommencer.

Un concert de protestations s'éleva. Ils le huèrent :

— Allons ! Ce n'est pas vrai, ça !

— Un verre de vin n'a jamais fait de mal à personne !

— Si tu ne le bois pas, déclara celui dont c'était l'anniversaire, je considérerai cela comme un affront, Nicolas.

Le père de Henriette hésita. Je voyais bien qu'il regardait le verre de vin avec envie, et qu'il était prêt à céder. J'eus envie d'aller dire aux autres de le laisser tranquille, de leur faire comprendre qu'ils agissaient mal. Mais je n'osai pas. Ma jeunesse et mon inexpérience me retinrent. Je pensai que mon intervention produirait peut-être l'effet contraire et inciterait les autres à insister davantage. J'eus peur de me mêler de ce qui, après tout, ne me regardait pas, et je demeurai immobile, désapprobatrice mais impuissante. Je réglai mes achats et, alors que je sortais de l'épicerie, j'eus le temps de voir le père d'Henriette saisir le verre et l'avaler d'un trait, comme un défi.

A partir de là, la situation dégénéra. Il se remit à boire, modérément au début, mais bientôt il recommença à s'enivrer. Un jour, en traversant la place, je croisai sa femme. Elle me salua et détourna rapidement la tête. Mais j'avais eu le temps de voir, sur le côté gauche de son visage, une ecchymose bleuâtre allant de la tempe au bas de la joue. De nouveau, je dus prendre l'habitude de voir la petite Henriette venir en classe le visage marqué d'hématomes.

J'en parlai à la directrice, lui racontai la scène à laquelle j'avais assisté sans oser intervenir. Je lui avouai mon sentiment de culpabilité.

— Vous n'auriez rien pu faire, me dit-elle. Si Nicolas n'avait pas cédé cette fois-là, il l'aurait fait une autre fois. C'est un faible, je vous l'ai déjà dit.

— Mais ceux qui étaient avec lui, comment ont-ils pu insister ainsi, s'ils savaient ce qui allait se passer ?

Elle haussa les épaules, soupira :

— Ils jugeaient la situation d'après leur propre point de vue. Eux, ils boivent un verre ou deux, et ils savent s'arrêter. Ça ne porte pas à conséquence. Ils n'ont pas compris que Nicolas, lui, réagit différemment. Ils ont mal agi en le forçant à boire, c'est certain. Ils ont leur part de responsabilité dans ce qui est arrivé. A leur place, je ne serais pas fière.

— Que faire ?

— La seule solution, c'est que Nicolas trouve la volonté de ne plus boire.

J'appris, quelque temps après, que sa femme, lasse des scènes de violence, l'avait menacé de repartir chez ses parents et d'emmener les enfants. Dégrisé, Nicolas avait de nouveau promis de s'amender. Il partit refaire une cure de désintoxication, et ceux qui l'avaient entraîné à boire, comprenant enfin les conséquences de leur acte, promirent de leur côté de ne plus le tenter.

Avec de la bonne volonté de part et d'autre, pensais-je, la situation allait peut-être s'arranger.

* * *

Un matin, je reçus une lettre de ma mère, dans laquelle elle m'annonçait une nouvelle qui me frappa cruellement. « Pierrot et sa mère, écrivait-elle, sont allés chez Gervaise demander la main de Marinette. La demande est officielle, maintenant. Le mariage ne tardera pas. »

Je repliai la lettre, tandis que des larmes de dépit et de souffrance me piquaient les yeux. Ainsi, c'était vrai, il allait l'épouser ! Je comprenais que, malgré tout, au fond de moi, je n'avais jamais accepté cette idée. Il m'était toujours resté l'espoir, inavoué, inconscient, que Pierrot comprendrait son erreur et me reviendrait. Et maintenant, j'étais obligée de m'avouer qu'il s'agissait là d'un espoir fallacieux, pire même, utopique. Je devais me rendre à l'évidence : c'était terminé. Pierrot était perdu pour moi.

Je pleurai longuement. J'avais mal. Je me revoyais courant sur la plage, vers lui qui me tendait les bras. Je revoyais son regard plein d'amour, la façon dont il me souriait, et nos promenades, la main dans la main, tandis que j'éprouvais la certitude qu'il était l'homme de ma vie et que c'était lui que j'aimerais jusqu'à mon dernier jour. J'étais persuadée qu'il n'avait pas cessé de m'aimer, et je lui en voulais de se conduire d'une façon aussi cruelle. Je n'étais pas loin d'éprouver pour Marinette un sentiment de détestation et de rancune dont la férocité m'effrayait.

Lorsque je séchai mes larmes, je me sentis subitement froide et dure. Mon cœur meurtri était brisé, mais je décidai que je ne serais pas malheureuse. Pierrot m'avait dédaignée, il m'avait préféré Marinette, mais je ne lui montrerais pas mon chagrin. Au contraire, je devais lui faire croire qu'il m'était devenu indifférent, et que je l'avais rayé de ma vie sans regret.

Je pensai à ce que me conseillaient Odette et ma tante Marceline. Ce jeune instituteur, Marcel Valmont... il constituait un moyen de vengeance idéal. S'il était vrai qu'il m'aimait, il me suffirait de l'encourager. Je me voyais déjà revenant chez mes parents en sa compagnie, le présentant à tout le monde, et surtout à Pierrot et à Marinette. Je jouerais parfaitement le rôle de la fiancée radieuse et épanouie, et personne ne devinerait que mon cœur était en lambeaux.

Dès le dimanche suivant, lorsque je rencontrai Marcel Valmont, je me départis de mon attitude distante. Je me mis à battre des cils en lui parlant, je lui fis des sourires encourageants. Je constatai qu'il paraissait troublé. Je le regardai plus attentivement, et je dus convenir qu'il ne me déplaisait pas, et même qu'il me plaisait tout à fait. Mais je n'étais pas amoureuse de lui.

Pourtant, plus je réfléchissais à l'idée d'avoir ce jeune instituteur pour mari, plus elle me séduisait. Nous aurions l'avantage d'exercer le même métier, et, au lieu de nous séparer, il constituerait au contraire un lien supplémentaire entre nous. De plus, je le trouvais respectueux, doux, aimable. J'aimais discuter avec lui, j'aimais son intelligence et son érudition. Je pensai, avec une satisfaction vengeresse, qu'il serait agréable d'avoir un mari instruit, avec lequel je pourrais parler de Sainte-Beuve, de Talleyrand ou d'Eugénie Grandet sans qu'il me demandât de qui il s'agissait. Et j'étais déterminée, si je l'épousais, à faire de mon mariage une réussite. Je devais montrer à Pierrot qu'il n'était pas indispensable à mon bonheur, et que je pourrais parfaitement être heureuse avec un autre que lui.

DEUXIÈME PARTIE

IRÈNE

(1947-1968)

1

Le mariage de mes parents eut lieu en juillet 1939, mais je ne naquis que huit ans plus tard. La guerre fut la principale responsable de ma naissance tardive. Elle éclata le 3 septembre 1939, et mon père dut partir. Lorsque, en mai 1940, les Allemands envahirent tout le Nord, il fut fait prisonnier, avec des milliers d'autres soldats, et emmené en captivité pour cinq ans.

Je vins au monde le 15 janvier 1947, un an et demi après son retour. Je demeurai fille unique, et je dois dire que cela ne me gêna jamais. J'étais une enfant solitaire, imaginative, et je n'éprouvais pas le besoin d'avoir des compagnons de jeu. Je savais m'occuper seule.

Mes parents étaient instituteurs tous les deux, ma mère à l'école des filles, mon père à l'école des garçons. Lorsqu'ils s'étaient mariés, ils avaient demandé un poste double afin d'exercer dans le même village. Leur métier, dès ma petite enfance, contribua à m'influencer. Dès que j'ai été capable de penser, il m'apparut, comme une évidence, que moi aussi je serais institutrice.

Je me revois dans ma chambre, alors que j'avais trois ou quatre ans, en train de me livrer à mon jeu favori : faire l'école à mes poupées. Je les installais sur mon lit, bien rangées, je prenais le petit tableau que m'avait offert mon père, et, avant même de savoir écrire, je dessinais n'importe quoi : une pomme, un chat, un bonhomme. Puis je demandais à mes poupées de dire ce que représentait mon dessin. Selon la façon dont elles répondaient, je les félicitais ou je les grondais. Je les notais, et si l'une d'entre elles avait une mauvaise note et se mettait à pleurer, prise de remords je la prenais dans mes bras et je la cajolais pour la consoler.

Ce jeu me passionnait. Un autre moment me plaisait également beaucoup. C'était le soir, lorsque mon père me prenait sur ses genoux. Nous nous installions à la table, un livre d'images devant nous, et mon père le feuilletait en commentant pour moi chaque illustration. Afin de tester ma mémoire, il repartait plusieurs pages en arrière, me désignant du doigt une image qu'il m'avait montrée la veille ou l'avant-veille :

— Qu'est-ce que ceci ? Rappelle-toi ce que j'ai dit à ce sujet.

Ma mère quelquefois protestait :

— Voyons, Marcel, tu demandes trop à cette enfant. Elle n'a que quatre ans.

— Pas du tout, Céline, pas du tout, répliquait mon père avec autorité. C'est un livre du cours préparatoire. Ce qu'apprennent des enfants de six ans, Irène peut très facilement l'apprendre à quatre ans.

Pour donner raison à mon père, j'écoutais attentivement ses explications et je m'appliquais à les retenir. Ce fut lui qui m'apprit les lettres de l'alphabet, me les faisant recopier chaque soir jusqu'à ce que je les sache par cœur. Je les dessinais ensuite sur mon tableau, interrogeant mes poupées, les réprimandant si elles se trompaient. Moi, je m'efforçais de ne jamais me tromper. Je désirais satisfaire mon père, je voulais qu'il fût fier de moi. Je compris par la suite, au fur et à mesure que je grandissais, à la faveur de plusieurs remarques qu'il laissa échapper, que son grand regret était de ne pas avoir de fils. Il reportait sur moi, son seul enfant, ses ambitions et ses espoirs. Et je l'aimais tellement que pour rien au monde je n'aurais voulu le décevoir.

De temps à autre, lorsque les élèves étaient repartis chez eux, que l'école était déserte et silencieuse, ma mère m'emmenait dans sa classe. Elle écrivait, sur le tableau, des phrases qui préparaient la leçon du lendemain. Je la regardais avec extase. Mon père assurait que je ferais la même chose, moi aussi, plus tard. Je le souhaitais de toutes mes forces. Le métier d'institutrice me paraissait le plus beau du monde.

Pourtant, lorsque j'entrai à l'école maternelle, cette conviction faillit être ébranlée. La maîtresse était une grande et forte femme, à la lèvre supérieure ombrée d'un soupçon de moustache. Ce qui m'impressionnait le plus chez elle, davantage encore que sa stature imposante, c'était sa voix forte, sonore et grave. Une telle créature évoquait irrésistiblement, dans mon esprit d'enfant, l'ogre du Petit Poucet. Je la craignais beaucoup et je me faisais toute petite, afin qu'elle m'adressât la parole le moins souvent possible.

Un jour, elle me terrorisa littéralement. C'était avant l'entrée en classe, en début d'après-midi, et nous étions dans le couloir, où des lavabos avaient été installés pour permettre aux élèves de se laver les mains. Tout le monde se pressait autour des robinets, car la maîtresse était intransigeante en qui concernait la propreté. Debout près de la porte, elle nous surveillait. J'étais arrivée dans les derniers, et il me fut impossible de m'approcher assez près pour tendre mes mains sous l'eau qui coulait. J'essayai de me faufiler entre deux élèves, sans y parvenir. J'allai à un autre endroit, mais je me fis repousser sans ménagement. Découragée, je me reculai et m'appuyai contre le mur, attendant qu'une place se libère.

Tout en patientant, je pensais qu'après tout il était inutile que je me lave les mains. Elles étaient propres. Ma mère me les avait soigneusement nettoyées avant de m'envoyer à l'école, comme elle le faisait chaque fois. Je décidai alors de faire ce que j'avais déjà vu faire à des élèves qui, eux non plus, ne parvenaient pas à accéder aux lavabos : ils crachaient dans leurs mains et le tour était joué.

Je postillonnai donc un peu de salive au creux de mes paumes et je les frottai l'une contre l'autre, satisfaite d'avoir trouvé cette solution. Mais l'institutrice m'avait vue. Elle se précipita sur moi en criant avec colère :

— Que viens-tu de faire ? C'est sale et c'est interdit ! N'as-tu pas honte ?

Sa voix d'ogre retentit dans le couloir, faisant taire toutes les conversations. Immédiatement, tous les yeux se fixèrent sur moi. Je souhaitai disparaître.

Comme je ne répondais pas, l'institutrice se pencha sur moi, me prit par l'épaule et me secoua :

— Allons, dis aux autres ce que tu viens de faire !

Je me mis à trembler, mais je demeurai muette.

— Très bien. Si tu ne veux pas répondre, j'enlève ta culotte et je te donne une fessée, là, devant tout le monde.

La menace m'affola. Je savais que la maîtresse agissait ainsi dans les cas de désobéissance ouverte, et mon refus de répondre en était un. Je me sentis devenir pâle d'humiliation. L'idée que tous les élèves puissent voir mon derrière me remplit de honte et d'effroi. Je préférai encore avouer ce que je venais de faire :

— J'ai craché dans mes mains, dis-je d'une voix blanche, à peine audible.

La voix d'ogre tonna :

— Plus fort ! On n'entend rien !

J'avalai ma salive et répétai péniblement :

— J'ai craché dans mes mains.

Je m'attendais, de la part des élèves, à des ricanements, des exclamations horrifiées. Mais il n'y eut aucune réaction. Comme la plupart d'entre eux faisaient la même chose de temps à autre, ils ne trouvèrent pas ma faute extraordinaire. Leur silence me consola un peu. J'y vis une réprobation muette envers la maîtresse, mêlée d'une compréhension apitoyée vis-à-vis de moi, la victime. L'institutrice m'attrapa par l'épaule, me propulsa vers l'un des lavabos miraculeusement libéré :

— Lave-toi les mains, maintenant. Et correctement ! Je t'observe.

J'obéis, les jambes encore tremblantes. Lorsque nous fûmes entrés dans la classe, tout le monde oublia l'incident. Mais moi, je ne l'oubliai jamais. Il accentua la terreur que j'avais de l'institutrice, et pendant des semaines, ensuite, j'allai à l'école avec crainte. Lorsque nous nous mettions en rang dans la cour, je prenais soin de me placer dans les premiers, afin de pouvoir accéder aux lavabos et de laver mes mains déjà parfaitement propres.

* * *

Au moment des vacances scolaires, nous allions rendre visite au parents de ma mère, qui habitaient au bord de la mer. Mon grand-père Constantin et mon oncle Aurélien étaient pêcheurs. Ce dernier, à plus de trente-cinq ans, demeurait obstinément célibataire. Lorsque ma mère lui demandait pourquoi il ne se mariait pas, il répondait invariablement :

— Je n'ai pas besoin d'une femme. Ma seule maîtresse, c'est la mer.

Je ne comprenais pas ce qu'il voulait dire. La mer, cette immense étendue mouvante, exerçait sur moi une fascination mêlée de crainte. Lorsque mon grand-père m'encourageait à entrer dans l'eau, je le faisais avec réticence. Dès que les vagues enserraient mes chevilles dans leur étau glacé, je reculais.

— Allons, viens, insistait mon grand-père. N'aie pas peur.

— Laissez-la, disait mon père. Ne la forcez pas.

Mon grand-père grommelait des paroles inintelligibles, d'où il ressortait confusément que je ne valais pas mieux que ma mère. Je n'écoutais pas. Je courais me réfugier auprès de mon père, secrètement heureuse de son appui.

Je préférais, lorsque la marée était basse, ramasser des coquillages. Je cherchais les plus jolis, ceux qui avaient des reflets de nacre et de rose, et je les collectionnais dans une boîte où je mettais tous mes trésors. Dans ces expéditions, ma mère m'accompagnait, me surveillant ou parfois participant à mes recherches. Un jour, alors que le temps était maussade et que nous étions pratiquement seules sur la plage, je la vis s'arrêter tandis qu'un homme venait vers nous.

— Pierrot... murmura-t-elle.

Je reconnus le mari de cousine Marinette, que nous ne voyions que très rarement car, la plupart du temps, il était en mer. De plus, lors de nos séjours chez mes grands-parents, il évitait de nous rencontrer, ainsi que l'affirmait mon oncle Aurélien.

Il nous fit face, nous regarda l'une après l'autre.

— Comme ta fille te ressemble ! dit-il d'une voix sourde. J'ai l'impression de te revoir lorsque tu avais son âge. Tu te souviens ? Tu n'osais pas entrer dans l'eau, tu avais peur des vagues.

— Oui, je me souviens.

Ils se regardaient, sans bouger, les yeux dans les yeux. Je fis quelques pas, me mis à chercher d'autres coquillages. J'entendis qu'il demandait :

— Tu es heureuse, Céline ? Tu ne regrettes rien ?

Ma mère haussa le ton pour répondre avec force :

— Non, je ne regrette rien. Je suis parfaitement heureuse, je puis te l'assurer.

Je vis Pierrot baisser la tête tandis qu'il avouait :

— Moi, je ne peux pas en dire autant... Tu avais raison, Céline, mon mariage ne m'a pas porté bonheur. Marinette ne me donne pas d'enfant, et il semble bien que je n'aurai pas les fils que je souhaitais...

Je poussai un cri de joie. Je venais de trouver un coquillage lisse et rose, de ceux que je préférais, et je tirai ma mère par la main pour le lui montrer. Je fus déçue de constater qu'elle y jeta à peine un regard. Elle déclara simplement :

— Viens, Irène, nous allons rentrer. Je suis désolée, Pierrot, il faut que je m'en aille.

Et elle ajouta, comme pour elle-même :

— Les regrets sont inutiles. Il est trop tard, de toute façon.

Elle m'entraîna d'un pas rapide, serrant ma main dans la sienne tellement fort qu'elle m'obligeait à courir pour demeurer à sa hauteur. Je dus abandonner ma recherche de coquillages. A un moment, je me retournai. Pierrot était demeuré à la même place. Il nous regardait partir, l'air triste, et, se détachant sur la mer, sa silhouette immobile et solitaire avait quelque chose de pathétique.

* * *

A six ans, j'entrai à l'école primaire. Grâce aux leçons de mon père, je lisais couramment n'importe quel texte. L'institutrice du cours préparatoire jugea inutile de m'apprendre ce que je savais déjà. Elle me fit passer dans la classe supérieure, qui était celle où enseignait ma mère. J'en fus ravie.

Mais ma satisfaction ne dura pas. Très vite, je me heurtai à la jalousie des autres élèves. Le village où nous habitions était situé en plein pays minier et possédait à lui seul deux puits de mine. La grande majorité des filles de ma classe étaient des filles de mineurs. Moi qui avais mes parents instituteurs, je fus dès le début classée dans une catégorie à part ; elles refusèrent de m'accepter comme l'une des leurs.

De plus, je ne tardai pas à être la première de la classe, ce qu'elles acceptèrent encore moins bien, compte tenu du fait que j'étais également la plus jeune. Elles me disaient avec mépris :

— Bien sûr que tu as les meilleures notes ! Ce n'est pas étonnant, c'est ta mère qui corrige nos devoirs. Elle s'arrange pour que tu sois toujours classée première. A chaque interrogation, elle te dit à l'avance ce qu'elle va demander, alors bien sûr, tu sais toujours tout faire !

Leurs accusations étaient évidemment fausses, mais malgré mes dénégations indignées, elles refusaient de me croire. Je n'avais pas une mentalité de rapporteuse, et je ne racontais pas ces altercations à ma mère. Je préférai les supporter en silence tout au long de l'année. Je savais, moi, qu'elles avaient tort, et mon honneur restait intact.

Et, de toute façon, j'oubliais la jalousie des autres filles lorsque je montrais mon bulletin de notes à mon père. Il l'épluchait avec soin, commentant chaque note, et je recevais ses félicitations avec une fierté indicible. La satisfaction que je lisais sur son visage, tandis qu'il repliait la feuille, était ma récompense. Il disait :

— C'est bien, ma fille. Garde la première place, surtout. Ne laisse personne te la prendre. C'est celle qui te convient.

Et, pour lui faire plaisir, pour qu'il fût fier de moi, je fis en sorte d'être classée première tout au long de mes années d'école. A force de travail, d'application, d'acharnement, j'y parvins. C'était devenu mon seul but.

Une autre personne, en plus de mes parents, se montrait fière de mes résultats scolaires. C'était tante Marceline, que ma mère aimait particulièrement car, disait-elle, elle lui devait d'être devenue institutrice. Lorsque nous allions la voir, mes parents emportaient mes cahiers, mes bulletins, afin de les lui montrer. Comme mon père, elle les feuilletait attentivement et ne manquait pas de me féliciter.

— Tu as bien travaillé, me disait-elle. Voilà ta récompense.

Elle me donnait quelques livres qu'elle avait achetés pour moi en sachant qu'ils me feraient plaisir, car j'adorais lire, et une pièce que je glissais précieusement dans ma tirelire dès notre retour à la maison.

Dans notre village venait de se créer un Cours Complémentaire, qui ne tarda pas à prendre le nom de Collège d'Enseignement Général. Mes parents m'y inscrivirent. Je dus passer un examen — le premier de ma vie d'études — et je découvris ce que pouvait être le trac, celui qui donne l'impression de paralyser l'esprit. Mais, heureusement, je me rassurai très vite : les questions me parurent d'une facilité déconcertante et je sus répondre à toutes.

J'entrai donc en classe de sixième, et j'y découvris deux changements. Le premier fut la mixité. A l'école primaire, il n'y avait que des filles ; maintenant, dans la classe, nous étions sept filles pour une vingtaine de garçons. L'autre changement fut qu'une nouvelle matière, l'anglais, vint s'ajouter à celles que je connaissais déjà. Cette langue me passionna. Dès le début, je m'y révélai excellente sans aucun effort, et l'apprendre n'était pas un devoir, mais un véritable plaisir. Les cours d'anglais étaient de loin ceux que je préférais, et chaque jour je les attendais avec impatience.

Cette langue me plaisait tellement que je décidai de ne plus être institutrice, mais professeur d'anglais. Lorsque je fis part de ce désir à mon père, il m'approuva :

— Tu auras trois ou quatre années d'études supplémentaires à faire, me dit-il, car après le bac tu devras aller en faculté. Mais finalement tu y gagneras. En tant que professeur, tu auras les mêmes vacances qu'une institutrice, mais un meilleur salaire et moins d'heures de cours : dix-huit heures par semaine seulement. Ça vaut la peine.

Je fus heureuse de son appréciation, bien que, pour le moment, le salaire et les heures de cours fussent assez éloignés de mon esprit. Je ne voyais, moi, que ma passion pour la langue de Shakespeare, que je trouvais belle, harmonieuse, inégalable.

Mais, lorsque je fus en cinquième, je changeai brutalement d'avis, à cause de l'attitude du professeur que nous eûmes cette année-là. C'était une femme, qui s'appelait Mme Cauvert, et qui était tellement sévère qu'elle paralysait les élèves les plus turbulents. Implacable, elle ne laissait rien passer, et pendant ses cours régnait un silence total, fait de crainte et d'appréhension. Certains l'avaient baptisée « la vache » ou « le chameau ». Pour ma part, cet aspect du caractère de Mme Cauvert ne me gênait pas, car elle était par ailleurs une excellente pédagogue, et ses cours étaient bien faits et intéressants. De plus, que ce fût en travail ou en discipline, je me montrais toujours appliquée et obéissante, et je n'avais pas à craindre de recevoir des remontrances.

C'est pourquoi ce qui se passa vers le milieu de l'année scolaire me laissa à la fois surprise et horrifiée. Mme Cauvert nous fit un jour un cours plus difficile que les autres, choisissant des exemples plus compliqués que d'habitude, afin, nous dit-elle, d'élever le niveau de la classe qu'elle jugeait trop bas. Elle nous donna toute la leçon à apprendre pour le lendemain, précisant qu'il y aurait une interrogation écrite avec des exercices de contrôle, afin de vérifier si nous avions bien tout assimilé.

Cette interrogation ne me parut pas plus difficile que les précédentes, mais pour l'ensemble de la classe les résultats furent catastrophiques. A part une poignée d'élèves — les meilleurs — tout le monde se retrouva avec des notes tellement basses que Mme Cauvert se mit en colère :

— C'est lamentable, commenta-t-elle, les sourcils froncés par un mécontentement évident. Je n'ai jamais vu ça. Puisque vous n'avez pas compris cette leçon, je vais la recommencer. Mais comme je ne veux pas prendre de retard sur le programme, je ne la referai pas pendant une heure de cours. J'ai vu que, dans votre emploi du temps, vous avez une heure libre le mardi de quatre à cinq. Moi aussi. Je vous prendrai donc demain mardi et nous referons la leçon.

Tous les élèves se regardèrent avec consternation, voire avec un profond déplaisir. Le mardi de quatre à cinq, c'était la dernière heure de la journée. Les demi-pensionnaires allaient en permanence et pouvaient commencer leur travail pour le lendemain. Quant aux externes, dont je faisais partie, ils avaient le droit de rentrer chez eux immédiatement. Cette décision de Mme Cauvert fut ressentie comme une punition et ne plut à personne. Même à moi, elle parut injuste. Je ne voyais pas la nécessité d'être retenue pour assister de nouveau à une leçon que j'avais parfaitement comprise.

Je dus prévenir mes parents que je rentrerais à la maison une heure plus tard, et j'en profitai pour me plaindre.

— Ce n'est pas juste, dis-je. Je suis punie alors que j'ai eu 20 à l'interrogation. Je n'avais pas fait une seule erreur !

Ma mère abonda dans mon sens :

— Dans un cas pareil, il est inutile de retenir toute la classe. Il suffit de refaire le cours à ceux qui n'ont pas compris, tout simplement.

Mais mon père, lui, tint à appuyer la décision de Mme Cauvert.

— Cela ne te fera pas de mal, Irène. Ça te servira de révision.

J'assistai donc, de mauvaise grâce, au cours que nous refit Mme Cauvert, le même exactement. A la fin de l'heure, elle déclara sévèrement :

— J'exige que, cette fois-ci, vous appreniez parfaitement toute la leçon. Il y aura une nouvelle interrogation. Et gare à ceux qui auront encore une mauvaise note !

Malgré cette menace, l'interrogation se révéla être, une nouvelle fois, un fiasco. En rendant les copies, Mme Cauvert décréta, furieuse, qu'elle nous retiendrait encore le mardi suivant, et qu'elle agirait ainsi tant qu'elle le jugerait nécessaire. Le même sentiment d'injustice m'envahit, car cette fois encore j'avais obtenu 20, et je ne me sentais pas concernée par cette mesure de représailles.

Je dus subir, une troisième fois, le même cours, si semblable aux deux précédents que je commençais à en connaître les phrases par cœur. Tandis que je les notais sur mon cahier de brouillon, je pensais avec amertume que j'aurais été capable d'expliquer la leçon à la place de Mme Cauvert.

Un quart d'heure environ avant la fin du cours, elle dit :

— Je vais vous donner quelques phrases à traduire, et j'espère que cette fois-ci vous y parviendrez ! Je vais passer dans les rangs afin de vérifier.

Elle n'était pas arrivée à la deuxième table que mes phrases étaient déjà traduites. Elle fit ainsi la première rangée, puis la seconde, et enfin la troisième. J'étais, ce jour-là, assise à la table du fond, la dernière. La progression de Mme Cauvert me paraissait interminable, et ce cours que je savais par cœur m'ennuyait tellement que, en attendant que notre professeur arrivât jusqu'à moi, pour tuer le temps je me mis à dessiner sur mon cahier de brouillon.

Juste à côté des phrases que je venais d'écrire, en haut de la page, je traçai plusieurs croquis d'animaux, dont une tortue. J'étais occupée à disposer les écailles de sa carapace lorsque Mme Cauvert arriva enfin à ma table. Elle se pencha sur mon cahier, vit mes dessins, fronça les sourcils. Elle ne regarda même pas mes phrases. Sans un mot, les lèvres pincées et le visage désapprobateur, elle arracha la page, et l'emporta avec elle jusqu'au bureau, où elle la déposa parmi ses notes.

Je ne compris pas sa réaction et demeurai surprise. En quoi mes dessins lui avaient-ils déplu ? Je n'avais rien fait de mal. Il s'agissait de mon cahier de brouillon, et non de mon cahier d'anglais ; de plus, j'avais terminé l'exercice demandé et j'étais sûre de l'avoir fait correctement. J'avais si peu l'impression d'avoir mal agi que, dès que nous sortîmes de la classe, j'oubliai l'incident.

Le lendemain matin, notre premier cours était un cours de français. Nous venions de nous installer lorsqu'on frappa à la porte, et un élève d'une autre classe entra :

— Monsieur le directeur demande Irène Valmont à son bureau, dit-il.

Je me levai, sortis, traversai la cour pour me rendre au bureau du directeur. Je n'étais pas encore inquiète. Il arrivait parfois que le directeur, lorsqu'il avait du travail administratif à faire — classer des fiches, mettre les bulletins scolaires dans des enveloppes, coller des timbres — appelât un ou deux élèves, parmi les meilleurs, afin de l'aider. J'avais déjà été convoquée à plusieurs reprises pour ces petits travaux, et je pensai qu'il s'agissait, cette fois encore, de la même chose.

Je frappai à la porte, attendis l'autorisation d'entrer, et pénétrai dans le bureau. Là, je m'immobilisai, interdite. Le directeur était assis, l'air sévère, et debout près de lui, à sa droite, se tenait Mme Cauvert. Je les regardai tous deux avec surprise, ne comprenant pas encore.

Le directeur prit une feuille posée devant lui, me la tendit :

— Reconnais-tu ceci, Irène ?

Je vis qu'il s'agissait de la page de mon cahier que Mme Cauvert avait arrachée la veille. La gorge soudain sèche, je fis un signe de tête affirmatif. En même temps, je jetai un regard interrogateur à Mme Cauvert qui, immobile, rigide, les yeux fixés droit devant elle, semblait m'ignorer complètement.

Fronçant les sourcils, le directeur se mit alors à m'accabler de reproches. Il ressortait de son discours que je devais être attentive, ne pas m'amuser à dessiner pendant les cours au lieu d'écouter, et d'autres critiques du même genre. Je m'attendais si peu à une telle algarade, et j'étais si ahurie, que je ne tentai même pas de me défendre. J'étais incapable de parler. On ne me le permit d'ailleurs pas. Dès qu'il eut fini, le directeur me montra la porte :

— Retourne en classe, maintenant. Et ne recommence jamais.

Je me retrouvai dans la cour, encore abasourdie. Lorsque je commençai à réaliser, je suffoquai d'indignation. L'attitude de Mme Cauvert me parut terriblement injuste. Elle m'avait fait convoquer au bureau du directeur comme si j'avais été le dernier des cancres.

A mon humiliation se mêlait un violent ressentiment envers elle. J'étais toujours persuadée que je n'avais pas mal agi en faisant sur ma page ces innocents dessins. Si cela ne lui avait pas plu, elle aurait pu me le dire lorsqu'elle avait arraché la feuille, pensais-je amèrement, ou encore me retenir à la fin du cours pour me réprimander. Au lieu de cela, elle s'était empressée de porter ma page au directeur comme s'il s'était agi d'une faute très grave, sans même prendre en compte le fait que j'étais sa meilleure élève et que jamais je ne m'étais montrée inattentive.

Je fus tellement horrifiée que je décidai de réagir à ma façon. Puisqu'on me considérait comme un cancre, je prouverais que j'en étais un. Je pensai que, dorénavant, je n'écouterais plus les leçons d'anglais, et à chaque interrogation, je m'arrangerais pour mettre les plus mauvaises réponses possibles. Je deviendrais, dans cette matière, la dernière de la classe.

Mais je n'y parvins pas. J'aimais tellement l'anglais que je ne pus réussir à ne pas écouter pendant les cours. Et lorsqu'il fallait faire un exercice, comme je connaissais la bonne réponse, il me fut impossible d'en mettre une autre, que je savais fausse. Furieuse contre moi-même, je continuai à collectionner les bonnes notes.

Je trouvai alors un autre moyen de me venger de Mme Cauvert. Elle agissait avec moi comme si rien ne s'était passé, mais je ne parvenais pas à lui pardonner sa traîtrise. A cause d'elle, j'abandonnai ma décision d'être professeur d'anglais. Cette réaction me paraît maintenant puérile, mais à l'époque, du haut de mes douze ans, je la trouvai excellente. Comme j'avais également de très bons résultats en français, et que notre professeur, qui était un homme, se montrait particulièrement aimable avec moi, je décidai que je serais professeur de français.

* * *

En seconde, j'allai au lycée. A la fin de l'année scolaire, mes parents m'inscrivirent au concours d'entrée à l'École Normale.

— Ta mère et moi sommes normaliens tous les deux, me dit mon père. Toi, Irène, tu es une excellente élève, et tu n'auras aucun mal à être reçue. J'y tiens beaucoup. Outre le fait que les études sont gratuites, tu sortiras de là avec un très bon niveau.

Je me présentai donc au concours, espérant vivement être reçue pour faire plaisir à mon père. J'obtins l'écrit sans problème, et je fus convoquée pour l'oral. Là, les choses se gâtèrent. Je ratai complètement l'épreuve de sport, l'épreuve de couture et celle de musique. Mais ce n'étaient que des matières secondaires, et je tentai de me rassurer. En français, par contre, j'eus à commenter un passage de *Candide* de Voltaire, et je parvins à me débrouiller correctement. Mais, en mathématiques, j'eus la malchance de faire une erreur dès le début du problème. Les deux examinateurs, un homme et une femme, ne tentèrent rien pour me remettre dans le droit chemin. Au contraire, l'homme se montra d'une ironie glaciale lorsque, dans ma démonstration, j'arrivai à une impasse due, évidemment, à l'erreur dont je ne m'étais pas aperçue.

— Et maintenant, dit-il, comment allez-vous faire ?

Je perdis pied. Il ne m'aida pas, me renvoya en me remerciant avec froideur. Je sortis de la salle avec un sentiment de catastrophe. Je savais que ma note serait mauvaise.

Autre chose me déplut. Les épreuves de l'oral duraient trois jours, et pendant ce temps nous étions toutes logées à l'école. Dans le dortoir, nous nous trouvions sans surveillance, et chaque soir, plusieurs filles menaient grand tapage jusqu'à une heure avancée de la nuit. Elles couraient dans le couloir en hurlant, se poursuivaient, descendaient l'escalier, remontaient, tiraient les rideaux des cabines pour ennuyer les autres. Elles m'empêchaient de dormir et, trop timide pour protester, je me crispais dans mon lit en pensant aux épreuves qui m'attendaient le lendemain. Je me sentais solitaire et malheureuse, et ne comprenais pas comment ma mère avait pu s'adapter à une vie en communauté aussi peu agréable.

Lorsque, au terme des trois jours, la directrice annonça les résultats, mon nom ne figurait pas dans la liste des reçues. Je pleurai, humiliée et désolée d'offrir à mon père un échec aussi lamentable. Il ne me fit aucun reproche, mais je vis bien qu'il était déçu.

Pourtant, sans oser l'avouer, je trouvai à ma défaite un point positif. Comme je n'avais pas été admise à entrer à l'École Normale, je continuerais mes études au lycée. Cette seule idée me consolait. Je n'aurais pas à être pensionnaire, je pourrais rentrer chaque soir chez moi comme je le faisais auparavant. Je possédais une nature indépendante, et j'appréciais la solitude. Je savais que la vie en communauté n'était pas faite pour moi. J'aimais me retrouver dans ma chambre, après une journée passée à l'école, entourée de mon univers familier. J'avais besoin de tranquillité, j'avais besoin de me sentir libre de travailler autant que je le souhaitais, sans être obligée de m'arrêter à des heures fixées d'avance, ou encore de pouvoir lire au milieu de la nuit s'il m'arrivait de me réveiller.

Je fus donc satisfaite de la situation telle qu'elle se présentait, mais je n'en parlai pas à mon père. Afin de lui faire oublier mon échec, je travaillai sans relâche, me maintenant toujours en tête de classe et rapportant des bulletins scolaires excellents. Mon père les parcourait avec approbation, et je voulais croire qu'il était toujours aussi fier de moi.

* * *

J'avais décidé d'être professeur de français mais, en classe de première, je changeai encore d'avis. Le professeur que nous eûmes cette année-là était une jeune femme aux idées bien arrêtées. Elle mettait une bonne note aux dissertations si elle-même était d'accord avec les idées développées par l'élève. Dans le cas contraire, c'était la mauvaise note assurée.

Ce système de notation me paraissait particulièrement déplaisant, car au fil des devoirs je me retrouvais aussi bien avec un 14 qu'un 8. Lorsque le professeur me rendait une copie avec une note en dessous de la moyenne, j'éprouvais un profond mécontentement. Je finis par aimer moins le français et les dissertations.

Quelque temps avant la fin de l'année scolaire, nous eûmes à choisir l'orientation de notre terminale : Philo, Sciences Ex ou Math Elem. Mon intention était d'aller en Philo, mais, à cause de mes notes irrégulières en français, j'hésitai. Un soir, après les cours, le professeur de mathématiques me retint :

— Irène, me dit-elle, qu'avez-vous choisi comme orientation ?

Je lui confiai la raison de mon hésitation. Elle eut un hochement de tête compréhensif :

— Je vous conseille d'aller en Math Elem. C'est une voie qui offre beaucoup de débouchés. De plus, vos notes ne seront pas liées aux idées du professeur. Si vous savez résoudre les problèmes correctement, vous serez assurée d'avoir une bonne note. Et vous êtes tout à fait capable de réussir.

Je suivis cet avis. J'aimais bien les mathématiques ; leur logique convenait à mon esprit ordonné et méthodique. J'allai donc en Math Elem, et je n'eus pas à le regretter.

2

L'année de mes dix-sept ans, je tombai éperdument amoureuse.

A côté de notre maison se trouvait la pharmacie. Le pharmacien, M. Jabert, que je connaissais depuis mon enfance, prit sa retraite. Un autre vint le remplacer. Jeune — à peine trente ans —, grand, brun, il possédait une gentillesse et une séduction irrésistibles. La première fois qu'il posa sur moi ses yeux bruns pailletés d'or, une sensation bizarre m'envahit. J'eus l'impression de retrouver quelqu'un que je cherchais depuis très longtemps, quelqu'un qui m'était destiné de toute éternité. Je sentis mon cœur bondir, s'affoler, battre à coups redoublés. Ma jeunesse et mon inexpérience ne me permirent pas d'analyser, sur le moment, ce qui venait de se passer.

Après plusieurs semaines, je réalisai que j'étais tombée amoureuse, de manière définitive. Je m'affolai. Car l'objet de ma passion n'était pas libre. Il avait une jeune femme, qui répondait au prénom féminin et romantique de Diane. Et cette jeune femme, à la suite d'un accident, était paralysée.

Elle était blonde, jolie, avec sur le visage une expression de tristesse infinie. Elle passait ses journées dans un fauteuil roulant, et occupait son temps à effectuer d'exquises broderies, ou à lire. Nous devînmes amies, elle et moi. J'allais à la bibliothèque lui chercher des livres, je lui prêtais les miens. Parfois, elle avait de violentes crises de larmes. Elle ne parvenait pas à accepter sans révolte sa situation.

— Moi qui étais si sportive, me confia-t-elle une fois, me retrouver maintenant immobilisée dans ce fauteuil ! C'est absolument insupportable.

Je savais qu'une chute de cheval était à l'origine de sa paralysie. Je ne trouvais pas de mots pour la consoler. A sa place, j'aurais été désespérée, moi aussi. Elle se désolait pour elle-même, mais également pour son mari.

— Bernard est très gentil, très patient. Il m'a promis qu'il ne m'abandonnerait jamais. Il m'assure qu'il m'aime toujours autant. Mais que suis-je, maintenant, pour lui ? Il a épousé une femme, et il se retrouve avec un objet encombrant qu'il traînera toute sa vie comme un boulet.

Lorsqu'elle me parlait de son mari, je ne répondais pas. Je détournais le visage pour qu'elle ne vît pas la rougeur de mes joues. Il ne fallait pas qu'elle comprît. J'étais amoureuse de lui, et je n'en avais pas le droit.

Le voir m'était à la fois un délice et une torture. J'aimais tout de lui, sa façon de pencher la tête, son sourire, la forme de son visage, de son menton, et les paillettes d'or qui brillaient dans ses yeux. Lorsqu'il me regardait, je me sentais défaillir. Je luttais de toutes mes forces contre l'envie de me jeter dans ses bras.

Je ne savais pas si ma passion irraisonnée était payée de retour, et je ne cherchais pas à le savoir. Cela m'eût affolée encore plus. Je me persuadais que Bernard ne voyais en moi qu'une voisine agréable, et mon unique but était de lui cacher mes sentiments.

Après mon année de terminale, j'allai en faculté. A Lille, l'actuelle université de Villeneuve-d'Ascq était seulement en construction. Nos cours avaient lieu dans des bâtiments provisoires, et les étudiants qualifiaient les amphithéâtres de hangars mal chauffés. Il était vrai que, l'hiver, nous devions parfois garder nos manteaux pour lutter contre le froid. De plus, les bâtiments où se trouvaient nos chambres étaient situés à environ deux kilomètres de là. Ils avaient l'avantage d'être entièrement neufs, mais il fallait traverser, pour y parvenir, le chantier en construction. Nous pataugions dans la boue, nous longions des tranchées, nous passions sous d'énormes grues. Mais nous étions jeunes, et nous subissions ces inconvénients avec humour.

Les études me passionnaient, et je me jetai à corps perdu dans le travail. L'ambiance qui régnait me plaisait beaucoup. Elle était agréable, sympathique, saine et franche. La grande majorité des étudiants était masculine. Dans notre groupe de travail, nous étions trois filles et vingt garçons. Je me disais que, parmi ces derniers, je trouverais peut-être un soupirant qui me ferait oublier mon amour impossible. Mais, année après année, je n'eus que des copains, et mon cœur continua d'appartenir secrètement à Bernard.

Au cours de ma troisième années d'études, je réalisai que, si je réussissais mes examens, je serais titulaire d'une licence de mathématiques. Je résolus de faire une demande de professeur auprès du Rectorat. J'avais hâte d'enseigner, et en même temps, je désirais m'éloigner de Bernard. Bernard que je revoyais chaque fin de semaine, lorsque je revenais chez mes parents ; Bernard que, contre toute raison, je continuais à aimer.

J'eus à remplir une fiche de vœux. Je demandai un secteur éloigné, afin de m'en aller le plus loin possible de mon amour interdit. Je savais que j'obtiendrais facilement satisfaction. En mathématiques, les postes à pourvoir étaient nombreux. Je n'avais plus qu'à attendre la prochaine rentrée.

Ma mère, intriguée par mon désir de partir, m'interrogea.

— Puisqu'il y a des postes vacants dans les environs, remarqua-t-elle, demande à être nommée près d'ici. Tu pourras revenir tous les soirs. Je ne comprends pas pourquoi tu veux t'en aller. Est-ce à cause de ton père, de moi ? N'es-tu pas bien avec nous ?

Je la vis incompréhensive, froissée par mon attitude. Alors, sans l'avoir prévu, je racontai tout. Je n'en pouvais plus de garder pour moi ce secret, si lourd qu'il m'étouffait. Ma mère m'écouta attentivement et, lorsque je me tus, elle hocha la tête avec tristesse.

— Oui, je comprends maintenant. Je comprends et je t'approuve. Un amour contrarié, j'ai connu ça, moi aussi. Je sais combien cela peut faire mal. Par la suite, j'ai rencontré ton père, je l'ai épousé, et je suis heureuse avec lui. Et pourtant, je n'ai jamais oublié.

Je compris qu'elle parlait de Pierrot. Pierrot qu'elle évitait de rencontrer lorsque, pendant les vacances d'été, nous allions chez mes grands-parents ; Pierrot qui, par dépit, par vengeance, avait épousé Marinette et se désolait de n'avoir pas de fils.

— Pour toi, la situation est encore plus difficile. Bernard n'est pas libre, et Diane est si douce, si attachante ! Elle a été suffisamment meurtrie, il ne faut pas lui faire de mal. Tu as raison de partir, Irène.

Je fus heureuse de l'approbation de ma mère. Cette année-là, lorsque mes examens furent terminés et que je fus libre de mon temps, je multipliai mes visites auprès de Diane, lui apportant des livres, bavardant avec elle, dans le seul but d'apercevoir Bernard quelques instants, de sentir mon cœur s'embraser sous le regard de ses yeux mordorés. Je voulais m'emplir tout entière de son image, afin de l'emporter ensuite avec moi. Lorsque je pensais à ma vie loin de lui, je la comparais à une étendue stérile, monotone et sombre. Le voir était parfois une torture, mais être privée définitivement de sa présence serait bien pire. Alors, je le dévorais du regard pendant qu'il m'était encore possible de le faire.

Dans ma naïveté, j'avais minimisé les facultés d'observation et la perspicacité de Diane. Un jour, peu de temps avant la rentrée scolaire, elle me prit au dépourvu. Alors que je lui parlais de mon prochain départ, disant que j'attendais ma feuille de nomination d'un jour à l'autre, elle releva la tête de sa broderie et me fixa.

— Irène, demanda-t-elle abruptement, vous êtes amoureuse de Bernard, n'est-ce pas ?

De surprise, je demeurai muette. En même temps, je

me sentis devenir écarlate. Ma réaction, instinctive, fut de nier énergiquement.

— Moi, amoureuse de Bernard ? Bien sûr que non ! Où êtes-vous allée chercher une idée pareille ?

Elle secoua la tête doucement, avec un sourire ironique et désabusé :

— Je le vois, tout simplement. Je vois l'expression de vos yeux lorsque vous le regardez. Et les siens aussi.

— Les siens ? demandai-je d'une voix étranglée. Vous voulez dire que...

— Qu'il vous aime également, oui.

— Mais... mais... Diane... Ce n'est pas vrai... Vous vous trompez complètement...

Elle piqua son aiguille dans son canevas, rétorquant avec une résignation placide :

— Oh, non, je ne me trompe pas. Bernard, lui aussi, a nié lorsque je lui ai posé la question. Mais je le connais bien, et je suis sûre de ce que je dis.

Affolée, je balbutiai stupidement :

— Mais... mais... Non, oh non ! Ce n'est pas possible !

Elle eut de nouveau son sourire triste :

— Je ne vous en veux pas, vous savez. Je vois bien que vous ne faites rien pour le séduire. C'est arrivé comme ça, ce n'est pas votre faute. Bernard m'assure qu'il m'aime toujours, et je pense qu'il dit vrai. Il a toujours pour moi beaucoup de tendresse, mais c'est de vous qu'il est amoureux. C'est flagrant.

Elle lâcha son aiguille, et subitement, sa résignation fit place à une douloureuse révolte. Avec colère, elle frappa du plat de la main ses genoux immobiles :

— C'est à cause de ça ! s'écria-t-elle. Je ne peux plus supporter d'être immobilisée dans ce fauteuil. Avant, je faisais du tennis, de l'équitation, du ski, de la natation... Le sport emplissait ma vie. Et maintenant... Pour Bernard, je ne suis plus une femme, mais un poids mort qui ne fait que l'encombrer. Non seulement je suis devenue inutile, mais je représente le seul obstacle à votre bonheur. Sans moi, vous pourriez vous marier, être heureux...

Sa voix se brisa dans un sanglot. Je me repris, retrouvai le contrôle de la situation :

— Allons, taisez-vous, intimai-je sévèrement. Je ne veux pas entendre de telles élucubrations ! Bientôt, vous n'aurez plus à vous torturer l'esprit. Je vais partir. Vous ne me verrez plus.

— Ça aussi, c'est une preuve, murmura-t-elle. Vous illustrez à merveille la phrase de Napoléon : « En amour, la seule victoire, c'est la fuite. » Et vous fuyez Bernard, je l'ai compris.

— Vous comprenez tout de travers, dis-je avec fermeté. Je ne veux pas en entendre davantage. Je m'en vais. Je reviendrai lorsque vous aurez remis vos idées à l'endroit.

— Refuser l'évidence ne changera rien, remarqua-t-elle avec douceur. Vous me décevez, Irène. Je vous croyais plus franche.

Je me penchai, l'embrassai, lui donnai une petite tape sur la joue :

— Chassez ces pensées de votre esprit, dis-je d'une voix grondeuse, comme si je parlais à un enfant récalcitrant. Je vous assure qu'il n'y a rien de vrai dans ce que vous croyez.

Elle secoua la tête avec obstination. Je m'en allai, au moment même où Bernard entrait dans la pièce. Je baissai les yeux pour éviter son regard, et mon départ ressembla lâchement à une fuite. Les paroles de Diane m'avaient bouleversée. Elle affirmait que Bernard m'aimait... Rien, jamais, ne m'avait permis de penser que mon amour pût être partagé. Lorsque nous nous parlions, Bernard et moi, nous n'échangions que des banalités, ou bien il me remerciait de venir tenir compagnie à Diane. Si elle ne se trompait pas, j'avais raison de partir le plus loin possible, et le plus tôt serait le mieux.

* * *

Quelques jours plus tard, je reçus une lettre du Rectorat. J'étais nommée maîtresse auxiliaire de mathématiques dans un C.E.S. situé dans une petite ville distante de plus de cent kilomètres. Je fus satisfaite. J'allais pouvoir partir sans tarder.

Je préparai mes bagages. Le surlendemain dimanche, avait lieu dans notre village la *ducasse* du mois de septembre. Sur la place, devant notre maison, voisinaient les manèges, les baraques foraines, les stands de tir et de loterie. Pour faire plaisir à mes parents, j'acceptai de rester pour la *ducasse,* mais je n'avais pas le cœur à m'amuser. Je décidai que je m'en irais dès le lundi matin.

Le samedi, lorsque je me levai, ma mère m'accueillit dans la cuisine, le visage tragique :

— J'ai une mauvaise nouvelle à t'annoncer, Irène. Diane a tenté de se suicider cette nuit. Avec un rasoir, elle s'est tailladé les veines des poignets. C'est Bernard qui l'a trouvée, au petit matin. Elle baignait dans son sang. Elle est à l'hôpital, sous perfusion. Elle a été sauvée de justesse.

Je reçus un coup dans la poitrine. Diane, si jolie, si douce, si tendre... A l'effarement que je ressentais se mêlait une brûlante sensation de culpabilité. « Je suis le seul obstacle à votre bonheur », m'avait-elle dit. Avait-elle voulu disparaître pour nous laisser libres de nous aimer, Bernard et moi ?

— Son geste ne me surprend qu'à moitié, continuait ma mère. Elle m'avait confié qu'elle ne supportait plus sa vie telle qu'elle était devenue.

— C'est vrai, acquiesçai-je d'une voix sourde. Elle me l'avait dit aussi.

— Bernard est effondré. Je l'ai vu ce matin. Il pleurait comme un enfant.

Prise d'une impulsion subite, je rapportai à ma mère les paroles de Diane concernant mon amour pour Bernard.

— J'ai nié, bien sûr. Mais j'ai eu l'impression qu'elle ne me croyait pas. J'espère que ce n'est pas notre conversation qui l'a incitée à agir comme elle l'a fait.

— Je ne crois pas, dit ma mère. Je pense plutôt qu'elle avait depuis longtemps l'intention de mettre fin à ses jours. Mais votre conversation a peut-être précipité les choses. En tout cas, tu as bien fait de décider de partir. Lorsque tu seras loin, Diane retrouvera peut-être la paix de l'esprit.

Toute la journée, je me sentis mal à l'aise. J'aurais voulu aller à l'hôpital afin de sermonner Diane d'avoir agi ainsi. Mais les visites étaient interdites en raison de son état de faiblesse. Seul Bernard était admis auprès d'elle.

J'allais de côté et d'autre, incapable de m'occuper, attendant avec impatience le lundi afin de m'en aller. Sur la place, les manèges tournaient, et leur musique me hérissait. J'entendais chanter Claude François, Sheila, Johnny Hallyday, et je pensais à la pauvre Diane, exsangue sur son lit d'hôpital, et à la peine que devait éprouver Bernard. Juste en face de notre maison, au manège d'autos tamponneuses, revenait régulièrement la même chanson : « Faut-il mourir ou vivre, quand on a du chagrin ? » demandait Hervé Vilard. Ces paroles, après l'acte désespéré de Diane, constituaient une interrogation cruelle. J'aurais voulu me boucher les oreilles pour ne plus les entendre.

Je passai une nuit agitée. Je rêvai de Diane. Les pleurs ruisselaient sur son visage tandis qu'elle me disait :

— Je n'ai pas réussi, Irène. Pardonnez-moi, Bernard et vous.

Je sanglotais, je la suppliais :

— Diane, ne recommencez jamais. Si vous faites ça pour Bernard et moi, c'est inutile. Nous ne saurions pas être heureux, nous nous sentirions responsables de votre mort.

Lorsque je m'éveillai, seule l'idée de mon départ le lendemain m'apporta un certain apaisement.

Au cours de la matinée, mes parents se rendirent dans la cour de l'école, afin de préparer, avec les autres instituteurs, le stand de sandwiches et de boissons pour l'après-midi. Je restai seule à la maison, pensant sans cesse à Diane. A un moment, je vis Bernard revenir de l'hôpital et rentrer chez lui. Il marchait la tête basse, l'air accablé. Les larmes aux yeux, je me mordis les lèvres. Comme il paraissait malheureux ! Un élan monta du plus profond de mon être, comme une houle irrésistible, me poussant à aller le consoler. Je me raidis, mais je ne parvins pas à lutter. Prenant comme prétexte d'aller demander des nouvelles de Diane, je sortis dans le jardin, passai par derrière, me retrouvai sur la terrasse de la maison voisine, là où, si souvent, je venais tenir compagnie à Diane. Je m'approchai de la porte-fenêtre, frappai. Je ne reçus pas de réponse mais, à travers la vitre, j'aperçus Bernard assis sur le canapé du salon, la tête dans les mains. Une force irrépressible me poussa à avancer. J'ouvris la porte et pénétrai dans la pièce.

Au bruit de mes pas, il releva la tête, m'aperçut. Nos regards se rivèrent l'un à l'autre, intenses, profonds, et ne se quittèrent plus. Je lus dans le sien un tel désarroi, un tel appel, que je fus incapable de résister. Je fis quelques pas vers lui, tandis qu'il se levait. Et, sans l'avoir prévu, sans même savoir comment, nous nous sommes retrouvés dans les bras l'un de l'autre.

Je m'accrochai à lui, et je sentis son corps trembler contre le mien. Comme aimantées, douées d'une volonté propre, nos lèvres se joignirent en un baiser ardent, prolongé. Je sentais, avec un instinct profond, qu'en ce moment où il était malheureux, Bernard avait besoin de ma présence, de mon amour. Cet amour que je tenais farouchement enfermé, que je tentais d'étouffer depuis plus de trois ans, se libérait maintenant avec une force telle qu'elle m'étourdissait. Et, sous ce déferlement passionné, j'oubliai tout.

Je pressai mon corps contre le sien, je laissai mon bien-aimé m'embrasser encore, me caresser, je gémis lorsqu'il m'ôta mes vêtements avec une hâte fébrile. Je ressentais la même impatience, le même désir. Plus rien ne comptait que ma passion enfin assouvie et l'émerveillement de voir qu'elle était partagée. Comment résister ? Mon amour trouvait enfin son accomplissement, son but, sa raison d'être. Ce fut un instant de folie, d'égarement total.

Après, encore haletante, je cachai mon visage au creux de son épaule. Dégrisé, il se redressa, le regard affolé :

— Mon Dieu, Irène ! Qu'ai-je fait ? J'ai perdu la tête...

J'embrassai le creux de son cou, là où une veine palpitait :

— Je t'aime, dis-je en le tutoyant pour la première fois.

Je t'ai aimé dès que je t'ai vu. Dans mon cœur, il n'y aura jamais que toi. Je ne regrette rien. Ce qui vient de se passer restera mon unique et merveilleux souvenir. Je l'emporterai partout avec moi. Il m'aidera à vivre.

Il s'écarta de moi, couvrit son visage de ses mains :

— J'ai honte, Irène. J'ai mal agi, envers toi, et envers Diane. Si tu la voyais ! On dirait une poupée brisée. Il n'y a plus aucune vie dans ses yeux.

J'écartai ses doigts, les embrassai un à un. Curieusement, je n'éprouvais aucune culpabilité.

— Il faut que tu l'entoures de tendresse, que tu la soutiennes de ta force. Pour elle, tu dois te montrer courageux. Je ne te demande pas de m'oublier, au contraire. Pense à moi de temps en temps, et dis-toi que, où que je me trouve, je continuerai à t'aimer, jusqu'à mon dernier jour. Et maintenant, disons-nous adieu. Je pars demain, et je ne reviendrai pas.

Je remis mes vêtements, essayant de trouver en moi la force de m'arracher à mon amour. Le visage torturé, il secoua la tête :

— Pourquoi nous arrive-t-il une chose pareille, Irène ? Moi aussi je t'aime, et je n'en ai pas le droit. Je ne voulais pas agir comme je viens de le faire. Mais ça a été plus fort que moi. Pardonne-moi, je t'en prie.

Je souris doucement à travers mes larmes :

— Je n'ai rien à te pardonner. Ce qui vient de se passer entre nous, je l'ai souhaité moi aussi. Je ne regrette rien, répétai-je avec force. Maintenant, je t'appartiens, et je t'appartiendrai aussi longtemps que je vivrai.

Je levai une main jusqu'à son visage, caressai sa joue avec amour :

— Adieu, Bernard. N'oublie jamais que je t'aime. Dis à Diane toute mon amitié, et surtout, entoure-la de toute ta tendresse.

— Ainsi, je ne te verrai plus ? Adieu, Irène...

Je me jetai contre lui, et une dernière fois, un long baiser passionné nous unit, qui avait un goût de larmes et de désespoir. Avec un sanglot, je m'arrachai à ses bras, marchai précipitamment jusqu'à la porte et, pour ne pas faiblir, partis sans me retourner, aveuglée par les pleurs qui maintenant ruisselaient sur mes joues.

De retour dans ma chambre, je regardai autour de moi avec surprise. Il me semblait que je venais de vivre un rêve, une part d'existence hors du temps et de la réalité. Je reprenais conscience du monde extérieur, de la musique des manèges, et avec ma lucidité revenait une souffrance intolérable qui me consumait le cœur. Je me laissai tomber sur mon lit et, le visage dans les mains, me mis à sangloter éperdument, accablée soudain par une évidence cruelle : je n'avais appartenu à Bernard que pour le perdre aussitôt.

* * *

Je m'en allai le lendemain matin, sans l'avoir revu. Je savais que je traînerais avec moi, longtemps encore, les lambeaux de mon cœur meurtri. Seul le souvenir de ce qui s'était passé la veille me soutiendrait, le souvenir d'un instant de bonheur volé, auquel nous n'avions pas droit, et d'autant plus précieux qu'il ne se reproduirait jamais.

Au volant de la petite voiture d'occasion que m'avait offerte mon père, je conduisais sans hâte, avec la pensée douloureuse que chaque tour de roue m'éloignait définitivement de mon bien-aimé. Le ciel était gris, il tombait une petite pluie fine et persistante. Le temps s'était mis à l'unisson de mon humeur, à l'image de ce que serait ma vie dorénavant : une existence terne et grise, privée d'amour et de soleil.

J'arrivai à destination en fin de matinée. L'endroit où je devais enseigner n'était pas vraiment une ville, plutôt un village un peu plus important que celui où j'avais vécu jusqu'alors. Je trouvai facilement le C.E.S., situé un peu à l'écart. C'était un bâtiment neuf, auquel une pelouse verte et des parterres de rosiers, de chaque côté de la grille, donnaient une apparence agréable. Après avoir garé ma voiture, j'observai un instant les bâtiments avant de descendre. Ainsi, c'était là que j'allais enseigner, vivre et travailler pendant un an... Le poids qui m'écrasait la poitrine s'éloigna un peu, laissant la place à un mélange d'excitation et d'appréhension. Mes débuts d'enseignante... Avec énergie, je sortis de la voiture, claquai la portière, bien décidée à réussir ma vie professionnelle, puisque ma vie sentimentale n'était qu'un lamentable échec.

J'entrai dans le bâtiment administratif, allai jusqu'aux bureaux. Une secrétaire m'accueillit. J'expliquai la raison de ma venue, montrai la feuille du Rectorat. Du bureau voisin, un homme sortit. Agé d'une quarantaine d'années, d'une minceur confinant à la maigreur, le visage encadré par un fin collier de barbe, il vint vers moi, me tendit la main.

— Bonjour, mademoiselle. Je suis le principal de cet établissement. J'espère que vous vous y plairez, et surtout, que vous donnerez entière satisfaction. C'est votre premier poste ?

— Oui, monsieur, balbutiai-je, intimidée.

Son air sévère et son regard inquisiteur m'impressionnaient. Il m'observait avec une sorte d'étonnement désapprobateur ; son expression disait clairement qu'il me trouvait trop jeune pour enseigner et pour me faire respecter par des élèves de douze à quinze ans. Je relevai le menton avec défi, bien décidée à lui prouver qu'il se trompait.

Un autre homme vint nous rejoindre. Plus âgé, les cheveux grisonnants, il avait un visage sympathique et beaucoup plus agréable. Il m'adressa un sourire chaleureux.

— Je suis M. Rupert, le directeur. Bienvenue chez nous. Je serai à votre disposition pour n'importe quel problème. N'hésitez pas à vous adresser à moi en cas de besoin. Je sais que, lorsqu'on arrive dans un endroit nouveau, on est un peu perdu, surtout au début.

Son ton paternel et son amabilité me rassurèrent. Je vis avec soulagement le principal regagner son bureau, et laisser M. Rupert s'occuper de moi.

— Venez par ici, me dit-il.

Il m'emmena dans la pièce voisine, compulsa une pile de papiers, m'en tendit un :

— Tenez, voici votre emploi du temps. J'espère qu'il vous conviendra. Outre le jeudi, jour sans école, vous serez libre également le lundi après-midi et le vendredi après-midi.

Je pris la feuille, y jetai un coup d'œil. Je vis que quatre classes m'avaient été attribuées : deux sixièmes, une cinquième et une quatrième.

— La veille de la rentrée, nous organisons une réunion entre professeurs, continua M. Rupert. Ceci afin de faire connaissance et de régler ensemble les derniers détails. Si vous avez quoi que ce soit à demander, n'hésitez pas à venir me trouver.

De nouveau, je le remerciai, et je profitai de ses bonnes dispositions pour poser la question du logement. Ma mère m'avait souvent raconté ses débuts d'institutrice, et elle avait eu l'avantage de bénéficier d'un logement dans les bâtiments mêmes de l'école. Mais pour moi, le cas était différent. Y avait-il un hôtel ou une auberge dans le village ? A ma question, M. Rupert fronça les sourcils et appela la secrétaire :

— Colette, que m'avez-vous dit ce matin, au sujet d'une chambre à louer ?

La jeunc femme apparut dans l'encadrement de la porte et me sourit :

— Vous cherchez une chambre ? Il y en a une à louer chez Mme Duriez. Un de nos professeurs l'occupait l'an dernier. Mais il a obtenu son changement et, maintenant, la chambre est libre. Vous devriez aller la voir. Vous ne trouverez pas grand-chose d'autre. Nous ne sommes pas en ville, ici, et il n'y a pas d'hôtel.

Elle m'expliqua le chemin à suivre pour parvenir jusqu'à la maison de Mme Duriez qu'elle connaissait bien et qui, à l'entendre, était une charmante vieille dame. Je la remerciai et pris congé. Le directeur m'accompagna jusqu'à la porte du bâtiment :

— N'oubliez pas la réunion de pré-rentrée, me rappela-t-il. Dans deux jours. A quatorze heures. Vous ferez la connaissance de vos collègues.

— Je n'oublierai pas, dis-je en serrant la main qu'il me tendait. Je serai là.

— Alors, à bientôt.

Je montai dans ma voiture et sortis du parking,

satisfaite de l'accueil que j'avais reçu. Le principal s'était montré assez froid, mais peut-être les charges de sa fonction l'obligeaient-elles à respecter une certaine distance entre lui et les professeurs. Le directeur, par contre, était très sympathique. La secrétaire également. En suivant ses indications, je me trouvai bientôt devant une maison entourée d'un grand jardin.

J'arrêtai ma voiture, descendis, fis quelques pas vers le portillon. L'endroit était calme et agréable. Autour de la maison, la pelouse avait été fraîchement tondue, et une agréable odeur de foin et d'herbe mouillée m'emplit les narines. Sous la petite pluie fine qui s'était remise à tomber, des roses rouges, de chaque côté de la porte d'entrée, se penchaient et égrenaient leurs pétales comme des larmes de sang.

Je franchis le portillon, avançai jusqu'à la porte d'entrée, sonnai. La vieille dame qui vint m'ouvrir était toute menue, avec un visage doux et souriant.

— Entrez, me dit-elle, ne restez pas sous la pluie. Que désirez-vous ?

Je pénétrai dans un couloir dont je constatai, d'un seul coup d'œil, la parfaite propreté. La maison sentait bon l'encaustique. J'aperçus, par l'entrebâillement d'une porte, une grande horloge dont le tic-tac arrivait jusqu'à nous. Il régnait, dans cette demeure, une impression de paix, et d'emblée je m'y sentis bien.

— Je m'appelle Irène Valmont. Je viens d'être nommée au C.E.S. comme professeur de mathématiques, et je cherche un logement. La secrétaire m'a dit que vous aviez une chambre à louer ?

— Ah ! Colette vous a parlé de moi ! En effet, la chambre est libre. Je voulais mettre une annonce pour trouver un locataire, mais Colette m'a dit : « Ne vous inquiétez pas, je vous enverrai quelqu'un ! Chaque année, il y a de nouveaux professeurs qui arrivent, et ils cherchent un logement. » J'avoue qu'un enseignant est un locataire idéal, sérieux, travailleur... Avec M. Barreau, l'an dernier, je n'ai eu aucun problème.

Elle s'arrêta un instant, me sourit :

— Mais je bavarde, je bavarde... Allons plutôt voir la chambre.

Elle m'emmena vers l'arrière de la maison, me fit entrer dans une pièce assez grande, que tout de suite je trouvai agréable. Deux fenêtres ouvraient sur le jardin ; je vis des oiseaux sautiller dans les branches d'un saule pleureur tout proche. La pièce était meublée d'un grand lit recouvert d'une courtepointe fleurie assortie aux doubles rideaux, d'un bureau, d'une armoire, d'une table, d'une chaise et d'un fauteuil. Dans un coin, un lavabo surmonté d'une glace brillait, lui aussi, de propreté. Mon hôtesse ouvrit une petite porte.

— Ici, vous avez une mini-cuisine. Vous pourrez y préparer vos repas.

J'avançai, aperçus une cuisine grande comme un placard. Je hochai la tête avec approbation. Pour moi seule, ce serait amplement suffisant.

— La salle de bains est juste en face, dans le couloir. De plus, cette pièce dispose d'une entrée particulière. Vous serez ainsi plus indépendante.

Elle ouvrit une autre porte, qui donnait sur le jardin. Je la suivis, découvris avec ravissement une sorte de terrasse où je pourrais travailler lorsqu'il ferait beau.

— Tout ceci est à votre disposition, bien entendu. Vous avez une voiture ? Je ne possède pas de garage, mais vous pourrez la rentrer dans le jardin.

Elle se tut, me regarda d'un air interrogateur :

— Qu'en dites-vous ? Cela vous convient-il ? Si vous aimez le calme, ici vous serez bien. Je vis seule, vous pourrez travailler en toute tranquillité.

— Et... euh... pour le loyer ? Combien demandez-vous ?

Elle énonça un prix qui me parut raisonnable en fonction du salaire que j'allais recevoir. Je n'hésitai plus.

— C'est d'accord, dis-je avec conviction. Je dois dire que votre maison m'a plu tout de suite. Puis-je m'installer dès maintenant ?

— Bien entendu. Si vous voulez, vous pouvez avancer votre voiture jusqu'ici. Ce sera plus pratique pour décharger vos bagages.

Elle m'ouvrit le portail tandis que je rentrais la voiture dans le jardin, le referma, et avec discrétion se retira. Dans la pièce qui était devenue « ma » chambre, je posai mes valises et mon sac sur le sol, regardai autour de moi. Oui, ici je serai bien, pensai-je. Je me jetterais à corps perdu dans mon travail, et j'essaierais d'oublier mon impossible amour. Déjà, le dépaysement m'aidait. Le fait de me trouver dans un environnement nouveau me donnait l'impression que la scène brûlante et passionnée de la veille s'était éloignée dans le temps. Mais la peine qui rendait mon cœur lourd de larmes et de regrets serait, je le savais, toujours présente.

Je fis une nouvelle inspection de la chambre, puis je rangeai mes affaires. Ensuite, je m'installai au bureau pour écrire une lettre à mes parents. J'avais promis de les tenir fidèlement au courant de tout ce qui m'arriverait. Par la porte ouverte, tandis que j'écrivais, l'odeur de la pluie parvenait jusqu'à moi. Elle tombait doucement, et son chuchotement feutré accompagnait mon récit. Je racontai ma visite au C.E.S., décrivis la chambre que je venais de louer, et terminai en assurant que tout se passait bien et que je commençais avec enthousiasme ma nouvelle vie. Alors que je m'apprêtais à replier la feuille, j'ajoutai quelques mots concernant Diane. Je demandai comment elle allait ; je savais que ma mère me comprendrait à demi-mot et que, dans sa réponse, elle me donnerait également des nouvelles de Bernard.

3

Le jour de la pré-rentrée, je me rendis au C.E.S., où j'arrivai un peu avant 14 heures. Il faisait beau et chaud, un soleil radieux brillait dans un ciel uniformément bleu. Dans la salle de permanence, tous les professeurs étaient réunis ; ils s'interpellaient et bavardaient joyeusement. Je ne connaissais personne et, un peu perdue, j'attendis dans un coin de la salle.

Le principal entra, nous invita à nous asseoir. Je me retrouvai à côté d'une jeune femme en mini-jupe, qui me sourit :

— Je suis prof de français, me dit-elle. Et vous ? C'est votre premier poste ici ? Moi, ça fait trois ans que j'y suis. Bah, on n'est pas trop mal, finalement. Dans l'ensemble, les élèves sont gentils. Comment vous appelez-vous ? Moi, c'est Christine.

Je lui dis mon nom et elle reprit, volubile :

— Tutoyons-nous, c'est plus pratique. Ici, entre les professeurs, c'est la règle. Nous sommes tous plus ou moins copains. Il y a une bonne ambiance. C'est important, tu sais. Surtout lorsqu'on arrive et qu'on ne connaît personne. On se sent plus vite intégré. Et puis, du côté de la direction, ça ne se passe pas trop mal. Rupert, le directeur, est sympathique, aimable avec tout le monde. Quant à *Barbe-Fine*...

— *Barbe-Fine ?*

— Ah oui, tu ne sais pas encore ? C'est ainsi qu'on a surnommé le principal. Lui, il est beaucoup plus froid, et on a toujours l'impression qu'il a avalé le manche de son parapluie. A mon avis, on aurait mieux fait de le surnommer *Montre-en-main !* Tu t'en rendras très vite compte : il est maniaque quand il s'agit des horaires. Tu n'as pas intérêt à commencer un de tes cours avec une ou deux minutes de retard. Il te menace aussitôt de faire un rapport au Rectorat. Mais à part ça, il est supportable. Aujourd'hui, par exemple, comme c'est la rentrée, il est de bonne humeur. Il est rare de le voir avec un pareil sourire.

Je regardai le principal qui, tout souriant en effet, s'installait au bureau situé sur l'estrade et réclamait le silence à l'aide de plusieurs coups de règle.

— Mes chers collègues... commença-t-il. J'espère que vous avez passé de bonnes vacances et que vous êtes en pleine forme pour attaquer d'un bon pied cette nouvelle année scolaire. Pour faciliter notre prise de contact, je vais vous demander de bien vouloir vous présenter, l'un après l'autre, en indiquant la matière que vous enseignez.

Un à un, les professeurs se levèrent docilement, énoncèrent leur nom et leur spécialité. Certains d'entre eux, nouvellement titulaires, venaient d'autres régions et avaient été nommés dans le C.E.S. pour deux ans. L'un d'eux, à l'accent chantant, annonça qu'il était originaire de Toulouse. Une autre déclara qu'elle venait de Brest. Christine chuchota :

— Ce n'est pas amusant d'être envoyé si loin de chez soi ! L'an dernier, il y avait une prof d'allemand qui venait de Lyon. Elle avait dû laisser son mari et son petit garçon âgé de six mois. Ses parents, qui habitaient Saint-Étienne, gardaient le bébé. Tu te rends compte ? Toute une famille dispersée... Moi, je ne suis peut-être pas titulaire, mais au moins j'enseigne dans ma région !

Les professeurs les plus anciens avaient des cheveux gris, et certains précisèrent qu'avant d'être nommés P.E.G.C., ils avaient commencé leur carrière comme instituteurs. Il me sembla, à moi qui n'avais que vingt ans, que j'étais la plus jeune, avec peut-être le professeur de dessin — maître auxiliaire également — qui, en jean et chemisette, arborait une allure bohème qu'accentuaient une barbe et une chevelure abondantes et frisées.

Lorsque vint mon tour, je me levai et me présentai rapidement sans pouvoir m'empêcher de rougir. Quand tout fut terminé, je me rendis compte que je n'avais pas retenu un seul nom, sauf celui de ma voisine : Christine Perrin.

— Maintenant, reprit le principal, ce que je vais vous dire s'adresse surtout aux nouveaux. Les anciens me connaissent et savent que je ne badine pas avec la discipline. Je demande à chacun d'entre vous de faire régner l'ordre dans vos classes, et également au-dehors. A chaque sonnerie, vous devrez venir chercher les élèves en bas, dans la cour, et les emmener dans leur salle, en rang et en silence. J'insiste bien : en rang et en silence. Pas de bruit, pas de désordre. Même chose à la fin du cours. Vous devez les accompagner et les confier au professeur suivant. Et il y a un autre point sur lequel j'insiste également : c'est l'exactitude.

Ma voisine me donna un coup de coude :

— Ça y est, c'est parti ! souffla-t-elle. Tu vois ! Que t'avais-je dit ?

— Le matin, il y a une première sonnerie cinq minutes avant huit heures, et l'après-midi, cinq minutes avant quatorze heures. Dès que cette sonnerie retentit, vous allez chercher vos élèves rangés dans la cour. Vous avez cinq minutes pour les conduire jusqu'à leur classe, les faire entrer, s'asseoir, s'installer — toujours en silence. A huit heures précises, ainsi qu'à quatorze heures, tous les cours doivent être commencés. Je passerai dans les couloirs à ce moment-là, et je ne tolérerai aucun retard.

Il observa tout le monde sévèrement, puis continua :

— N'oubliez pas non plus de remplir les feuilles de présence. A chaque cours, il faudra noter le nom des élèves absents. C'est très important. Pendant les heures de classe, vous êtes responsables des élèves qui vous sont confiés. Maintenant, je vais distribuer les emplois du temps. Chacun d'entre vous a, en plus du jeudi, deux demi-journées de liberté par semaine. J'espère que vous serez satisfaits. Pour les anciens, nous avons tenu compte, dans la mesure du possible, de vos desiderata.

J'avais déjà eu mon emploi du temps lors de ma première visite, l'avant-veille, et je l'avais trouvé satisfaisant. Ma voisine, Christine, en jetant un coup d'œil sur la feuille qui lui fut remise, eut une exclamation de mécontentement :

— Ça alors, c'est fort ! J'avais demandé à être libre le samedi matin et je me retrouve avec quatre heures de cours ! De qui se moque-t-on ici ?

Je me penchai sur sa feuille.

— Mais tu ne travailles pas le lundi matin, dis-je, ni le mercredi après-midi. Ce n'est pas plus mal.

Peu convaincue, elle grommela :

— J'aurais préféré le samedi matin. Ça m'aurait permis de repartir dans ma famille dès le vendredi soir. Mais c'est tous les ans la même chose. Je demande chaque fois, comme demi-journée de liberté, le samedi matin, et je ne l'obtiens jamais.

— Ne peux-tu protester ?

Elle me regarda avec indignation :

— Mais je le fais ! Seulement, on me répond que le samedi matin est très demandé, et qu'on donne satisfaction aux anciens d'abord. Moi, je ne suis là que depuis trois ans. Et puis, je ne suis pas titulaire. D'une année à l'autre, je peux être nommée ailleurs. Alors, pourquoi se casser la tête pour donner satisfaction à quelqu'un qui ne sera peut-être plus là ? Au fond, c'est un raisonnement logique, non ?

Elle soupira, puis se dérida un peu en constatant :

— Au moins, j'ai des classes correctes. C'est déjà ça.

— A quoi le vois-tu ? demandai-je, intriguée.

— Eh bien, je vais t'expliquer, ce n'est pas compliqué. A chaque classe est attribuée une lettre : A, B, C, D, etc. Et plus tu avances dans l'alphabet, moins les élèves sont valables. Ainsi, en sixième A et sixième B, tu as de bons élèves ; en sixième C et D, ils sont moyens ; et en sixième E et F, ils sont plutôt faibles, pour ne pas dire franchement mauvais.

Je regardai mon emploi du temps. On m'avait donné

les sixièmes B et D, la cinquième E, la quatrième C. Ma collègue commenta :

— Ça peut aller. La meilleure, ce sera sans doute la sixième B. La moins bien, évidemment, étant la cinquième E. Avec ces élèves-là, tu n'auras pas intérêt à vouloir faire des cours trop compliqués. Au contraire, il faudra leur simplifier les choses au maximum.

— Oui, bien sûr.

— Quant à la discipline, si je peux te donner un conseil, n'hésite pas à te montrer sévère tout de suite. Je te conseille de mettre les choses au point avec eux dès le début, et leur montrer ton autorité. Sinon, tu seras vite dépassée. Dans chaque classe, même parmi les meilleures, il y a toujours deux ou trois énergumènes qui ne pensent qu'à chahuter. C'est ce qu'il faut empêcher à tout prix. Si tu veux faire du bon travail avec eux, il est nécessaire que tu saches te faire respecter.

Elle se rapprocha de moi, baissa la voix :

— Tu vois, la jeune femme brune, là, dans l'autre rangée, à la première table ? Colette Mérignac. Elle est prof d'anglais. Elle était déjà là l'an dernier. Pendant ses cours, c'est le chahut. Les élèves n'écoutent rien, bavardent, lancent des avions en papier, des boules puantes. Nous avions une même classe, la cinquième D. Avec moi, ils étaient calmes, gentils. Avec elle, ils se montraient déchaînés, elle ne parvenait pas à se faire entendre. Et pourtant, c'étaient les mêmes enfants.

Tout en bavardant, nous nous étions tous levés, tandis que le principal conseillait aux nouveaux de visiter les bâtiments. Ma nouvelle amie m'accompagna. Au premier étage, elle me montra la salle des professeurs ; sur le mur du fond, parmi les rangées de casiers, l'un d'eux m'avait été attribué. J'en éprouvai une puérile sensation d'importance. Sur un autre mur, réservé à l'affichage, un message écrit en grosses lettres rouges invitait les professeurs à adhérer au S.N.E.S.

— Ça, c'est l'œuvre d'Antoine, le délégué du syndicat, m'expliqua Christine. Il va certainement venir te trouver pour que tu ailles grossir sa liste.

Je savais que mes parents étaient inscrits au S.N.I., le

Syndicat National des Instituteurs. Mon père, sans être un militant farouche, affirmait qu'il était nécessaire de faire partie d'un syndicat. Je demandai à ma compagne si elle était membre du S.N.E.S.

— Oui, me répondit-elle. Tu as intérêt à t'y mettre, toi aussi. En tant qu'auxiliaires, nous avons besoin, plus que les autres, d'être défendues. Si, au cours de l'année scolaire, tu as un problème quelconque, tu pourras faire intervenir Antoine. Il est responsable syndical, et il connaît tous les réglements administratifs.

Au cours de la visite, le professeur de dessin vint se joindre à nous. Lui aussi était nouveau. Il nous apprit qu'il s'appelait Michel, et qu'il sortait de l'École des Beaux-Arts de Valenciennes. Il avait un air doux et rêveur, et je l'imaginai difficilement face à une classe de trente élèves turbulents. Christine dut avoir la même impression, car elle me poussa du coude et me glissa en aparté :

— Tu as vu ? Il plane complètement. A mon avis, il ne va pas tarder à se faire chahuter.

Nous rejoignîmes les anciens en salle de permanence. Ils bavardaient tranquillement, en vieux habitués de l'établissement. Le principal annonça qu'il devait téléphoner au Rectorat, s'excusa et regagna son bureau. Avant de sortir, il nous donna rendez-vous pour le lendemain matin.

— Soyez là quelques minutes avant huit heures, précisa-t-il. N'oubliez pas que la cloche sonne à huit heures moins cinq.

— Ça, on ne risque pas de l'oublier ! dit Christine d'un ton mi-amusé mi-agacé. Bon, reprit-elle en regardant sa montre, que fais-tu maintenant ? Moi, je suis venue en train, et si je veux attraper le prochain, il vaut mieux que je m'en aille.

— Veux-tu que je te conduise à la gare ? proposai-je.

— Oh non ! Tu es gentille, mais ce n'est pas la peine. C'est à cinq minutes, et puis il fait beau, je vais en profiter pour marcher un peu. Parce que, à partir de demain, plus question de profiter du soleil ! C'est quelquefois pénible de rester enfermé quand il fait beau dehors. Et mon bronzage qui va disparaître ! Quel dommage !

J'avais constaté, en effet, la chaude couleur dorée de ses bras, de ses jambes généreusement découvertes par la mini-jupe. Je me demandai si elle viendrait dans la même tenue le lendemain. Pour ma part, je trouvais que, vis-à-vis des élèves, il valait mieux arborer des vêtements plus « sérieux ».

Ce fut pourquoi, le lendemain matin, je mis une robe stricte, toute simple et pourtant élégante avec son col blanc et sa ceinture de cuir. Je lissai mes cheveux, les attachai soigneusement sur la nuque à l'aide d'une barrette, veillant bien à ne laisser dépasser aucune mèche. Depuis ma plus tendre enfance, j'avais toujours vu ma mère aller faire la classe dans une tenue impeccable, et je tenais à l'imiter.

J'avais cours à huit heures, et je commençais avec la classe de cinquième E. J'arrivai avec un quart d'heure d'avance, afin de ne pas indisposer le principal dès le premier jour. Sur le seuil du bâtiment administratif, qui faisait face à la grille, il surveillait l'entrée des élèves. Il me serra la main :

— Vous êtes en avance, c'est bien. Je n'apprécie pas les professeurs qui sont « tangents », et encore moins ceux qui sont en retard.

Dans la salle des professeurs, je retrouvai Christine, toujours vêtue de sa mini-jupe. Michel, quant à lui, malgré sa tenue décontractée — chemisette bariolée, jean avachi et baskets usagés — fumait nerveusement cigarette sur cigarette. J'en conclus que je n'étais pas seule à me sentir crispée avant d'affronter mes premiers élèves.

A huit heures moins cinq, la cloche sonna.

— Allons-y, dit Christine en prenant son porte-documents. Aujourd'hui, il vaut mieux faire du zèle. Ce que je ne ferai pas tous les jours, je t'assure !

Dans la cour, le principal et le directeur, aidés de deux surveillants, passaient en revue les élèves, impeccablement rangés par ordre de classe.

— Ça non plus, ça ne durera pas ! me glissa Christine. D'ici peu, tu les verras chahuter et se bousculer.

Je cherchai ma classe, et lorsque je la trouvai, je me postai face aux élèves. Les deux premiers de la rangée étaient des filles. Elles me sourirent. L'une d'elles me dit, timidement :

— Bonjour, mademoiselle.

Je répondis par un signe de tête et leur fis signe d'avancer. Elles obéirent, et toute la classe suivit. Je marchai en tête, je montai les deux étages avant d'atteindre la salle qui nous était attribuée. Là, je fis ranger les élèves le long du mur, et je les observai un instant. Il y avait plus de filles que de garçons, et j'en fus satisfaite. J'avais souvent entendu mes parents dire que les garçons étaient turbulents, tandis que les filles se montraient beaucoup plus raisonnables.

Pour le moment, tous se taisaient et me jaugeaient. Je leur ordonnai d'entrer en silence, et de se placer comme ils le désiraient. Ils m'obéirent et, lorsqu'ils furent installés, debout derrière le bureau, je les observai à nouveau.

Immobiles, les yeux fixés sur moi, ils attendaient. C'étaient une classe de vingt-quatre élèves, et je fus soulagée qu'ils fussent peu nombreux. Je me raclai la gorge, et commençai d'une voix que je voulais assurée et ferme :

— Bonjour, mes enfants. Je suis votre professeur de mathématiques pour cette année scolaire. Je m'appelle mademoiselle Valmont. J'espère que nous ferons du bon travail ensemble. Je vous apprendrai à aimer les mathématiques.

Là, je vis quelques élèves faire une grimace ou hocher la tête avec doute. Je ne pus m'empêcher de sourire.

— Vous verrez, continuai-je, ce n'est pas si difficile que ça. Quant à la discipline, je tiens à préciser tout de suite une chose : j'exige que vous soyez sages pendant les cours. Mon comportement dépendra du vôtre. Je serai gentille avec ceux qui sont gentils, mais je n'hésiterai pas à me montrer sévère envers ceux qui ne m'obéissent pas. C'est donc à vous de comprendre, dès maintenant, que vous avez tout intérêt à vous montrer raisonnables.

Cette fois, de nouveaux hochements de tête m'apprirent qu'ils avaient compris. Je leur fis ensuite remplir une fiche sur laquelle je leur demandai d'indiquer leur nom, prénom, adresse, la profession de leurs parents, le nombre de leurs frères et sœurs, et le métier qu'ils aimeraient exercer plus tard. Ensuite, les fiches en main, je les appelai un à un, afin de mettre un nom sur chaque visage. Puis je leur expliquai ce qu'ils devraient avoir comme cahiers — un pour le cours, un pour les exercices — et je leur demandai d'en orner la première page pour le lendemain.

Au cours des heures suivantes, j'agis de la même façon avec les autres classes. A midi, j'avais fait la connaissance de tous mes élèves, et je me sentais toute prête à les aimer et à faire du bon travail avec eux.

Puis, au fil des jours suivants, j'appris à les connaître. Comme je le leur avais annoncé, je me montrai intransigeante en ce qui concernait la discipline, exigeant qu'ils soient attentifs pendant les cours, et traquant sans pitié les bavards. D'un autre côté, je n'hésitais pas à les féliciter dès qu'ils trouvaient la solution d'un exercice, me rappelant le principe cher à mes parents, selon lequel les éloges étaient toujours plus constructifs que les critiques.

Et, petit à petit, nous prîmes l'habitude de travailler ensemble. En général, ils étaient gentils. C'étaient, pour la plupart, des enfants issus de milieux simples. Il y avait, dans le village, un puits de mine, et de nombreux étrangers étaient venus y travailler. J'avais, outre des Français, des élèves d'origine polonaise, algérienne, marocaine, italienne et, plus rarement, portugaise.

Quelques-uns, malgré tout, posaient un problème. Ainsi, en sixième D, il y avait Abdelkader. C'était un enfant aux cheveux bruns et aux yeux noirs frangés de longs cils. Son visage était exquis. On eût dit un ange de Botticelli. Mais il venait en classe sans cartable, ni cahier, ni crayons. Au début, j'exigeai que, comme les autres élèves, il possédât un matériel scolaire. Mais il me répondit, en me regardant avec candeur, que ses parents refusaient de dépenser de l'argent pour des choses inutiles. Après plusieurs remontrances, comme la situation ne changeait pas, je décidai de ne pas le garder pendant mon cours et de l'envoyer en permanence.

J'agis ainsi deux ou trois fois, mais le principal, sans

doute mis au courant par le surveillant de service, me fit appeler à son bureau.

— Mademoiselle Valmont, me demanda-t-il sans ambages, pourquoi envoyez-vous systématiquement, à chacun de vos cours, un élève de sixième D en permanence ?

Son visage sévère m'impressionnait. Malgré moi, j'avais la gorge sèche. Un tremblement naquit dans ma poitrine et se propagea à ma voix lorsque je parlai :

— C'est que... monsieur le principal, je ne sais que faire de cet élève. Il vient en classe sans rien pour écrire. Il ne peut noter ni la leçon, ni les exercices, ni les devoirs. J'ai jugé inutile de le garder.

De sévères, les yeux du principal se firent réprobateurs :

— Vous avez mal jugé, mademoiselle. Je sais que vous êtes nouvelle, et que vous ne connaissez pas encore tous les règlements. Vous ne devez jamais — entendez-vous bien ? — jamais, sous quelque prétexte que ce soit, mettre un élève hors de votre salle de classe. Pendant l'heure où ils vous sont confiés, vous êtes responsable d'eux, et vous devez les garder sous votre surveillance.

Je le regardai avec étonnement, et ne sus que répondre. Je n'avais jamais entendu parler d'une telle interdiction. Le principal reprit, un peu moins froidement :

— Je vous demande donc de laisser cet élève avec les autres. Je conçois que cela puisse vous gêner s'il n'a ni cahier ni crayons. Je vais signaler ce cas à M. Rupert et lui demander de s'occuper de la situation.

J'ignore si M. Rupert intervint mais, en tout cas, rien ne changea. Abdelkader continua à venir en classe les mains vides. Je me décidai alors à mettre les choses au point avec l'enfant :

— Tu ne peux pas travailler correctement dans des conditions pareilles, et moi, si je suis obligée de te garder, je ne veux pas que tu perturbes le cours. Puisque tu n'as rien pour écrire, je ne te considère pas comme un élève. Tu vas prendre l'une des tables et la placer tout au fond de la salle, près de l'armoire. Tu t'installeras là. Et rappelle-toi bien que je ne veux pas t'entendre. Si tu fais du bruit, ou si tu essaies de dissiper les autres, tu auras affaire à moi.

L'enfant accepta sa disgrâce avec indifférence. De lui-même, au début de chaque cours, dès que nous entrions dans la classe, il tirait la dernière table de la rangée jusqu'au mur du fond. Là, séparé des autres, il s'asseyait, croisait les bras et observait tout ce que nous faisions. Je dois avouer qu'il s'intéressait parfois au cours, et que, s'il ne notait rien, il levait le doigt, de temps en temps, pour donner une réponse pertinente. Lorsqu'il faisait preuve ainsi de bonne volonté, je l'interrogeais, et même je le félicitais. Je me rendais compte qu'il était intelligent et que, s'il avait voulu travailler, il aurait fait partie des élèves les meilleurs.

Mais la situation s'éternisa, identique à elle-même, jusqu'à la fin de l'année. Et, finalement, l'enfant ne me tint jamais rigueur de l'avoir mis en quarantaine.

Il y avait aussi les Strapacchi. Eux venaient de Sicile. Ils avaient gardé de leur pays natal des idées de vendettas et de vengeance. De caractère ombrageux, ils n'acceptaient ni les remontrances, ni les punitions, qu'ils considéraient comme une offense. Ils étaient, ainsi que le disait Christine, « à manier avec précaution ».

Leur famille se composait de huit enfants, uniquement des garçons. L'un deux, Giuseppe, se trouvait dans ma classe de quatrième C. Lui aussi, il était intelligent, mais il était également très paresseux. Il travaillait le moins possible, juste ce qu'il fallait pour ne pas avoir de résultats trop catastrophiques. Car la *Mamma* veillait. Elle surveillait ses garçons, venait aux réunions de parents d'élèves, interrogeait les professeurs et, s'ils n'étaient pas satisfaits, promettait de sévir auprès de ses fils. Elle était l'exemple type de la plantureuse mamma italienne, qui détient l'autorité et règne sur toute la famille. Et, devant elle, les garçons n'osaient pas protester. Ils oubliaient leur caractère rétif, ils devenaient doux et obéissants.

Dans cette même classe, une autre élève, Valérie Brunoix, m'agaçait. Elle était l'échantillon parfait de la fille gâtée, adulée, à qui tout est dû. Elle ignorait ce que signifiait le mot obéir, et elle ne tenait aucun compte des remontrances que je lui faisais à cause de son comportement. Elle poussait des exclamations à haute voix en plein cours si, par exemple, son stylo-plume n'avait plus d'encre, ou bien elle injuriait les autres élèves, ou encore elle faisait des réflexions désagréables et impolies lorsque je lui mettais une mauvaise note à cause d'un travail mal fait. Si je la grondais, elle me lançait un regard noir, et se vengeait en bavardant avec sa voisine, sachant pertinemment que je défendais tout bavardage en classe.

Je ne savais comment la prendre. Après la sévérité, qui ne donna aucun résultat, je changeai de méthode et tentai de faire appel à son bon sens. Je la retins un soir après le cours, essayai de lui expliquer qu'elle avait tout intérêt à modifier son attitude et à se montrer plus agréable et plus obéissante. Elle m'écouta, le front buté, en faisant la moue.

— Seras-tu plus raisonnable ? demandai-je à la fin de mon petit discours.

Elle leva les yeux et me regarda avec défi :

— Je ne fais rien de mal, rétorqua-t-elle d'un ton boudeur. Tantine dit que c'est toujours pareil. Chaque année, les professeurs me prennent en grippe. C'est injuste, à la fin !

Je tentai de lui démontrer, à nouveau, que si elle cessait d'émettre des commentaires désagréables pendant les cours, les professeurs se montreraient peut-être plus gentils. Je ne sais pas si elle comprit. Elle haussa les épaules et me lança un regard peu amène avant de s'en aller d'une démarche offusquée, comme une princesse outragée.

Je savais, d'après la fiche qu'elle avait remplie le premier jour, que sa mère était décédée. J'appris, par les professeurs qui l'avaient eue comme élève au cours des deux années précédentes, que sa tante l'élevait et lui passait tous ses caprices. Quant à son père, médecin, il était souvent débordé et n'avait pas le temps de s'occuper d'elle.

Et puis, à côté de ces élèves un peu particuliers, il y avait les autres, tous les autres... Malika la bavarde, que Christine avait baptisée « la pipelette » et qui, à la fin de chaque cours, racontait aux professeurs les petits événements survenus dans la classe ; Bruno l'éternel retardataire, qui arrivait toujours quelques minutes après les autres, rouge et essoufflé, traînant un cartable presque aussi gros que lui ; Jean-Christophe le chef de classe, que ses camarades avait surnommé « l'adjudant » et qui veillait à maintenir l'ordre pendant les inter-cours ; bien d'autres encore, et surtout la meilleure de tous mes élèves, Bernadette Jaranowski qui, en sixième B, parfaite, obéissante, idéale, excellait dans toutes les matières et collectionnait les bonnes notes ; le seul qui pouvait rivaliser avec elle était Patrick Lesage, qui se trouvait dans la même classe et qui, malgré son jeune âge, savait déjà que plus tard il serait chirurgien. Tous, je les connaissais, je m'attachais à eux, et ils me confiaient, parfois, leurs soucis et leurs espoirs.

Et quand, le soir, je me retrouvais seule dans ma chambre, j'ouvrais les barrières qui avaient emprisonné mon esprit pendant la journée et je le laissais vagabonder. Immanquablement, la pensée de Bernard venait l'occuper. Je revivais l'instant passionné au cours duquel j'étais devenue sienne. Il me paraissait irréel, lointain, perdu dans les brumes du souvenir. Mais mon amour était toujours aussi vivant, et j'avais mal de ne plus voir mon bien-aimé, de ne plus rencontrer le regard de ses yeux pailletés d'or. Souvent, je rêvais de lui. Dans tous mes rêves, il me tendait les bras, le visage empreint d'un amour infini. Je m'y jetais, et j'éprouvais une plénitude intense qui me faisait verser des larmes de bonheur.

Ma mère m'écrivit que Diane était revenue de l'hôpital. Malgré les soins et la tendresse dont l'entourait Bernard, elle restait amorphe, apathique, le regard triste et lointain. Elle ne brodait plus, elle ne lisait plus, et Bernard ne savait que faire pour la ramener à la vie. Je pensais à lui, mon pauvre amour malheureux, et je me désolais de ne pas pouvoir lui apporter de réconfort. Ma seule façon de l'aider avait été, paradoxalement, de m'enfuir loin de lui.

4

Ainsi, petit à petit, je m'adaptai à ma nouvelle vie ; mes cours, mes collègues, mes élèves ; mes leçons à préparer, mes copies à corriger — un devoir par semaine pour chacune de mes classes, ainsi que l'exigeait le principal que, comme tout le monde, j'avais fini par baptiser *Barbe-Fine*.

Je m'habituai aussi à mon nouveau logement, où je me sentais chez moi. Mme Duriez, ma propriétaire, était aimable et discrète. Je la voyais peu. Je la rencontrais quelquefois dans le couloir, en me rendant à la salle de bains. Ou bien, le soir, quand je revenais après mes cours, je la trouvais dans le jardin, occupée à désherber ou à tailler ses roses, pour lesquelles elle avait une véritable passion. Je la saluais, je m'attardais un peu auprès d'elle, et nous bavardions.

Elle m'interrogeait sur mon travail, sur mes élèves. Elle qui avait toujours vécu dans le village connaissait la plupart d'entre eux. Lorsque je lui parlais de Valérie Brunoix et de son comportement désagréable qui, malgré mes remontrances, ne s'améliorait pas, elle hochait la tête avec tristesse :

— Cette pauvre enfant n'est pas responsable. Sa mère est morte peu après sa naissance. La sœur aînée de son père est venue habiter avec eux. C'est elle qui élève Valérie. Elle la considère comme la huitième merveille du monde et lui passe tous ses caprices.

— Tous les professeurs se plaignent d'elle. Elle n'obéit

pas, n'en fait qu'à sa tête, travaille quand ça lui plaît. Nos réprimandes n'ont aucun effet.

— Elle est habituée, depuis sa plus tendre enfance, à ce qu'on fasse toutes ses volontés. Il est évident qu'elle refuse toute forme d'autorité.

Je désespérais de trouver une solution. Pendant les cours, Valérie ne cessait de bavarder, de s'agiter, de parler tout haut. D'abord pour se faire remarquer, ensuite pour le plaisir de perturber la leçon. Un jour où elle m'agaça particulièrement, après plusieurs remontrances dont elle ne tint aucun compte, je la menaçai de prendre son carnet de correspondance et d'y mettre une observation.

C'était une menace qui, habituellement, calmait les élèves les plus excités. Car, d'après le règlement en vigueur dans l'établissement, au bout de quatre observations, l'enfant était automatiquement collé et devait venir, le jeudi après-midi, faire un devoir supplémentaire.

Valérie, bien évidemment, ne tint aucun compte de mon avertissement, et continua à se comporter comme si je n'avais rien dit. Perdant patience, je pris son carnet et lui mis une observation. Elle en avait déjà deux autres, établies par d'autres professeurs. Encore une, et elle serait collée. Lorsque je lui rendis son carnet, je le lui fis remarquer, en lui conseillant de se montrer plus raisonnable. Elle s'exclama avec insolence :

— Vous êtes toujours après moi ! C'est vrai, quoi ! Merde à la fin !

Outrée par son impolitesse, je lui donnai, en supplément, une punition pour le lendemain : copier cent fois « Je dois me comporter avec respect envers mes professeurs ».

Le lendemain, lorsque je réclamai la punition, Valérie me tendit une enveloppe, l'air arrogant et satisfait. Je l'ouvris, sortis la feuille qu'elle contenait :

« Mademoiselle, Valérie m'a expliqué ce qui s'est passé. L'observation que vous lui avez mise était déjà une sanction suffisante, qui me paraît, d'ailleurs, injuste et imméritée. Il était inutile de lui donner, en plus, une punition. J'ai jugé que, dans ces conditions, ma nièce ne ferait pas ce pensum. Si vous voulez en discuter avec moi, je suis à votre disposition . Avec mes sentiments les meilleurs. Berthe Brunoix. »

Je serrai les dents, remis la feuille dans l'enveloppe sans faire de commentaire. Pendant la récréation, dans la salle des professeurs, j'en parlai à mes collègues.

— Laisse tomber, me conseilla Gilles, le plus ancien et, à mon avis, le plus sage. Contre la tante, tu ne gagneras pas. Sa nièce est une perle rare, elle est parfaite, elle a toujours raison. Toi, systématiquement, tu auras toujours tort.

Mon indignation me poussait à réagir, mais les autres professeurs partagèrent ce point de vue, qui leur paraissait plus raisonnable. Finalement, à contrecœur, je me rangeai à leur avis.

Le soir, je ne pus m'empêcher de tout raconter à ma propriétaire. Elle me suggéra une solution :

— Le docteur Brunoix est mon médecin traitant. C'est à lui qu'il faudrait vous adresser directement. Je suis persuadée qu'il ne sait rien. C'est sa sœur qui s'occupe de Valérie, qui signe ses bulletins. Sur ce point, il lui fait entièrement confiance et elle lui raconte ce qu'elle veut bien.

Son visage prit un air rusé :

— Vous pourrez le rencontrer ici, elle n'en saura rien. A cause de ma santé, tous les mois, il me fait une visite. La prochaine fois, je lui demanderai qu'il vienne après dix-sept heures. Ainsi, vous serez là, et vous pourrez lui parler.

Je trouvai cette solution habile et remerciai Mme Duriez qui se rengorgea avec satisfaction, tout heureuse de m'aider.

Quelques jours plus tard, eut lieu la première réunion de parents d'élèves. Je fis la connaissance de la *mamma* sicilienne, je rencontrai les mères de mes élèves — pas toutes, évidemment. Certaines ne vinrent pas. Mais la tante de Valérie Brunoix était présente. Elle se dirigea vers moi, le visage réprobateur, les lèvres pincées. Grande, le maintien austère, les cheveux gris tirés et noués dans un chignon sans grâce, elle me fit tout d'abord l'impression d'une femme froide et désagréable. Mais, dès qu'elle se mit à parler de sa nièce, son regard s'anima, se fit tendre et fervent.

— Valérie est très sensible, me dit-elle. La moindre observation la contrarie. Toute petite, lorsque son père la réprimandait, elle avait des crises de larmes qui se terminaient en convulsions. C'est une enfant très attachante, mais il faut savoir la prendre. Ce n'est pas en la brimant et en la punissant sans cesse que vous obtiendrez un résultat positif. Cela ne fera que la braquer contre vous.

Je tentai de lui faire comprendre mon point de vue :

— Mais je ne peux pas lui laisser tout faire. En classe, il faut un minimum de discipline. Elle doit s'y plier, elle comme les autres.

Le visage sévère se ferma de nouveau :

— Personne ne la comprend. Depuis qu'elle va à l'école, c'est chaque année la même chose. Elle est spontanée, de nature expansive, et elle extériorise volontiers ses sentiments. Pourquoi vouloir à tout prix la brimer ?

— Parce que, en classe, on ne peut pas tolérer ses interruptions continuelles, et encore moins son impolitesse. Elle vous raconte ce qu'elle veut bien. Vous dit-elle qu'elle se montre insolente ? Qu'elle n'obéit pas ? Qu'elle ne tient aucun compte des remontrances ?

Elle redressa le menton avec une expression offusquée, comme si je l'avais insultée :

— Valérie n'est pas une menteuse. Je crois ce qu'elle me dit. Je la connais depuis sa naissance. Je sais comment il faut se comporter avec elle.

Cela continua ainsi plusieurs minutes. C'était un dialogue de sourds, que je jugeai inutile de prolonger. Je comprenais que Berthe Brunoix refuserait d'admettre un autre avis que le sien. Gilles avait raison, il était vain d'insister. Elle prit congé froidement et s'en alla, la démarche raide, la tête haute, persuadée d'avoir raison et froissée de ne rencontrer qu'incompréhension. Je me dis que le seul espoir d'améliorer la situation était, peut-être, de suivre le conseil de Mme Duriez et d'en parler au docteur Brunoix lui-même.

* * *

Vers la fin du mois d'octobre, un jeudi matin, alors que je me levais, tout se mit subitement à tournoyer autour de moi. Je dus me raccrocher au montant du lit pour ne pas tomber. En même temps, une violente nausée me souleva l'estomac, le tordit, le fit se révulser. Je n'eus que le temps de courir à la salle de bains pour vomir.

Lorsque je revins dans ma chambre, mon reflet dans le miroir me fit peur. J'étais livide, et mon visage luisait d'une sueur froide et malsaine qui couvrait tout mon corps. En même temps, j'étais parcourue de frissons, et je me sentais proche de l'évanouissement.

Je pensai avec soulagement que nous étions jeudi et que je n'avais pas de cours. Mal à l'aise, l'estomac encore parcouru de spasmes, je me recouchai, me blottis sous les couvertures. Je me sentais épuisée. Je fermai les yeux et me rendormis.

Lorsque je m'éveillai à nouveau, une heure plus tard, je me sentais mieux. Je me levai avec précaution, m'habillai, pris mon petit déjeuner. Le malaise ne revint pas. Rassurée, je me dis qu'il s'agissait probablement d'une indigestion et n'y attachai pas d'importance.

J'occupai la journée du jeudi comme je le faisais habituellement : je préparai mes cours, je corrigeai des copies. Vers la fin de l'après-midi, je me mis à tendre l'oreille ; Mme Duriez m'avait prévenue qu'elle aurait la visite du docteur Brunoix.

Il arriva vers dix-huit heures. Je l'entendis sonner, j'entendis ma propriétaire aller lui ouvrir et le faire entrer dans son salon. L'entretien dura environ une demi-heure. J'attendais. Lorsque des bruits de voix se rapprochèrent de ma porte, je me levai, crispée malgré moi.

Des coups furent frappés, et la voix de Mme Duriez m'appela :

— Mademoiselle Valmont ? Si vous désirez parler au docteur, c'est le moment. Il accepte de vous consacrer quelques minutes.

J'allai ouvrir. Auprès de ma logeuse se tenait un homme de haute taille, aux cheveux bruns légèrement grisonnants. Il était impeccablement vêtu d'un costume sombre, d'une chemise et d'une cravate. Dès que je croisai son regard, toute timidité me quitta. Car le visage du docteur Brunoix exprimait une grande, une immense bonté.

— Entrez, je vous en prie, dis-je tout en m'effaçant.

— Bien, je vous laisse, déclara Mme Duriez en s'éloignant avec discrétion.

Debout au milieu de ma chambre, le docteur Brunoix m'observait avec un sourire amical. Je l'invitai à s'asseoir dans le fauteuil, tandis que je prenais place sur la chaise. Je ne savais comment commencer. Ce fut lui qui m'aida :

— Ainsi, me dit-il, vous désirez me parler de Valérie. Qu'y a-t-il ?

Je me rendis compte qu'il ne savait rien. Je lui racontai ce qui s'était passé depuis le début de l'année, le comportement de Valérie en classe, sa désobéissance, sa manière insolente de répondre, et l'attitude de sa tante, qui ne voulait pas admettre que l'adolescente avait tort. Le docteur Brunoix fronça les sourcils :

— Je n'étais pas au courant... Berthe ne m'a rien dit. A l'entendre, tout va bien.

— Vous pouvez aller interroger les autres professeurs de Valérie. Ils vous confirmeront ce que je viens de vous raconter.

Un léger sourire flotta sur ses lèvres :

— Oh, je ne mets pas votre parole en doute. Je vous crois, mademoiselle. Il est vrai que Valérie est exubérante, et elle aime qu'on lui laisse la bride sur le cou. Mais je conçois très bien qu'à l'école, elle doive faire un effort pour respecter la discipline. Et puis, surtout, je n'admets pas qu'elle soit impolie.

Il se leva, me tendit la main. Son sourire se fit plus chaleureux :

— Je lui parlerai. Ne vous inquiétez pas, ça va s'arranger.

— Merci, dis-je avec confusion, et pardonnez-moi de vous avoir ennuyé avec ce problème.

— Mais vous ne m'avez pas ennuyé. Au contraire. J'ai

été ravi de faire votre connaissance. N'hésitez pas à vous adresser de nouveau à moi si quelque chose ne va pas.

Il se pencha, scruta mon visage avec sollicitude :

— Vous êtes bien pâle, et vos yeux sont cernés. Peut-être avez-vous besoin de vitamines ? La santé est un bien précieux, ne l'oubliez pas. Si vous ne vous sentez pas bien, venez me voir à mon cabinet de consultation.

Je fus tentée de lui parler du malaise que j'avais eu le matin même, mais je n'osai pas. Je le remerciai simplement et le reconduisis jusqu'à la porte d'entrée.

Après son départ, comme je regagnais ma chambre, Mme Duriez arriva.

— Alors ? demanda-t-elle. Qu'a-t-il dit ?

Je lui rapportai notre entretien. Elle hocha la tête d'un air entendu :

— Je me doutais qu'il ne savait rien. Enfin, il vous a promis de s'en occuper. La situation va s'améliorer, vous verrez.

Puis, sans transition, elle reprit :

— Comment le trouvez-vous ?

— Eh bien... dis-je, un peu prise de court, je le trouve très gentil. Il me fait l'impression d'être quelqu'un de profondément bon. Je me suis tout de suite sentie en confiance avec lui.

Ma propriétaire eut une expression ravie :

— C'est l'avis de tout le monde. Il est apprécié de tous ses malades, sans exception.

En me couchant, ce soir-là, je pensai au docteur Brunoix. Je revoyais son regard intelligent, plein de bonté et de sollicitude. Je me demandai s'il tiendrait sa promesse et s'il parlerait à sa fille le soir même.

Le lendemain, pendant mon cours, Valérie demeura obstinément silencieuse, la tête baissée, le visage boudeur. Je me gardai bien de l'interroger. Elle me donnait l'impression de bouillir intérieurement et d'être prête à exploser. Elle extériorisait sa mauvaise humeur par des gestes brusques, faisait claquer son livre en le refermant, posait bruyamment sa règle sur la table. Je m'efforçai de l'ignorer. Je pensai simplement que cette attitude était une réaction à ce qu'avait pu lui dire son père la veille.

Une autre surprise m'attendait. A midi, alors que je me dirigeais vers la sortie, j'aperçus la tante devant le bâtiment administratif. Elle vint vers moi, l'air belliqueux :

— Mademoiselle Valmont, je désirerais vous parler.

Autour de nous régnait l'effervescence des heures de sortie. Les élèves s'interpellaient, se bousculaient, criaient. Afin de discuter dans un endroit plus calme, j'emmenai Berthe dans la petite salle voisine du bureau du directeur, où se trouvaient les appareils à duplication, et qui était à la disposition de tous les professeurs.

— Je vous écoute, dis-je.

Elle s'approcha de moi, frémissante, et ses yeux se chargèrent de colère :

— Je veux vous dire que je n'ai pas apprécié votre intervention. Qu'êtes-vous allée raconter à mon frère, derrière mon dos ? Il a dit que vous lui aviez parlé, et hier soir, il a interrogé Valérie. Selon vous, elle est impolie, insolente, insupportable. Je me demande ce que vous avez contre elle pour la persécuter ainsi. Je sais bien, moi, qu'elle n'est pas comme vous la décrivez. Elle a tellement été traumatisée par les questions et les soupçons de son père qu'elle en a pleuré. Elle a eu une crise de larmes si violentes que j'ai pris peur. Il y a longtemps que je ne l'avais vue dans un état pareil.

Elle se tut, me regarda avec une réprobation pleine d'hostilité. Comme je ne disais rien, elle reprit en s'agitant au fur et à mesure qu'elle parlait :

— C'est tout juste si Roger ne m'a pas reproché de mal élever son enfant. Je lui ai rappelé que, lorsque je suis venue habiter chez lui, après la mort de sa femme, il m'avait donné carte blanche : j'étais là pour m'occuper du bébé et de tous les problèmes domestiques. Lui, il était tellement désespéré par la mort de Michèle qu'il s'est jeté comme un fou dans son travail. Et jamais — entendez-vous bien ? — jamais il ne m'a fait un seul reproche. Il rentrait le soir pour trouver une maison impeccable, le repas qui l'attendait, et Valérie qui courait vers lui avec des cris de joie. Ça a toujours été moi qui ai surveillé la scolarité de la petite, et il en a toujours été satisfait. Alors, je ne vois pas ce que vous cherchez en essayant de le monter contre moi.

Elle déglutit, me fixa avec agressivité. Abasourdie par cette attaque, je tentai de protester :

— Mais... Ce n'est pas du tout mon intention... Je n'ai pas voulu...

— Alors, coupa-t-elle avec véhémence, ne recommencez jamais ce que vous avez fait. Vous avez semé le doute dans l'esprit de mon frère, vous avez perturbé notre équilibre familial, vous avez contrarié Valérie, et moi par la même occasion. Je veux éviter tout souci à Roger. Il en a suffisamment avec son travail. Voyez-vous, continua-t-elle avec une douceur inattendue, Roger, c'est plus qu'un frère pour moi. C'est comme s'il était mon fils. Il est né lorsque j'avais treize ans, et je l'ai pratiquement élevé. Avec Valérie, c'est la même chose. Elle n'est que ma nièce, mais je la considère comme ma propre enfant. Elle est très sensible, et la moindre réprimande prend des allures de catastrophe, surtout lorsqu'elle vient de son père qu'elle adore.

Noyée sous ce flot de paroles, je ne savais plus que dire. Apparemment, je n'avais fait qu'envenimer les choses en parlant au docteur Brunoix. Je me rendais compte que sa sœur, aveuglée par son amour pour Valérie, n'admettrait jamais mon point de vue. De plus, jalouse de ses prérogatives, elle dresserait une barrière pour m'empêcher de m'adresser à son frère, persuadée d'agir pour le mieux. C'était une lutte perdue d'avance et je me sentis découragée.

— S'il y a de nouveau un problème concernant Valérie, c'est à moi qu'il faut vous adresser, mademoiselle. J'espère que vous vous en souviendrez.

Sur ces paroles, elle me fit un signe de tête rapide et sec, se détourna et, raide, digne, sortit de la pièce. Encore ahurie, je la suivis plus lentement.

Tout en me dirigeant vers ma voiture, je pensai à ma mère. Comme elle me manquait ! Elle aurait peut-être pu me conseiller, me dire comment il fallait me comporter vis-à-vis de Valérie sans froisser la susceptibilité de sa tante. Je décidai que dans ma prochaine lettre, je lui demanderais son avis.

* * *

Un autre problème, plus inquiétant, vint reléguer celui-là au second plan.

J'eus un nouveau malaise le lendemain, puis un autre deux jours plus tard. Nausées, sueurs froides, étourdissements. Je devais lutter pour ne pas m'évanouir. D'autres survinrent au cours des jours suivants, se faisant de plus en plus rapprochés. Ils arrivaient de façon imprévue, n'importe quand, et je craignais que l'un d'eux ne me surprît au beau milieu d'un cours. Je n'avais jamais eu de problèmes de santé, et ces malaises répétés m'inquiétaient.

Un mercredi soir, je sortis du collège plus tard que d'habitude. J'avais été retenue par un conseil de classe. On appelait ainsi une réunion entre professeurs, au cours de laquelle chacun donnait son avis sur les élèves d'une même classe. Le cas de Valérie Brunoix avait, bien entendu, retenu l'attention. Nous en avions discuté, et nous étions unanimes à nous plaindre de son attitude. Mais personne n'avait pu proposer de solution valable.

Le soir tombait. Un brouillard humide montait du sol. Il faisait froid, et je frissonnai. La pensée que le lendemain était un jeudi et que j'aurais toute la journée pour me reposer me réconfortait. Depuis le matin, je m'étais sentie nauséeuse, et j'avais hâte de rentrer chez moi.

Je franchissais la grille de l'établissement lorsqu'une voiture s'arrêta et se gara près de la mienne. Un homme en descendit et vint vers moi. Je reconnus le docteur Brunoix.

Il me tendit la main avec un sourire chaleureux :

— Bonsoir, mademoiselle Valmont. Comment allez-vous ?

— Bonsoir, docteur. Je vais bien, merci.

Devais-je lui rapporter la visite de sa sœur, ou devais-je me taire ? Il n'était peut-être pas au courant. Je me demandai quelle était la meilleure solution et, dans le doute, je me tus.

— Avez-vous un instant, mademoiselle ? J'aimerais vous parler. Venez, allons boire quelque chose de chaud au café du coin. Je viens justement de terminer mes visites.

Je le laissai m'entraîner jusqu'au café situé au coin de la rue, où, bien souvent, les professeurs se réunissaient. Ce soir-là, il était presque vide. Seuls deux clients, que je ne connaissais pas, bavardaient au comptoir. La patronne essuyait nonchalamment des verres. Tous trois saluèrent le docteur Brunoix avec sympathie.

Nous nous assîmes à une table, et mon compagnon me sourit :

— Que prenez-vous ?

— Un thé bien chaud.

— Moi, je prendrai un grog. Ça me revigorera. En ce moment, à cause du brouillard, il y a beaucoup de malades : toux, bronchites, rhinopharyngites... Je suis plutôt débordé.

Lorsque nous fûmes servis, il leva son bol :

— A votre santé. Dites-moi, je voulais savoir : comment cela se passe-t-il avec Valérie, maintenant ?

Je bus une gorgée de thé sans répondre. Pouvais-je lui dire que, depuis le jour où sa tante était venue me trouver, l'adolescente, sûre de l'impunité, se montrait encore plus agressive et insolente ? Le matin même, elle n'avait cessé de bavarder du début à la fin de mon cours. Incapable de tolérer une pareille attitude, que je ne tolérais d'ailleurs chez aucun élève, je lui avais enjoint, à plusieurs reprises, de se taire. Elle avait fini par répliquer avec humeur :

— Mais je ne bavarde pas ! Ce n'est pas moi ! Merde alors !

Je l'avais grondée pour son impolitesse. Elle avait haussé les épaules en faisant aux autres élèves une mimique expressive qui signifiait clairement qu'elle se fichait de mes remarques.

Je regardai le docteur Brunoix, hésitante. Avec précaution, je me décidai à avouer :

— Cela ne s'améliore pas beaucoup. Je crois qu'elle a mal accepté mon intervention auprès de vous.

Il fit un signe d'assentiment :

— Elle a surtout mal accepté les questions que je lui ai posées. Elle a vu une suspicion blessante là où il n'y avait, de ma part, que le désir de savoir. Elle a pleuré toute la soirée. Il est vrai qu'elle est très sensible. Quant à Berthe, elle a été blessée, s'imaginant que je critiquais la façon dont elle s'occupe de Valérie.

Son visage reflétait une préoccupation et une désolation sincères.

— Je suis navrée, dis-je. Je n'aurais pas dû...

— Ne vous excusez pas, reprit-il vivement. Vous n'êtes pas responsable, au contraire. Vous avez très bien fait de me parler. Si quelque chose ne va pas, je suis en droit de le savoir. Je soupçonne Berthe de se montrer un peu trop maternelle envers moi. Sous prétexte de m'épargner des soucis supplémentaires, elle est très capable de me cacher d'éventuels problèmes.

Il soupira, reprit d'une voix plus basse :

— Voyez-vous, lorsque je suis né, elle avait treize ans. Après ma naissance, ma mère est toujours restée faible, languissante, comme si, en me mettant au monde, elle avait épuisé toute son énergie. Elle est morte d'une mauvaise grippe, alors que je n'avais que trois ans. Berthe en avait seize. C'est elle, alors, qui m'a servi de mère, qui m'a élevé.

Je fis un signe de tête compréhensif. Berthe Brunoix m'avait dit la même chose quelques jours auparavant.

— Et puis, avec Valérie, la situation s'est répétée. Elle n'avait que deux mois lorsque Michèle, ma femme, est morte. J'étais effondré. Berthe n'a pas hésité. Elle est venue s'installer chez moi. C'est elle qui élève Valérie. Elle l'aime comme si elle était sa propre fille.

Il releva la tête, me sourit :

— Je crois que, s'il y a eu quelqu'un de maladroit, c'était moi. J'ai interrogé Berthe trop abruptement, et elle s'est sentie accusée. Je ne voulais pas la blesser, au contraire. J'apprécie sa présence, la façon dont elle s'occupe de ma maison, de ma fille. Sans elle, qu'aurais-je fait, lorsque je me suis retrouvé seul et désespéré, avec un bébé de deux mois ?

Je voulus répondre, dire que je comprenais, mais une nausée, subitement, me tordit l'estomac. En même temps, une sueur froide et gluante couvrit mon visage, mon corps. Mes oreilles se mirent à bourdonner. Je me forçai à avaler ma salive plusieurs fois de suite, essayant désespérément de chasser le malaise qui m'envahissait.

Le docteur Brunoix comprit immédiatement que quelque chose n'allait pas.

— Que se passe-t-il ? s'exclama-t-il avec inquiétude. Vous ne vous sentez pas bien ?

Je secouai la tête, incapable de parler. Il me prit les mains, d'un geste professionnel chercha le pouls, compta les pulsations. Peu à peu, le malaise s'éloignait, me laissant faible, anéantie. Je tentai de sourire :

— Ça va mieux... C'est passé.

Le docteur Brunoix lâcha mon poignet, me considéra avec sérieux :

— Vous arrive-t-il souvent d'avoir ce genre de malaise ?

— Depuis quelques jours, oui.

Il fronça les sourcils :

— Si cela se reproduit, il faudra venir me voir, afin que je vous ausculte plus complètement.

Il vit mon expression, posa une main sur la mienne :

— J'insiste. Promettez-le-moi, dit-il avec gentillesse.

Il m'était si doux de voir quelqu'un s'occuper de mon état avec tant de prévenance que je promis. Il se leva.

— Venez, je vais vous accompagner jusqu'à votre voiture.

Les jambes encore chancelantes, je contournai la table. Il s'approcha de moi, me prit le coude, me soutint. Nous étions les derniers clients. Alors que nous gagnions la porte, j'eus le temps de voir que la patronne, derrière son comptoir, nous suivait d'un regard plein de curiosité.

Lorsque nous fûmes à ma voiture, de nouveau il me dit :

— N'oubliez pas. Si ce malaise se reproduit, venez me voir.

J'acquiesçai d'un signe de tête. Ma fatigue s'intensifiait, et j'avais hâte de rentrer. Penché sur moi, le docteur Brunoix me regardait avec intensité, et je me sentis troublée. J'ouvris mon sac, cherchai les clefs de ma voiture. Il se redressa.

— Eh bien, au revoir, mademoiselle. Bonne soirée. Et n'oubliez pas, répéta-t-il en se dirigeant vers sa voiture.

J'eus un faible sourire :

— C'est promis. Au revoir, docteur.

Je conduisis rapidement. Les rues étaient toutes noires, et le brouillard s'épaississait, s'étirant dans la lueur de mes phares en longues volutes grises. Je constatai qu'il était tard, et je pensai que je me coucherais immédiatement. De toute façon, je n'avais pas faim. La seule pensée d'une quelconque nourriture me soulevait l'estomac.

Ma petite chambre m'apparut comme un havre de tiédeur et de paix. Je me déshabillai rapidement. Je me sentais épuisée. Une douleur sournoise enserrait mon crâne, et je pris deux aspirines avant de me coucher.

Je fus incapable de m'endormir. Les yeux grands ouverts dans l'obscurité, je réfléchissais. Mme Duriez regardait sa télévision, et par moments le son parvenait jusqu'à moi, assourdi. Cela me réconfortait, me disait que je n'étais pas seule dans la maison. La sollicitude du docteur Brunoix, également, m'avait fait du bien.

Si mes malaises persistaient, irais-je le voir ? Je décidai que oui. Pour la première fois, je regardai en face la pensée que, jusqu'ici, j'avais repoussée. Ces malaises avaient peut-être une cause très simple : mes règles avaient plus d'un mois de retard. L'instant de passion au cours duquel je m'étais donnée à Bernard en était-il responsable ? Naïvement, je me persuadai qu'un premier et seul rapport ne pouvait pas entraîner une grossesse. Mais peut-être ce raisonnement était il faux ?

Je passai une nuit agitée. Le lendemain, à peine étais-je levée que le même malaise me saisit. Il était impossible de continuer ainsi. Il fallait que je sache.

Ma décision fut rapide. Dès que je fus habillée, je me rendis chez le docteur Brunoix. Il habitait un pavillon situé dans un grand jardin. Son cabinet se trouvait sur le côté. J'avançai, les jambes tremblantes. Je poussai la porte, entrai dans la salle d'attente.

Plusieurs personnes patientaient. Je les saluai et, pour me donner une contenance, pris une des revues posées sur une table basse. Je me mis à la feuilleter, mais en réalité je ne voyais rien. Je sursautai lorsque la porte s'ouvrit. Le docteur Brunoix reconduisait le malade précédent et appelait le suivant. Je levai la tête. Il m'aperçut, me fit un bref sourire accompagné d'un petit signe approbateur. Je me sentis un peu réconfortée.

Il me sembla que j'attendis longtemps. Les minutes s'étiraient, lentes, interminables. Une à une, les personnes qui étaient avant moi se levaient, entraient dans le bureau, y restaient une vingtaine, une trentaine de minutes, puis sortaient. Je comptais machinalement. Plus que trois, plus que deux, plus qu'une... Enfin, ce fut mon tour.

Je me levai, crispée tout à coup. J'entrai, et il referma la porte derrière moi. Il fit le tour de son bureau, m'invita à m'asseoir, s'assit à son tour et me regarda avec gentillesse.

— Vous êtes venue et vous avez bien fait. Vous avez une petite mine, savez-vous ?

Je tordis machinalement mes gants :

— J'ai encore eu un malaise ce matin, en me levant.

— Voyons, racontez-moi, dit-il d'un ton professionnel. Depuis quand se produisent-ils ? Et que ressentez-vous exactement ?

Je les détaillai du mieux que je pus : nausées, sueurs froides, vomissements. Parfois, j'avais aussi les oreilles bourdonnantes, et je me sentais si mal que j'avais peur de m'évanouir. Le docteur Brunoix m'écoutait avec attention. Pour être entièrement sincère, je terminai en précisant que mes règles avaient six semaines de retard. Il fronça les sourcils, se racla la gorge :

— Pardonnez ma question, mais les symptômes que vous me décrivez ressemblent à ceux d'une grossesse. Pourrait-ce être le cas ?

La gêne me paralysa. Je sentis mes joues se mettre à brûler. Qu'allait-il penser ? Je balbutiai :

— Heu... C'est-à-dire que... oui, peut-être.

Il se leva :

— Déshabillez-vous, ordonna-t-il, et allongez-vous.

Avec des gestes maladroits, je commençai à ôter mes vêtements. Cela me gênait de me mettre nue devant quelqu'un, fût-il un docteur. Mais il ne me regardait pas. Il se lavait les mains dans un coin du bureau, me tournant le dos.

Je m'allongeai, les yeux fixés sur le plafond. Je l'entendis s'approcher. Il se pencha sur moi, me palpa longuement le ventre. Le regard toujours fixé au plafond, je serrais les dents.

— Hum... oui, en effet... Puis-je vous visiter plus complètement ?

Je fis un signe de tête et serrai davantage les dents. Lorsque ce fut terminé, il se détourna et se dirigea vers son bureau :

— Vous pouvez vous rhabiller.

Je le fis rapidement. Ce ne fut que lorsque je m'assis de nouveau en face de lui que j'osai le regarder. Il comprit mon interrogation muette, inclina la tête.

— Oui, c'est ça. Vous êtes enceinte de presque deux mois.

J'avais envisagé cette possibilité, mais sans y croire vraiment. Pourtant, maintenant qu'elle m'était confirmée, ma première réaction fut la joie, une joie immense et radieuse. Un enfant de Bernard ! Un fils qui lui ressemblerait, qui serait la concrétisation de notre amour ! Je fermai les yeux, éblouie.

Mais, tout de suite après, un profond sentiment de catastrophe fondit sur moi. Bernard n'était pas libre. Il ne pourrait pas m'épouser. Que ferais-je, seule avec un enfant ? Mère célibataire... Je serais montrée du doigt, méprisée. Une panique m'assaillit, me noua la gorge.

La voix du docteur Brunoix m'arracha à mes pensées :

— Je vous conseille de prévenir le père de cet enfant dès que possible, disait-il. Ou bien... Peut-être y a-t-il un problème ?

Je levai les yeux vers lui, désemparée. Je lus sur son visage empreint de bonté tant d'intérêt sincère et bienveillant que, sans l'avoir prévu, je lui racontai tout : mon amour impossible pour Bernard, notre instant de folle passion, et la décision que j'avais prise de ne jamais le revoir. Lorsque je me tus, je m'aperçus que les larmes coulaient sur mes joues. Je sortis mon mouchoir et les essuyai.

— Excusez-moi, murmurai-je.

— Ne pleurez pas, dit-il avec douceur. La situation n'est pas si dramatique. Je persiste à penser que vous devriez prévenir le père de votre enfant. Il a le droit de savoir. Et même s'il ne peut pas vous épouser, il vous aidera peut-être, d'une manière ou d'une autre.

Je rangeai mon mouchoir dans mon sac et secouai la tête avec détermination.

— Non, je ne le lui dirai pas. Il ne pourra rien faire, de toute façon. Je me débrouillerai seule.

— Réfléchissez bien. C'est une décision grave, qui engage votre avenir, et celui de votre enfant.

— Je sais. C'est tout réfléchi.

Ma voix avait un ton catégorique et assuré. Pourtant, intérieurement, comme je me sentais vulnérable ! Après que j'eus pris congé, les yeux du docteur Brunoix me suivirent tandis que je traversais sa salle d'attente. Je me réfugiai dans mon petit logement, soulagée de voir que ma logeuse était partie faire ses courses habituelles. Je ne voulais parler à personne. J'avais besoin de réfléchir.

Qu'allais-je faire ? Je me sentais incapable de prendre une décision. J'étais bouleversée. Tout ce que je savais, c'est que je ne dirais rien à Bernard. Il ne pouvait pas quitter Diane, et mon aveu ne servirait qu'à le torturer davantage. Je devais supporter seule les conséquences de notre folie. Je ne pouvais pas non plus me confier à ma mère. Elle condamnerait sans aucun doute mon attitude et me reprocherait de m'être jetée à la tête de Bernard. Comment pourrais-je lui faire comprendre que j'avais agi sans calcul, de façon spontanée et sincère ? Maintenant encore, je ne regrettais rien. Il fallait simplement que je trouve une solution.

Mais... élever un enfant sans être mariée ressemblait à un véritable défi. La mentalité des gens était encore bien étroite, et le métier que j'exerçais me mettrait en butte aux critiques. J'avais entendu mes parents, quelques années auparavant, parler d'une enseignante qui, célibataire et enceinte, avait dû démissionner à la suite d'une pétition de parents d'élèves ; ceux-ci refusaient de confier leurs enfants à quelqu'un d'immoral. La situation où je me trouvais n'avait, à mon avis, rien à voir avec l'immoralité, mais je savais qu'on me jugerait mal. Que ferais-je, lorsque ma taille commencerait à s'épaissir ? Quelle explication pourrais-je donner ? Et si l'on m'obligeait, moi aussi, à démissionner ? Que deviendrais-je ? Comment pourrais-je élever mon enfant si je n'avais plus de métier ?

L'affolement me gagna. Je me sentis soudain terriblement seule, sans personne à qui me confier ou demander de l'aide. Même tante Marceline, qui avait été la seule à soutenir ma mère dans sa volonté de devenir institutrice et qui, peut-être, ne m'eût pas blâmée, n'était plus là. Elle était décédée l'année de mes quinze ans. Misérable et solitaire, je me mis à pleurer.

Ce fut au cours de la nuit que l'idée me vint. Une quinzaine de jours auparavant, un soir où il pleuvait, j'avais conduit ma collègue Christine à la gare. Elle habitait la ville voisine, distante d'une dizaine de kilomètres, et venait chaque jour travailler en train. Alors que nous roulions vers la gare, nous avions longé un terrain vague. Christine m'avait montré un baraquement situé à l'extrémité d'un chemin de terre.

— Connais-tu la vieille femme qui habite là ? Elle s'appelle Georgina. Les habitants du village la disent un peu sorcière. Elle a également une réputation de faiseuse d'anges. Elle débarrasse les filles qui le lui demandent d'un enfant indésirable.

Sur le moment, je n'avais pas prêté attention à ces paroles. Mais maintenant, elles me revenaient avec précision. Et si j'allais trouver cette Georgina ? Le problème serait résolu, je n'aurais plus à affronter l'incompréhension, les médisances et les calomnies. Personne, jamais, ne saurait ce qui s'était passé. Le docteur Brunoix se douterait peut-être de quelque chose, mais il était tenu au secret professionnel et ne parlerait pas. Et puis, surtout, je pourrais continuer à exercer le métier que j'avais choisi sans avoir peur d'éventuelles représailles.

L'idée chemina dans mon esprit et s'y arrêta. Le lendemain après-midi, je sortis comme si j'allais faire une promenade, et marchai d'un pas résolu vers le baraquement de Georgina. J'avais décidé de lui exposer mon problème, et de lui demander son aide.

Des nuages d'un gris sombre couvraient le ciel et, alors que j'arrivai à proximité, une obscurité sournoise envahissait déjà les lieux. L'endroit était désert, et je fus rassurée de penser que personne ne m'observait. J'empruntai le chemin de terre, allai jusqu'au petit logement en planches. De près, il paraissait encore plus misérable. Je frappai à la porte et attendis, le cœur tremblant.

Rien ne vint. Je frappai de nouveau, attendis encore. J'allai jusqu'à la fenêtre. A travers le rideau sale qui la protégeait, j'essayai d'apercevoir l'intérieur. Mais je ne pus rien voir.

Je fis le tour de la maison. A l'arrière, dans une sorte de cour, des détritus et des vieux objets s'accumulaient. Un vélo rouillé voisinait avec des pneus crevés. Un chat au pelage hirsute fouillait dans une poubelle. Dans le soir qui tombait, c'était un spectacle sordide.

Une répulsion soudaine me prit. Ce fut une réaction incontrôlable. Je fis volte-face et, instinctivement, je me mis à courir à perdre haleine, me tordant les pieds dans les ornières du mauvais chemin, n'ayant plus qu'une idée : m'éloigner de cet endroit et ne jamais y revenir.

Lorsque je me retrouvai de nouveau chez moi, je m'assis sur mon lit, haletante, avec l'impression d'avoir échappé à un grand danger. Une horreur rétrospective me faisait frissonner. Comment avais-je pu envisager de me débarrasser de mon bébé ? Il me semblait que mon esprit un instant obscurci retrouvait sa lucidité. Et je savais maintenant avec certitude que, en dépit des difficultés que je pourrais rencontrer, jamais je ne sacrifierais l'enfant de Bernard.

5

Je retournai voir le docteur Brunoix. Puisque je gardais mon bébé, il fallait que je me renseigne au sujet des visites prénatales. Et puis, il était le seul à être au courant, le seul à qui je pouvais parler. J'avais confiance en lui, en sa compréhension, en sa bonté. Je sentais instinctivement que lui, au moins, ne me condamnerait pas.

Il me demanda de nouveau si j'avais prévenu le père de mon enfant. Je répondis négativement, et il fronça les sourcils. Je lui fis part de ma décision de l'élever seule, malgré les problèmes qui ne manqueraient pas de se poser. Je lui parlai de cette enseignante qui, dans le même cas, avait dû démissionner. Je lui confiai mes angoisses et mes peurs, mais je n'osai pas mentionner ma visite au baraquement de Georgina. J'avais honte de ce moment d'aberration, et je voulais l'effacer de ma mémoire.

Le docteur Brunoix m'observa avec inquiétude :

— Votre décision est sans aucun doute très courageuse. Mais avez-vous bien pesé toutes les difficultés ? Si vous devez démissionner, vous aussi, que ferez-vous ?

Je redressai le menton avec défi :

— J'exercerai un autre travail, n'importe lequel. Je m'en sortirai, je suis très obstinée, savez-vous ? Et lorsque j'ai pris ce que je crois être la bonne décision, je la tiens, coûte que coûte.

— Hum... oui, fit-il d'un ton dubitatif. Vous êtes si jeune, et vous paraissez si fragile... Dites-vous que si vous avez besoin d'aide, je suis là. Considérez-moi comme un ami.

Touchée par sa gentillesse, je lui tendis la main :

— Merci, docteur. Je ne l'oublierai pas.

Ses paroles me réconfortèrent et m'accompagnèrent au cours des jours suivants. Savoir que j'avais un ami prêt à me soutenir m'était d'un grand secours. Mon problème emplissait ma vie, et je ne pensais à rien d'autre. Mes cours au C.E.S. m'apportaient un dérivatif, mais dès que je rentrais chez moi, je me laissais envahir par l'inquiétude. Je me posais sans cesse la même question : comment allaient réagir les gens lorsqu'ils sauraient ?...

Mes collègues, d'abord. Que diraient-ils ? Me considéreraient-ils avec mépris ? Me mettraient-ils à l'écart ? Et Christine ? Quelle serait sa réaction ? Une amitié s'était nouée entre nous. Elle ne me jugerait peut-être pas. J'avais compris, à certaines allusions, qu'elle avait eu plusieurs aventures, dont une avec un homme marié, qu'elle poursuivait actuellement. Seulement, elle n'attendait pas de bébé. Mais, au fond, la situation était-elle tellement différente ?

Je m'inquiétais aussi au sujet de ma logeuse, Mme Duriez. Au fil des conversations que nous avions parfois, je m'étais rendu compte qu'elle possédait un esprit rigide, et je l'imaginais très bien me chassant avec indignation de chez elle. Sans logement, que deviendrais-je ? Où irais-je ? Ce serait une difficulté supplémentaire.

Il y avait aussi mes parents. Il faudrait bien que je les prévienne. Ils seraient probablement déçus, effarés, incompréhensifs peut-être. Ma mère me ferait sans doute des reproches, et mon père considérerait ce qu'il appellerait ma faute avec sévérité. Pourtant, je ne parvenais toujours pas à me sentir coupable. En me donnant à Bernard, j'avais agi par amour. Et cet amour qui nous avait jetés dans les bras l'un de l'autre, irrépressible, immense, sincère, ne pouvait en aucun cas être considéré comme une faute.

Les jours passaient, et mon inquiétude grandissait. J'étais maintenant enceinte de trois mois ; mes malaises s'estompaient, se faisaient plus rares. Dans quatre ou cinq semaines, ma taille commencerait à s'arrondir. Ce serait alors le moment de relever la tête et d'affronter les premières réactions.

* * *

Vers la fin du mois de novembre, un matin, ma voiture refusa de démarrer. Il avait gelé dans la nuit, l'une des premières gelées avant l'hiver, et le moteur demeura sourd à tous mes efforts.

Mme Duriez me dit :

— Je vais téléphoner au garagiste. Il viendra la chercher et la réparera.

Je la remerciai et, pressée par l'heure, je me rendis au C.E.S. à pied. J'arrivai au moment où la cloche de huit heures — la deuxième — sonnait. Il ne restait plus qu'une seule rangée d'élèves devant le préau : ma classe de sixième D.

Je traversai la cour d'un pas rapide, essoufflée. *Barbe-Fine,* à côté du surveillant de service, d'un regard appuyé me montra ostensiblement l'horloge et hocha la tête avec réprobation. Je donnai à mes élèves l'ordre d'avancer, et m'excusai auprès du principal.

— Je suis désolée. Ma voiture n'a pas démarré. J'ai dû venir à pied.

Il fronça les sourcils, imperméable à mes explications :

— C'est bon pour une fois, mademoiselle Valmont. Que cela ne se reproduise pas, sinon, votre note administrative risque d'en souffrir.

Sur cette menace, il s'éloigna. Christine m'avait expliqué en quoi consistait la note administrative : à la fin de l'année scolaire, le principal mettait à chaque professeur une note sur 20, basée surtout sur l'exactitude, ainsi qu'une appréciation sur son travail en général. Ce rapport était envoyé au Rectorat, et Christine affirmait que, pour les professeurs qui n'étaient pas encore titulaires, comme elle et moi, il jouait un rôle important dans le fait de retrouver un poste à la rentrée.

Tout en grimpant l'escalier à la suite de mes élèves, je pensais que mon intérêt était de ne pas mécontenter

Barbe-Fine. Lorsqu'il connaîtrait mon état, j'aurais besoin de sa compréhension. Me condamnerait-il ? Ou bien, au contraire, se montrerait-il impartial, considérant que ma vie privée ne le regardait pas ?

La journée se passa normalement. Pendant mon cours avec la quatrième C, Valérie Brunoix, selon son habitude, se montra insupportable. Je ne savais plus comment me comporter avec elle. Si je feignais de l'ignorer, elle profitait de mon apparente indifférence pour exagérer. Si je la grondais ou la punissais, elle se cabrait, m'accusait d'être toujours après elle et de lui en vouloir. Mais, comme je ne pouvais supporter son indiscipline et son impolitesse, c'était la deuxième solution que je choisissais. Et je passais chaque heure de cours à me battre contre cette gamine trop gâtée, sans obtenir d'amélioration.

A midi, je mangeai au réfectoire des professeurs. Je terminai mes cours de l'après-midi par la sixième B. C'était ma classe préférée. Elle était composée de bons, voire d'excellents élèves. Il était agréable de leur faire cours ; je n'avais pas à répéter plusieurs fois la même explication, comme je devais parfois le faire avec des élèves moins doués. De plus, ils étaient calmes, obéissants, toujours attentifs. Avec eux, les problèmes de discipline n'existaient pas, ce qui était reposant. Les leçons que je donnais dans cette classe devenaient un véritable plaisir.

A la sortie de dix-sept heures, je me rendis au bâtiment administratif afin de polycopier le texte d'une interrogation pour le lendemain. Lorsque je sortis de l'établissement, il était dix-sept heures trente. Il faisait déjà noir, et il s'était mis à pleuvoir. Je ne pus retenir une grimace de mécontentement : sans voiture, j'allais devoir faire la route à pied, dans l'obscurité, et sous la pluie qui tombait avec une régularité obstinée.

Je marchai rapidement, mais je fus bientôt trempée. Mon manteau n'était pas imperméable, et j'avais laissé mon parapluie dans la boîte à gants de ma voiture. L'eau dégoulinait de mes cheveux dans mon cou. Je remontai mon col, mais ce n'était pas une protection bien efficace.

J'éternuai, et m'arrêtai pour chercher mon mouchoir. A cet instant, des phares m'éclairèrent, une voiture stoppa à ma hauteur. Le conducteur se pencha, entrouvrit la portière du côté du passager :

— Mademoiselle Valmont ? Que faites-vous là, seule sous la pluie ? Venez, je vais vous raccompagner.

Je reconnus le docteur Brunoix. Avec soulagement et gratitude, je montai et m'assis à côté de lui. A l'intérieur de la voiture, le chauffage ronronnait, et il régnait une chaleur agréable. J'essuyai la pluie qui coulait dans mon cou, souris au docteur :

— Je vous remercie. Je repartais chez moi à pied. Ma voiture est en panne.

Il m'observait avec gentillesse, et même avec une sorte d'attendrissement.

— Pauvre enfant ! dit-il en démarrant. Vous ressemblez à une naufragée. Rentrez vite vous sécher. Et si vous sentez que vous vous enrhumez, ajouta-t-il comme j'éternuais à nouveau, je vous conseille de boire un grog brûlant.

Je le remerciai. Il m'était doux que quelqu'un prît soin de moi, s'inquiétât de ma santé. Et je sentais que le docteur Brunoix le faisait avec sincérité, et pas seulement par réflexe professionnel.

Il arrêta la voiture devant la maison de Mme Duriez. Avant que je descende, il posa une main sur mon bras :

— Dites-moi, au sujet de votre situation... Avez-vous prévenu le père de l'enfant ?

Je secouai la tête, sentant mon visage se fermer :

— Non, et je ne le ferai pas.

— C'est bien ce que je pensais. Écoutez, il faut que je vous parle. J'ai une solution à vous proposer. Mais je ne peux pas l'exposer ici. Où pourrais-je vous rencontrer ? Êtes-vous libre, dimanche ? Je viendrais vous chercher vers midi, et nous irions manger dans un petit restaurant que je connais bien. Qu'en dites-vous ?

Surprise, je ne répondis pas tout de suite. Il se méprit sur mon silence :

— A moins que vous ne soyez pas libre, évidemment.

Je ne pus empêcher ma voix de prendre un ton désabusé :

— Oh si, je le suis ! Le dimanche, je corrige des copies. Parfois, dans l'après-midi, Mme Duriez m'invite à regarder la télévision avec elle. Ce sont mes seules occupations.

— Alors, je viendrai à midi. Cela vous va-t-il ?

Encore surprise, je fis un signe de tête affirmatif.

— Oui, mais que... ?

Il posa un doigt sur ses lèvres, d'un geste qui le fit subitement paraître très jeune :

— Chut ! Je ne dirai rien maintenant. J'ai réfléchi à vous, à votre situation. Et puis, j'ai quelque chose à vous avouer. Vous saurez tout dimanche.

Je n'insistai pas, pris congé en le remerciant à nouveau. Intriguée, je passai ma soirée à essayer de trouver la cause de cette invitation. Je cherchai vainement, me perdant en conjectures. Mais, en même temps, je me sentais réconfortée. Le docteur Brunoix s'intéressait à moi, il avait réfléchi à mon problème. Je m'endormis avec, pour la première fois, l'impression de ne plus être tout à fait seule.

* * *

Je rêvai de Bernard. Je me trouvais face à lui, et je le regardais, déchirée, en pensant que je l'aimais et que jamais il ne serait mien. Je venais de lui annoncer que j'attendais son enfant. Alors il me disait : « Laisse-moi le bébé quand il naîtra, Irène. Je l'élèverai avec Diane. » Et subitement Diane apparaissait, là, près de nous. Elle avait entendu ce que nous disions, et elle protestait, s'adressant à Bernard seul : « Moi, élever ton enfant ? Je ne suis même pas capable de lui apprendre à marcher ! Encore moins à nager, à monter à cheval ou à faire du ski. Je ne suis bonne à rien, à rien ! Il vaut mieux que je disparaisse, Bernard. Tu épouseras Irène, et vous élèverez votre enfant ensemble. Et tout sera pour le mieux. »

Je m'éveillai, extrêmement troublée. En même temps, j'étais confortée dans ma décision de ne rien dire à Bernard. S'il en parlait à Diane — et peut-être le ferait-il, car elle représentait pour lui davantage une amie qu'une épouse —, elle réagirait comme elle le faisait dans mon rêve. Elle serait capable de tenter, une nouvelle fois, de mettre fin à ses jours, pour nous laisser libres de nous aimer, Bernard et moi, et de donner à l'enfant un foyer normal. Mais serions-nous capables de construire notre bonheur sur sa mort ?

Un peu avant midi, je me préparai. Je choisis ma robe la plus habillée, je me coiffai avec soin, je mis un peu d'ombre à paupières et de rouge à lèvres. Lorsque la voiture du docteur s'arrêta devant la maison, Mme Duriez, que j'avais prévenue, sortit de sa cuisine :

— Bonne journée, mademoiselle Valmont ! Ça vous fera du bien de sortir. Vous êtes toujours enfermée. Pour une jeunesse comme vous, ce n'est pas normal.

Elle m'accompagna jusqu'à la porte et, sur le seuil, nous fit un signe de la main tandis que la voiture démarrait. Je remarquai son air entendu et complice, et je me sentis agacée.

Près du docteur Brunoix, je me détendis. En costume foncé, chemise blanche et cravate, il était très séduisant. Il se tourna vers moi, me sourit :

— Ça va ? Vous avez faim, j'espère ? Là où je vous emmène, les plats sont excellents et copieux.

J'eus un hochement de tête indécis. Faim ? Je me sentais, parfois, encore nauséeuse, et mes malaises n'avaient pas disparu complètement. Je le dis, et le docteur Brunoix m'assura que, bientôt, dès le quatrième mois de grossesse, ils ne seraient plus qu'un mauvais souvenir. Mais à ce moment-là, pensai-je, ce serait d'autres problèmes que j'aurais à affronter.

Le restaurant était à la fois cossu et sympathique. Lorsque nous fûmes assis face à face, la carte entre les mains, le docteur Brunoix me regarda :

— Mangeons d'abord. Nous parlerons après. Ce que j'ai à vous dire est très sérieux, et ce que je vais vous proposer pourra, si vous acceptez, changer totalement votre vie.

Il vit mon expression intriguée et secoua la tête en souriant :

— Occupons-nous d'abord de notre repas. Voyons,

que choisissez-vous, Irène ? Vous permettez que je vous appelle Irène, n'est-ce pas ? Et vous, appelez-moi Roger. J'ai horreur de ce « docteur » trop cérémonieux. D'accord ?

— D'accord, doct... euh... Roger.

J'éprouvais une sensation d'irréalité. Cet homme, que je savais bon et sincère, mais que je connaissais à peine, se montrait aujourd'hui sous un autre jour. Habituellement, je ne voyais en lui que le médecin. Mais je découvrais maintenant qu'il pouvait être un compagnon agréable et prévenant.

Pendant le repas, notre conversation porta sur divers sujets. Il m'interrogea sur mon enfance, sur mes parents. Je lui racontai pourquoi j'avais voulu être d'abord professeur d'anglais, puis de français, et finalement de mathématiques. De son côté, il me parla de sa vocation de médecin, qui datait de son enfance. Il me dit aussi qu'il aimait lire, me cita ses auteurs préférés. Il était intelligent, cultivé, et je m'apercevais que je me sentais bien auprès de lui.

Nous venions de terminer notre dessert lorsque, subitement, une nausée me secoua l'estomac. Je balbutiai :

— Excusez-moi...

Je n'eus que le temps de me lever et de me rendre aux toilettes. Je rendis tout mon repas, le corps parcouru de frissons. Le reflet de mon visage dans le miroir surmontant le lavabo m'effraya. Il était verdâtre, luisant de sueur. Je fis couler de l'eau, me frottai vigoureusement les joues. Lorsque je me sentis mieux, je retournai dans la salle. En me dirigeant vers notre table, j'avais l'impression de marcher dans du coton.

Le docteur Brunoix, ou plutôt Roger, me regardait venir vers lui avec une inquiétude qui fit courir une onde de chaleur dans mon corps glacé. Comme c'était doux de le voir se soucier de moi, de ma santé !

— Ça va mieux ? s'enquit-il avec sollicitude.

Je fis un signe affirmatif. Un tremblement agitait encore mon estomac, mais je m'efforçais de l'ignorer.

— Excusez-moi d'avoir quitté la table ainsi. Mais je n'ai pas pu faire autrement. C'était si soudain...

— Cela ne vous arrive jamais pendant votre travail, au milieu d'un cours ?

— Non, heureusement. Une fois, j'ai eu ce genre de malaise pendant la récréation, alors que je me trouvais en salle des professeurs. Je n'ai eu que le temps de courir aux toilettes.

— Personne ne s'en est aperçu ?

— Non. Les autres professeurs discutaient. Ils n'ont pas fait attention.

Il m'observa un instant sans répondre, puis il reprit, le front soucieux :

— Qu'avez-vous décidé de faire ? Dans un mois, lorsque vous ne pourrez plus cacher votre état, que direz-vous aux autres ?

Je fronçai les sourcils, embarrassée.

— Je ne sais pas encore. Je verrai bien, le moment venu.

Il s'appuya au dossier de sa chaise, tout en me fixant d'un regard grave :

— J'ai réfléchi à cette situation. Et je vais vous faire part du fruit de mes réflexions.

Il se pencha vers moi, et ses yeux prirent une expression plus tendre, sa voix se fit plus pressante :

— Il faut d'abord que je vous dise que, dès que je vous ai vue, je me suis senti attiré par vous. Depuis la mort de ma femme, mon cœur était resté comme engourdi. Et vous, vous l'avez réveillé. Je sais que vous n'avez rien fait pour ça, et moi, de mon côté, je n'ai pas montré combien vous m'attiriez. Mais je pensais à vous sans cesse. Votre visage venait me troubler et je me demandais si, contre toute raison, je n'étais pas en train de tomber amoureux de vous.

La surprise me laissa sans voix. Lui, amoureux de moi ! Comment était-ce possible, si vite ? Mais pourquoi pas ? pensai-je aussitôt. Moi, j'avais aimé Bernard au premier regard, et je savais que je n'aimerais jamais que lui.

— Je n'avais pas l'intention de vous parler tout de suite. Mais les événements ont changé ma décision. Vous attendez un enfant, et le temps presse. Puis-je vous dire à quoi j'ai pensé ?

Encore sous le coup de la surprise, je ne voyais pas où il voulait en venir. J'acquiesçai d'un signe de tête et il continua :

— Je vous propose de devenir ma femme. Votre enfant aura un père, nous l'élèverons ensemble. Et puis, de votre côté, vous vous occuperez de Valérie. Si elle est trop gâtée par Berthe, vous y mettrez un frein. Je fais confiance à vos qualités pédagogiques. Vous avez été la seule à me parler de problèmes que je ne soupçonnais pas. Il me semble que votre présence auprès de ma fille sera bénéfique.

Je secouai la tête, un peu abasourdie :

— Vous me proposez un arrangement, c'est ça ? Un arrangement qui devrait nous satisfaire tous les deux ?

A travers la table, il prit ma main, l'enveloppa dans une étreinte chaude et ferme :

— Ne vous méprenez pas. Je suis amoureux de vous, et notre mariage sera un vrai mariage. Vous serez ma femme dans tous les sens du terme. Ma compagne, et ma maîtresse. Comprenez-vous ? ajouta-t-il avec un sourire qui atténua ce que ses paroles pouvaient avoir de rude.

— Oui, je comprends.

Sous son regard qui se faisait ardent, je me troublai. Devenir sa femme... Jamais je n'avais pensé à lui comme à un mari éventuel. Comment réagirais-je, lorsqu'il faudrait me donner à lui ? Et puis, serait-ce honnête de l'épouser, alors que mon cœur appartenait à un autre ?

Il lut sur mon visage mon indécision. La pression de sa main sur la mienne s'accentua :

— Ne me répondez pas immédiatement. Réfléchissez quelque temps. J'attendrai votre réponse. Mais n'oubliez pas une chose importante : je vous aime sincèrement.

A l'expression de son visage, de ses yeux, je vis qu'il ne mentait pas. Confuse, je pensai que je ne pouvais pas lui faire le même aveu. Je pourrais éprouver pour lui de la tendresse, du respect, de la gratitude, mais pas de l'amour. S'en contenterait-il ? Je n'osai pas lui poser la question.

Il me raccompagna, et pendant le trajet me parla de son projet sur un ton convaincant et enthousiaste.

— Votre problème sera ainsi résolu. Pour tout le monde, y compris pour Berthe et Valérie, cet enfant sera le mien. Je suis persuadé que ma fille sera ravie d'avoir un petit frère ou une petite sœur. Elle s'est souvent plainte d'être fille unique. Quant à Berthe, si vous n'y voyez pas d'inconvénient, elle continuera à habiter avec nous. Je ne peux pas la mettre dehors, elle ne comprendrait pas. J'ai pour elle la tendresse d'un fils. Je ne veux pas la blesser. Elle s'occupera de la maison comme elle le fait actuellement. Comme vous travaillez, cela sera pour vous un avantage. Vous n'aurez pas à faire le ménage ni à préparer les repas.

Je ne disais rien. La tête me tournait un peu. C'était tellement inattendu ! Il me semblait que j'étais en train de rêver.

Devant la maison de Mme Duriez, il arrêta la voiture, se pencha vers moi :

— Réfléchissez, Irène. Et... j'espère que vous me direz oui.

Il se pencha davantage, déposa sur mes lèvres un léger baiser. De nouveau, je me sentis troublée. Je sortis de la voiture et je gardai dans le cœur le dernier sourire qu'il m'adressa avant de démarrer.

J'entrai sans faire de bruit. Mme Duriez, dans le salon, bavardait avec une amie. Je me sentis soulagée. Je ne tenais pas à ce qu'elle vienne me poser des questions. J'avais besoin d'être seule.

Je réfléchis longuement, pesant le pour et le contre. Indéniablement, la proposition de Roger avait l'avantage de sauver une situation qui paraissait sans issue. Si je l'épousais, je ne serais pas une mère célibataire, je n'aurais plus rien à craindre. Je savais qu'il serait un bon père pour mon enfant. La bonté n'était-elle pas sa principale qualité ?

Un aspect de la situation, pourtant, me retenait. Je n'étais pas amoureuse de lui. Si je devenais sa femme, il faudrait que je lui appartienne. Et je n'en avais pas envie. Je n'éprouverais plus jamais, pour personne, l'élan irrésistible qui m'avait jetée dans les bras de Bernard. Et vis-à-vis de lui, mon unique amour, je me sentais coupable. J'avais l'impression de le tromper en épousant quelqu'un d'autre. Et puis, avais-je le droit de donner à son enfant un autre père que lui-même ?

Mais je me dis amèrement que je n'avais pas le choix. Bernard ne pourrait pas assumer sa paternité. Il était lié à Diane, pour le meilleur et pour le pire. C'était un autre qui me proposait de lui confier ma vie et celle de mon enfant. Et cet autre était un homme bon, sincère, auprès duquel je trouverais amour et sécurité. Il était intelligent, séduisant, cultivé. Le fait qu'il eût vingt ans de plus que moi ne me gênait pas. Et surtout, il représentait une planche de salut inespérée. Pour l'enfant que j'attendais, je n'avais pas le droit de le repousser.

Je me couchai en reportant au lendemain ma décision. « La nuit porte conseil », disait souvent ma mère. Demain matin, pensai-je, j'y verrai plus clair. Mais je sentais déjà, au fond de moi, que j'accepterais l'offre de Roger. Et je m'efforcerais d'être pour lui une bonne épouse.

Le lendemain, ma décision s'était renforcée. Je voulus l'annoncer à Roger sans tarder et, vers la fin de l'après-midi, je me rendis à son cabinet de consultation. La salle d'attente était vide lorsque j'arrivai. Je m'assis. Bientôt, le client précédent sortit. Je levai vivement les yeux vers Roger. Debout à la porte de son bureau, il posait sur moi un regard où l'attente se mêlait à l'espoir.

Il me fit entrer, ferma la porte et resta debout face à moi. Son attitude m'interrogeait, et je ne voulus pas le faire attendre plus longtemps. Je déclarai, mes yeux dans les siens :

— Je suis venue vous donner ma réponse : c'est oui.

La joie qui illumina son visage me toucha. Elle le fit paraître soudain plus jeune, me donnant un aperçu de l'adolescent qu'il avait été. Avec un enthousiasme juvénile, il prit mes mains dans les siennes, m'attira à lui :

— Merci, Irène. Vous ne le regretterez pas, vous verrez. Nous serons heureux.

Je le laissai me serrer dans ses bras, je le laissai parsemer mon visage d'une pluie de petits baisers. Lorsque ses lèvres prirent les miennes, un léger trouble m'envahit, et je fermai les yeux. Mais, en même temps, je pensai à Bernard. Pourquoi n'était-ce pas lui qui m'embrassait ? Un sentiment d'injustice, fugitif mais brûlant, me traversa.

Lorsque Roger me lâcha, des étoiles brillaient dans ses yeux. Je constatai, avec un peu de surprise, que ma réponse le rendait réellement heureux. Avait-elle donc tant d'importance pour lui ? L'amour qu'exprimait son regard agissait comme un baume sur mon cœur malheureux et meurtri.

— Nous nous marierons dès que possible. Je vais m'occuper des formalités sans tarder. Et puis, ce soir, j'annoncerai la nouvelle à Berthe et à Valérie.

Une inquiétude subite me poussa à interroger :

— Comment vont-elles réagir ?

— Elles seront surprises, sans aucun doute. Elles ne s'y attendent pas du tout. Mais elles seront heureuses de me voir heureux.

— M'accepteront-elles ? demandai-je, incertaine.

— Je ne vois pas pourquoi elles ne le feraient pas. Vous serez ma femme, dit-il d'un ton catégorique, comme si ce simple fait allait résoudre à lui seul tous les problèmes.

Je ne répondis pas, soudain pleine de doute. Berthe, si elle aimait son frère, se réjouirait peut-être de son bonheur, surtout si je la laissais continuer à s'occuper de la maison comme elle le faisait. Valérie m'inquiétait davantage. D'après le comportement qu'elle avait en classe et les réflexions peu amènes qu'elle me lançait parfois, je pouvais déduire qu'elle ne m'aimait pas particulièrement. Maintenant que j'allais devenir sa belle-mère, la situation serait beaucoup plus critique. Une belle-mère est toujours difficile à accepter, surtout pour une adolescente.

Roger vit mon inquiétude et tenta de me rassurer :

— Allons, ne vous tracassez pas à l'avance. Valérie n'a aucun souvenir de sa mère. Elle ne peut pas vous reprocher de prendre sa place. Elle ne peut rien vous reprocher, en fait. Que craignez-vous ?

— Je ne sais pas... Elle peut m'accuser de vouloir lui voler son père, par exemple.

— Ce serait ridicule. Ce que j'éprouve pour vous n'enlève rien à mon amour pour elle. Je le lui dirai clairement. Elle est intelligente, elle comprendra.

Il semblait si sûr de lui que je fus à moitié convaincue. A moitié seulement. Une partie de mon esprit s'obstinait à me dire qu'avec une adolescente comme Valérie, je devais m'attendre à rencontrer des difficultés.

Puisqu'il était établi que j'épouserais Roger, j'annonçai mon mariage autour de moi. Mme Duriez m'approuva sincèrement.

— Vous ne pouviez pas mieux choisir, me dit-elle. C'est un homme profondément bon. Vous serez heureuse avec lui.

Elle me sourit, eut un soupir de regret :

— Puisque vous allez partir, je vais me retrouver seule... A cette période de l'année, il ne me sera pas facile de vous remplacer. Et puis, je m'étais bien habituée à vous. Vous êtes la locataire idéale. Gentille, discrète, bien élevée... Je vais vous regretter.

Au C.E.S., j'annonçai la nouvelle à mes collègues. Certains me félicitèrent, mais la réaction générale fut la surprise.

— Comment as-tu fait pour le séduire ? me demanda Christine. Et si vite, en plus ! Il avait la réputation d'être un veuf inconsolable. Personne n'imaginait qu'il se remarierait un jour.

J'écrivis à mes parents. Je leur avais déjà parlé du docteur Brunoix dans mes lettres, principalement à propos de Valérie. Cette fois-ci, je leur expliquai qu'il m'avait avoué son amour, et demandé de l'épouser. Mon père serait peut-être dupe, mais ma mère, à qui je m'étais confiée, connaissait mon amour pour Bernard. Comment pourrait-elle croire que, deux mois après l'avoir quitté, j'acceptais d'en épouser un autre ? Elle me trouverait versatile, elle ne comprendrait pas. Mais, même à elle, je ne dirais pas la vérité. Personne ne la connaîtrait. Elle resterait toujours un secret entre Roger et moi.

6

Le dimanche suivant, Roger vint me chercher en fin de matinée, afin de me présenter « officiellement » à sa sœur et à sa fille.

— Je sais qu'elles te connaissent déjà, m'avait-il dit, mais jusqu'ici, tu n'étais pour elles que la prof de maths de Valérie. Maintenant, tu es ma future femme. C'est très différent.

Je me préparai avec un soin minutieux, priant silencieusement pour que mes malaises me laissent tranquille pendant quelques heures. Berthe et Valérie ignoraient encore que j'attendais un bébé. Nous avions prévu, Roger et moi, de les mettre au courant après notre mariage.

Lorsque Roger arriva, je montai dans sa voiture et essayai en vain de me détendre. J'étais terriblement crispée. Un cercle nerveux me comprimait la poitrine et m'empêchait de respirer. Roger me fit un sourire rassurant :

— Allons, ne t'inquiète pas, Irène. Et n'aie pas cet air apeuré. Berthe et Valérie sont prêtes à t'accueillir. Je leur ai parlé. J'ai même eu une longue conversation avec Valérie. Je lui ai fait comprendre que je serais malheureux si elle ne t'acceptait pas. Elle m'aime, et elle ne veut pas me faire de la peine. Elle m'a promis de se comporter convenablement. Sous des dehors exubérants, c'est une gentille petite. Tout ira bien, tu verras.

J'aurais voulu partager sa conviction. Tout au long des jours précédents, au C.E.S., pendant mes cours avec la

4ème C, Valérie, sans rien changer à son attitude habituelle, n'avait cessé de me suivre d'un regard sombre que j'avais ignoré. Une intuition me disait que mon prochain mariage avec son père ne lui plaisait pas.

Lorsque la voiture entra dans la cour et s'arrêta devant la terrasse, Berthe sortit de la maison. Je descendis de la voiture, m'efforçant de sourire chaleureusement. Un coup de vent agita les peupliers qui bordaient le mur, le long de l'allée, et les dernières feuilles voltigèrent jusqu'à moi. Je grimpai les marches de la terrasse, tendis la main à Berthe :

— Bonjour... euh...

Je m'arrêtai, embarrassée. Comment devais-je l'appeler ? Je ne l'avais rencontrée que deux fois, et notre conversation n'avait rien eu d'amical. Pour le moment, elle me regardait avec une méfiance qui me parut hostile. Roger vint à mon secours :

— Appelle-la Berthe, voyons ! Elle sera bientôt ta belle-sœur.

— Bonjour, Berthe, dis-je aimablement.

Elle me serra la main avec froideur :

— Bonjour, Irène. Bienvenue dans la maison de mon frère. Entrez, je vous prie. Nous irons au salon boire l'apéritif.

J'obéis, me sentant reléguée au simple rang d'invitée. Berthe me faisait comprendre qu'elle était la maîtresse de maison et qu'elle entendait le rester. Alors que nous nous installions dans le salon, il y eut une cavalcade dans l'escalier et Valérie arriva, essoufflée. Après avoir lancé un regard à son père, elle vint vers moi :

— Bonjour, mademoiselle. Comment allez-vous ? Bien, j'espère. Alors, comme ça, vous allez épouser papa ? Ça me fait tout drôle de penser que ma prof de maths va devenir ma belle-mère. Je n'arrive pas à réaliser.

— Allons, Valérie, intima Roger, cesse de parler à tort et à travers et tiens-toi tranquille, pour une fois.

Elle prit une expression blessée, mais elle obéit sans répliquer. Elle s'assit et resta silencieuse pendant que Berthe versait l'apéritif. Ce fut Roger qui fit les frais de la conversation. Sa sœur y participa poliment, tandis que

Valérie gardait un mutisme boudeur. Je me sentais mal à l'aise, mais Roger, assis près de moi, semblait parfaitement détendu, et même heureux. Il ne remarquait rien. Avais-je tort d'imaginer que l'attitude de Berthe et de Valérie exprimait une réprobation muette ?...

Pendant le repas, l'ambiance se détendit un peu. Berthe se comporta en parfaite maîtresse de maison, m'invitant à reprendre de chaque plat, m'interrogeant sur mes goûts. Valérie, incapable de rester longtemps silencieuse, se mit à émailler nos propos de commentaires, sans pourtant se montrer impolie comme elle le faisait parfois en classe. Je me dis que, en présence de son père, elle faisait un effort pour bien se comporter.

Je fus néanmoins soulagée lorsque le repas prit fin. Nous prîmes le café au salon, en bavardant de choses et d'autres. J'appris que Valérie avait un « hobby » qui, en fait, était une vraie passion : elle adorait faire du patin à roulettes.

— Je sais faire des tas de figures, me dit-elle avec fierté. Il faudra que je vous montre. Vous en serez baba.

— Valérie, quel langage ! protesta Roger. Exprime-toi plus correctement, voyons.

Le visage de l'adolescente se ferma. Je savais déjà qu'elle n'aimait pas être réprimandée, et je soupçonnais Berthe de ne jamais lui adresser le moindre reproche.

Je pris congé dès que je le pus et, lorsque je me retrouvai dans la voiture de Roger, je poussai un soupir de soulagement. Il se tourna vers moi, l'air satisfait :

— Tout s'est bien passé, n'est-ce pas ? Tu avais tort de t'inquiéter, ma chérie.

J'acquiesçai d'un signe de tête qui manquait de conviction. Il était vrai que Valérie et sa tante, à défaut d'être aimables, s'étaient montrées correctes. Et je n'avais pas eu de malaise comme je l'avais craint. Mais je ne m'étais pas sentie accueillie avec chaleur, et il me semblait bien que la perspective de notre prochain mariage ne réjouissait ni Berthe ni Valérie. Roger s'aperçut de ma réticence.

— Allons, dit-il tendrement, en posant une main sur les miennes, n'aie pas cette expression pleine de doute. Tout ira bien, je te le répète. Laisse-leur un peu de temps.

Pour le moment, elles sont encore désorientées. Mais, lorsqu'elles te connaîtront mieux, elles t'accepteront sans difficulté. Et tu auras un foyer, une famille, tu seras heureuse avec nous. Berthe te déchargera de tous les travaux relatifs à l'entretien de la maison. Tu n'auras rien d'autre à faire que ton travail de professeur, t'occuper de moi, des études de Valérie, et élever notre enfant lorsqu'il sera né.

« Notre enfant. » Il avait dit « notre » comme si le bébé que j'attendais était aussi le sien. Je me sentis touchée. Je le regardai avec gratitude.

— Je t'aime, Irène. Je ferai tout ce qui est en mon pouvoir pour te rendre heureuse. Et peut-être parviendras-tu à m'aimer, toi aussi ?

— Je l'espère, dis-je avec sincérité. Ça ne devrait pas être bien difficile, ajoutai-je en souriant.

J'éprouvais déjà pour lui de la reconnaissance, du respect, et une affection qui pourrait, par la suite, se transformer en tendresse. Mais mon cœur appartenait à Bernard, et je savais que jamais je ne l'oublierais. Lorsque je pensais que je retrouverais ses traits dans mon enfant, j'étais heureuse. Cet enfant serait le vivant rappel de mon bien-aimé, et ce serait comme s'il était encore un peu auprès de moi.

Lorsque Roger me quitta, il m'embrassa. Je subis son baiser avec un peu de gêne. Je retrouvais l'impression, déjà éprouvée, d'être infidèle à Bernard. C'étaient ses baisers à lui que je voulais, pas ceux d'un autre. Je me reprochai, ensuite, de réagir ainsi, mais je n'y pouvais rien. Même séparée de Bernard, ce serait toujours à lui que j'appartiendrais.

* * *

Notre mariage eut lieu entre Noël et le jour de l'An, pendant les vacances scolaires, afin que mes parents puissent être présents. Je n'étais pas encore majeure — je n'aurais 21 ans que le 15 janvier — et j'avais besoin de leur autorisation. Ma mère, au premier coup d'œil, apprécia Roger. Elle me serra contre elle et me chuchota :

— C'est quelqu'un à qui on peut faire confiance, ça se voit tout de suite. Et il t'aime, Irène. Il te regarde comme une chose fragile qu'il a le devoir de protéger.

Le repas se fit dans l'intimité. Berthe avait préparé des plats de fête ; elle avait même confectionné, avec l'aide de sa nièce, une pièce montée composée de choux caramélisés et fourrés de crème. Valérie, qui en cette circonstance exceptionnelle avait eu le droit de boire un peu de champagne, était particulièrement excitée et faisait des réflexions à tort et à travers. Ma mère la regardait avec désapprobation. Roger et mon père discutaient. Berthe s'occupait du service. Et moi, j'avais l'impression d'être étrangère à la scène. J'aurais dû être heureuse et, au contraire, je me sentais terriblement malheureuse. J'étais loin de Bernard, je l'avais quitté pour toujours, et maintenant, j'allais appartenir à un autre.

J'étais enceinte de quatre mois ; pourtant ma grossesse n'était pas encore visible. Seule ma taille avait épaissi, mais la robe de soie crème que j'avais choisie dissimulait habilement cet embonpoint naissant. Personne, pas même ma mère, n'avait deviné que j'attendais un enfant.

La veille, j'avais retiré toutes mes affaires de mon précédent logement, et j'avais fait mes adieux à Mme Duriez. Avec émotion, elle m'avait souhaité beaucoup de bonheur, et répété que j'allais lui manquer. En quittant « ma » petite chambre, j'avais eu un instant d'appréhension, presque d'angoisse. J'avais eu envie d'y revenir, sans rien changer à ma vie. Mais c'était impossible. Il y avait l'enfant que j'attendais, à qui je devais donner un père. C'était pour lui, surtout, que j'épousais Roger.

Nous étions maintenant dans notre chambre. Il était très tard. Valérie dormait. En bas, Berthe finissait de ranger la vaisselle. Dans la salle de bains attenante, j'avais passé un déshabillé, j'avais brossé mes cheveux et mes dents. Intimidée, mal à l'aise, je m'approchai du lit sur lequel Roger était étendu, en pyjama. Je lisais dans ses yeux un désir auquel j'étais incapable de répondre. Il vit mon visage crispé, me sourit avec tendresse et un peu d'amusement :

— Ma chérie, n'aie pas un air aussi terrorisé ! Je ne suis pas un ogre, je ne vais pas te dévorer. Viens, allonge-toi près de moi et détends-toi.

Je lui obéis. Il m'attira à lui, posa ma tête au creux de son épaule.

— Voilà. Es-tu bien ?

— Oui.

Ma voix n'était qu'un souffle. Je ne voulais pas penser à Bernard, je ne voulais pas penser que c'était dans ses bras à lui que j'aurais dû être, folle de désir et de passion. Je devais payer le prix, me dis-je, et être loyale avec Roger. Je m'obligeai à me détendre. Il me caressait les cheveux avec douceur, d'un mouvement lent et agréable, qui peu à peu parvint à m'apaiser. Je fermai les yeux.

— Ma chérie... Tu es ma femme, maintenant...

J'eus un léger sursaut, consciente de ce que cette phrase impliquait. Roger enfouit son visage dans mes cheveux, puis il se mit à m'embrasser. Les yeux toujours clos, je demeurai passive. Je voulus faire un effort et nouai mes bras autour de son cou. Il déboutonna ma chemise de nuit, découvrit mes seins, les couvrit de baisers. L'image de Bernard apparut derrière l'écran de mes yeux fermés, et je me mordis les lèvres jusqu'au sang. Pardonne-moi, mon bien-aimé, criai-je silencieusement, pardonne-moi si j'appartiens à un autre que toi !

En murmurant des mots d'amour, Roger me caressait, embrassait chaque partie de mon corps. Lorsqu'il me pénétra, je détournai la tête, et des larmes brûlantes jaillirent de mes paupières obstinément serrées. Je pleurai jusqu'au moment où, comblé, il retomba à mes côtés, un bras autour de ma taille, Je crus qu'il s'était endormi, mais je me trompais. D'une voix douce, il demanda :

— Irène... Pourquoi pleures-tu ?

Pouvais-je lui dire que je pleurais sur mon amour perdu et que c'était à lui, et à lui seul, que mon corps aspirait à se donner ? Comment accepter, le cœur léger, d'être la femme d'un autre ? Je ne répondis pas.

De nouveau, Roger me caressa les cheveux :

— Je t'aime, Irène. Aie confiance en moi, ma chérie. Je promets de tout faire pour que tu sois heureuse.

Ses paroles atténuèrent un peu ma souffrance et mes regrets. J'étais en sécurité auprès de lui. Et il serait, pour mon enfant, un père aimant et bon.

Mes larmes se tarirent. La dernière sensation que j'eus, avant de sombrer dans le sommeil, fut la caresse de sa main sur mes cheveux.

Le lendemain, nous partîmes pour un court voyage de noces. Roger m'emmena en Normandie, me fit visiter le village où étaient nés ses grands-parents et où avait vécu sa mère avant d'épouser le jeune médecin qui l'avait emmenée dans le Nord, dans une région où les champs voisinaient avec les puits de mine et les corons. Il me montra leur tombe, dans le petit cimetière à la grille rouillée.

— Nous venions passer nos vacances chez eux, chaque été, Berthe et moi, me confia-t-il en déposant sur la pierre grise une couronne de fleurs artificielles. Je les aimais beaucoup. Ils sont morts à un an d'intervalle, alors que je n'étais qu'un adolescent. J'ai eu beaucoup de peine.

Je pris sa main et la serrai en un geste de consolation. Je ressentis envers lui un élan de tendresse, et pour la première fois depuis notre mariage, je pensai que je pourrais l'aimer. Ce ne serait pas l'amour dévorant que j'éprouvais pour Bernard, ce serait quelque chose de plus calme, de plus doux. Je me rapprochai de lui et il m'entoura les épaules de son bras. Ainsi enlacés, nous sortîmes du cimetière.

L'hôtel où nous prîmes pension était proche de la mer. Chaque jour, nous allions faire de longues promenades sur la plage. Bien couverts, nous bravions le froid, nous marchions sur le sable mouillé, accompagnés du cri aigu des mouettes. La plage, immense et déserte, nous appartenait. Au loin, nous apercevions la silhouette du Mont-Saint-Michel.

— Nous irons le visiter un jour, promit Roger. Peut-être l'été prochain ? Ou le suivant ? Notre enfant naîtra fin mai. Il sera encore trop petit pour profiter de la mer au moment des vacances. Par contre, l'année suivante, il commencera à trottiner, à jouer au sable et à l'eau. J'ai hâte qu'il soit là, Irène. J'espère que ce sera un fils.

Chaque fois qu'il parlait du bébé, il disait « notre enfant ». Il le considérait comme le sien. Mais je n'oubliais pas, moi, qu'il était celui de Bernard.

Les jours s'écoulèrent, calmes, heureux. Un seul incident, le premier soir, assombrit Roger. Nous venions de quitter la salle à manger, après le repas, lorsque la jeune serveuse me rattrapa :

— Mademoiselle ! me cria-t-elle. Attendez ! Votre père a oublié ceci sur votre table.

Elle me tendit la carte routière sur laquelle Roger avait noté les curiosités à visiter. A cet instant, il revenait vers moi, tenant la clef de notre chambre qu'il était allé chercher à la réception. Il entendit la phrase de la serveuse. Je le vis se raidir.

— Ce n'est pas mon père, rectifiai-je sèchement. C'est mon mari.

La jeune fille rougit de confusion :

— Oh, excusez-moi, balbutia-t-elle. J'avais cru...

Pendant quelques secondes, je regardai Roger avec des yeux différents. Il était vrai qu'il avait l'âge d'être mon père. Mais je n'y attachais aucune importance. Je le lui répétai tandis que nous montions l'escalier, et, à force d'insistance, je parvins à le convaincre.

Ce fut la seule fausse note de notre séjour. Le reste du temps, tout se passa bien. J'apprenais à connaître mon mari, j'appréciais sa patience, sa gentillesse, son inaltérable bonté. Nous prenions le petit déjeuner dans notre chambre, puis nous allions nous promener. Après le repas de midi, nous faisions une autre promenade, et je respirais à pleins poumons l'air marin.

— Respire, me répétait Roger. C'est excellent pour le bébé.

C'était après le repas du soir que la situation, pour moi, devenait critique. Car nous regagnions notre chambre et Roger, dédaignant la télévision, me prenait dans ses bras, m'embrassait, me déshabillait. Je me laissais faire, comme une épouse soumise. Je tentais même de répondre à ses baisers, à ses caresses. « Avec de la bonne volonté, on arrive à tout », avait coutume de dire mon père. Pourquoi ne pouvais-je m'empêcher, à chaque fois, de penser à Bernard, et à l'ardeur avec laquelle je me serais blottie dans ses bras, sans avoir besoin de faire appel à ma bonne volonté ?...

Nous revînmes pour le Nouvel An. Lorsque Roger arrêta la voiture devant la terrasse, Berthe sortit de la maison. Un sourire heureux illuminait son visage. Mais ce sourire ne s'adressait qu'à son frère. C'était lui qu'elle regardait, c'était vers lui qu'elle se dirigeait. Elle le prenait aux épaules, levait la tête pour l'embrasser :

— Bonjour, mon grand. Et bonne année. Comme tu m'as manqué !

— Bonne année à toi aussi, Berthe.

Dans les bras l'un de l'autre, ils se regardaient avec une immense affection. Debout près d'eux, incertaine, je ne savais que faire. J'avais l'impression qu'ils avaient oublié ma présence. Ce fut l'arrivée de Valérie qui les sépara.

— Papa, papa ! cria-t-elle en s'élançant. Enfin, te voilà !

Elle se jeta contre lui avec exubérance, et, en riant, il la souleva et la fit tournoyer. Leurs regards, éclairés par la même expression de plaisir heureux, ne se quittaient pas.

Berthe se tourna vers moi :

— Bonjour, Irène. J'espère que vous avez fait bon voyage. Entrez, je vous en prie. Il fait plus chaud à l'intérieur !

— Bonjour, Berthe, et bonne année.

Je me penchai et l'embrassai. J'eus l'impression qu'elle faisait un effort pour ne pas se reculer. Roger poussa Valérie vers moi. Elle s'approcha avec réserve, presque avec réticence :

— Bonjour, Irène. Bonne année.

— Bonjour, Valérie. Bonne année à toi aussi.

J'embrassai ses joues fraîches, qui gardaient encore la

rondeur de l'enfance. Elle m'échappa, se pendit au bras de son père.

— Viens, papa, entrons. J'ai aidé tantine à préparer les plats que tu préfères. Nous voulons te montrer que nous sommes contentes de ton retour.

Elle se pencha vers lui, posa sa tête au creux de son épaule, câline :

— As-tu pensé à moi, pendant ces quelques jours ? M'as-tu rapporté quelque chose ?

— Oui, j'ai un cadeau pour toi. Il te plaira, j'en suis sûr. C'est Irène qui l'a choisi.

Elle me lança un regard surpris tandis que nous entrions dans la maison. Quelques instants plus tard, alors que nous étions au salon, je donnai à Berthe et à Valérie les cadeaux que nous avions rapportés. Pour Berthe, nous avions choisi un foulard de soie, et pour Valérie, j'avais pensé à un cadeau qui, à mon avis, lui ferait plaisir : une paire de patins à roulettes. Elle s'était plainte plusieurs fois, en ma présence, que ceux qu'elle possédait commençaient à se faire vieux et que, de plus, ils étaient rouillés. Lorsqu'elle ouvrit la boîte et qu'elle vit les patins tout neufs et rutilants, elle bondit de joie :

— Waoh ! Qu'ils sont beaux ! Merci, papa !

Elle se précipita vers son père, lui entoura le cou de ses bras, l'embrassa avec force. Il se dégagea, me désigna :

— C'est Irène qui a eu l'idée de les acheter. C'est elle que tu dois remercier.

Elle vint vers moi et, spontanément, déposa un baiser sur ma joue :

— Merci, Irène. C'est vraiment une bonne idée. Je suis très contente.

— Tant mieux, Valérie. Je savais que ça te ferait plaisir, dis-je en souriant.

Elle les essaya immédiatement, et se mit à sillonner le couloir à toute vitesse.

— Ils sont formidables ! nous cria-t-elle. Qu'est-ce qu'ils vont bien !

En regardant ses joues roses d'excitation et ses yeux brillants de plaisir, je pensai qu'elle était encore une enfant, et qu'il ne serait peut-être pas si difficile de me faire accepter d'abord, et aimer ensuite.

Le lendemain, je voulus jeter un coup d'œil aux devoirs de Valérie.

— J'ai tout fait, me dit-elle, sauf les exercices d'anglais. Ils sont difficiles. Je n'y comprends rien, et tantine ne peut pas m'aider.

— Montre-moi ça.

Elle m'apporta son livre. J'avais été une excellente élève en anglais — j'avais même envisagé, à un moment, de devenir professeur en cette matière —, et je n'avais rien oublié. Je lui expliquai la leçon, je l'aidai à faire les exercices. Elle se montra satisfaite :

— Ça, c'est bien. Grâce à vous, j'aurai une bonne note. C'est chouette !

Mais, lorsque je lui proposai de lui faire réciter ses leçons, elle refusa tout net.

— Je ne suis plus un bébé, Irène. Si je dis que je sais tout par cœur, c'est vrai. Ce n'est pas la peine de vérifier.

Je savais, d'après mon expérience personnelle et celle de mes collègues, que si Valérie faisait toujours correctement ses devoirs, en revanche, elle avait horreur d'apprendre ses leçons. Je voulus insister tout en cherchant un biais pour la convaincre :

— Donne-moi ton cahier de géographie. Tu ne réciteras pas si tu n'en as pas envie. Simplement, je te poserai quelques questions, et tu répondras.

Je vis à son regard buté qu'elle allait encore refuser, mais elle n'en eut pas le temps. Comme par hasard, à cet instant précis, Berthe entra dans la pièce :

— J'ai entendu ce que vous disiez, Irène. — Je pensai immédiatement qu'elle avait dû écouter, dissimulée dans le couloir. — Laissez donc ma nièce tranquille. Et faites-lui confiance lorsqu'elle vous dit qu'elle a appris ses leçons. Elle n'a pas l'habitude de mentir, que je sache.

Aussitôt, forte de l'appui de sa tante, Valérie se mit à se plaindre :

— Elle ne veut pas me croire, tantine. Pourtant, je dis la vérité. Je sais tout par cœur, vrai de vrai.

— Mais oui, ma chérie. Je te connais. Je sais bien, moi, que tu ne mens pas.

Berthe m'adressa un regard outré et sortit, accompagnée de Valérie qui arborait un sourire victorieux. Je renonçai à insister et me laissai tomber sur une chaise, découragée. Si Berthe contrecarrait tous mes efforts, ma tâche ne serait pas facile.

Je m'aperçus, au cours des jours suivants, que mes craintes n'étaient pas vaines. Ce genre de scène se répéta plus d'une fois. Je ne dis rien devant Valérie. Mais, dès que je le pus, je pris Berthe à part.

— Si vous démolissez tous mes efforts, je n'arriverai à rien avec cette enfant.

Elle me jeta un regard froid et réprobateur :

— Vous ne savez pas vous y prendre avec elle. Je la connais mieux que vous. Je m'occupe d'elle depuis sa naissance.

Le jeudi, Valérie passa toute la journée à jouer avec ses nouveaux patins. Le temps se montrait clément pour la saison et, dehors, sur le trottoir devant la maison, ainsi que sur l'entrée de ciment qui menait au garage, elle allait et venait, avec une adresse et une rapidité qui me donnaient le vertige. Vers le milieu de l'après-midi, alors que le jour commençait à baisser, je sortis et je l'appelai :

— Valérie ! Viens faire tes devoirs.

Je constatais de plus en plus que cette enfant avait besoin d'autorité. Roger, pris par ses malades, était absent du matin au soir. Quant à Berthe, lorsqu'il s'agissait de sa nièce, elle se comportait avec une faiblesse que je trouvais déplorable.

— Pas maintenant.

Sur cette réponse, Valérie tournoya devant moi, fit un demi-tour impeccable et s'élança de nouveau, vive et légère. J'ouvris la bouche pour la rappeler et l'obliger à obéir, mais, de nouveau, Berthe apparut :

— Laissez-la donc tranquille. Elle a bien le droit de s'amuser un peu, non ? Elle ne fait rien de mal.

Je retins mon agacement et expliquai posément :

— Il faut qu'elle vienne faire ses devoirs. Elle a suffisamment joué depuis ce matin.

— J'allais justement l'appeler pour goûter. Elle travaillera ensuite. Cessez donc de la traiter comme si elle était un bébé. Elle est assez grande pour savoir ce qu'elle a à faire.

Elle passa devant moi, cria :

— Valérie ! Viens goûter !

Une tornade ramena une Valérie échevelée, aux joues rougies par la course :

— M'as-tu préparé du chocolat chaud ?

— Oui, avec des biscuits.

— Chic alors !

Sans enlever ses patins, elle entra dans la maison, glissant comme une sylphide. Elle passèrent toutes les deux devant moi, m'ignorant totalement. Je rentrai à mon tour, me sentant inutile et repoussée.

Toutes mes tentatives furent ainsi, dès le début, vouées à l'échec. Valérie, habituée depuis toujours à n'en faire qu'à sa tête, ne m'obéissait pas. J'avais parfois l'impression que, si j'insistais, elle n'hésiterait pas à se montrer désagréable et impolie. Mais, de toute façon, je n'avais pas le loisir d'insister. Berthe était toujours là, apparaissant immédiatement, contrecarrant mes essais d'autorité, prenant automatiquement la défense de sa nièce. Valérie, forte de son soutien, ne faisait aucun cas de mes remarques et agissait comme si elle ne les entendait pas.

Je trouvais cette situation de plus en plus pénible et je cherchais le meilleur moyen d'y mettre fin. Il faudrait peut-être que j'en parle à Roger, me disais-je parfois. Mais, en ce moment, dans le village, régnait une épidémie de grippe, et Roger se trouvait débordé de travail. Il ne s'accordait qu'une demi-heure pour manger le midi, et lorsqu'il rentrait le soir, il était si exténué que j'hésitais à l'ennuyer avec ce problème. Et la situation menaçait de s'éterniser.

* * *

Le 15 janvier, j'eus 21 ans. Je reçus une carte de mes parents. « Joyeuse majorité, ma chère enfant, m'écrivaient-ils. Que cette année t'apporte bonheur et santé, qu'elle voie la réalisation de tous tes souhaits. » Ils m'avaient envoyé également un cadeau : plusieurs livres, dont *La Fille pauvre* de Maxence Van Der Meersch, qui faisait partie de mes auteurs préférés.

Au C.E.S., mes élèves, avertis je ne sais comment de mon anniversaire, m'offrirent leurs vœux. Certains m'apportèrent un menu présent. En sixième D, Abdelkader vint me trouver à la fin du cours et me tendit une rose en papier :

— Tenez, mademoiselle. — Bien que je fusse mariée, tous continuaient à m'appeler mademoiselle par habitude. — C'est pour votre anniversaire. Nous avons fabriqués cette rose avec M. Descamps, en travail manuel, et je me suis appliqué pour bien la réussir. Pour vous.

Je pris la fleur et remerciai l'enfant. J'étais touchée qu'il m'offrît un cadeau, lui que je traitais comme un paria en l'isolant au fond de la classe, puisqu'il continuait à venir à l'école sans cahier, cartable ni crayons.

— Merci, Abdelkader. Elle est vraiment très belle.

Il parut satisfait de mon approbation et s'éloigna avec fierté.

Lorsque j'arrivai en classe de cinquième E, les élèves m'attendaient tous debout.

— Joyeux anniversaire, mademoiselle ! s'exclamèrent-ils en chœur.

Ces mots étaient également écrits au tableau et décorés de fleurs joliment dessinées. Sur le bureau m'attendait un paquet. Je l'ouvris, tandis que les yeux des élèves m'observaient avec une attente joyeuse. Je sortis un livre : *Les Mathématiques en s'amusant.*

— C'est de la part de toute la classe, me dit Corinne, la déléguée. Nous nous sommes cotisés pour vous l'offrir. C'est plein d'énigmes et de questions marrantes.

— Merci beaucoup, dis-je en souriant. Vous avez très

bien choisi. C'est un livre qui ne peut que m'intéresser. Merci, mes enfants.

Je vis qu'ils étaient heureux de m'avoir fait plaisir. Ces élèves étaient loin d'être brillants, mais ils compensaient leur faiblesse intellectuelle par une gentillesse et une bonne volonté à toute épreuve. De mon côté, je les encourageais du mieux que je pouvais. Je ne leur donnais jamais d'exercices dépassant leurs possibilités et, comme certaines des filles soignaient particulièrement bien leur cahier, allant jusqu'à décorer les titres des leçons de fleurs coloriées, je les ramassais de temps à autre pour les noter. Et ces élèves, si peu habitués à avoir une bonne note, étaient tout heureux de récolter un 18 ou un 20. Ils faisaient un effort supplémentaire, ensuite, pour s'appliquer davantage et travailler mieux. Nous nous entendions bien, eux et moi.

Le soir, au moment du repas, Roger, Berthe et Valérie m'offrirent leurs cadeaux : un pendentif en or de la part de Roger, que je reçus avec émotion et ravissement ; Berthe me tendit un paquet contenant un châle d'un mauve sucré, couleur que je détestais, et qui eût mieux convenu à une vieille personne qu'à une jeune femme de 21 ans. Quant à Valérie, elle m'offrit un pull bariolé, aux teintes si criardes que je me demandai si j'oserais le porter. Néanmoins, je les remerciai toutes les deux avec une conviction que je n'éprouvais pas.

— Je l'ai acheté avec mon argent de poche, déclara Valérie avec importance.

— Merci, Valérie, dis-je sincèrement, sachant qu'elle avait fait un effort pour me faire plaisir.

Après le repas, Roger me fit un clin d'œil de connivence, me prit la main, adressa un sourire à sa fille et à sa sœur :

— Irène et moi, nous avons une nouvelle à vous annoncer. Une nouvelle qui, nous l'espérons, vous fera plaisir. Nous allons avoir un bébé.

Il y eut un silence abasourdi. Berthe s'était raidie et ne disait rien. Quant à Valérie, les yeux ronds, l'air incrédule, elle fixait son père comme s'il eût proféré une énormité. Elle coassa d'une voix étrange :

— Un bébé ? Ce n'est pas possible... C'est une blague ?

— Mais non, sourit Roger, ce n'est pas une blague. C'est très sérieux, au contraire. Tu vas bientôt avoir un petit frère ou une petite sœur.

L'adolescente eut une sorte de haut-le-cœur, comme si elle se sentait mal. Avec violence, elle protesta :

— Mais c'est ridicule ! Je n'en veux pas ! Je n'en veux pas !

— Comment ça ? s'étonna Roger. Si je me souviens bien, lorsque tu avais sept ou huit ans, tu ne cessais de te plaindre d'être toute seule. Et maintenant, tu...

— Mais ça n'a rien à voir, coupa-t-elle avec fureur. Je suis trop grande, maintenant. J'ai quatorze ans. Je ne veux pas d'un affreux marmot qui va brailler toute la nuit et m'empêcher de dormir. Et puis, ajouta-t-elle avec une cruauté inconsciente, tu es trop vieux pour avoir un bébé ! C'est ridicule ! Ridicule !

— Ça, c'est mon affaire, dit Roger, blessé. Tu me déçois, Valérie. Je ne m'attendais pas à une telle réaction de ta part. J'étais persuadé, au contraire, que tu serais contente.

— Eh bien, tu te trompais ! Je ne suis pas contente, je suis furieuse !

Elle jeta sa serviette sur la table, repoussa sa chaise, quitta la pièce en courant et partit se réfugier dans sa chambre, dont elle claqua la porte violemment. J'étais atterrée par sa réaction. Moi non plus, je ne l'avais pas imaginée ainsi.

Berthe, qui n'avait encore rien dit, se leva et me lança un regard chargé de ressentiment, comme si c'était moi l'unique responsable de cette scène pénible.

— Elle a éprouvé un choc, c'est certain, constata-t-elle, excusant automatiquement sa nièce. Elle est trop sensible. Et puis, elle ne s'attendait pas à ce genre de nouvelle. Moi non plus, d'ailleurs.

Roger haussa les épaules, mécontent :

— Il faudra vous y faire, pourtant. Lorsque le bébé sera là, je suis sûr que Valérie changera d'avis. Elle sera heureuse d'avoir une poupée vivante à dorloter.

Ce n'était qu'un faible espoir, mais je m'efforçai de m'y accrocher. Je me sentais soudain terriblement lasse. Je me levai, prise de vertige.

— Excusez-moi. Je vais me retirer. Je ne me sens pas bien.

Roger m'enveloppa d'un regard inquiet.

— Va t'allonger dans notre chambre, Irène. Je te rejoins bientôt.

Je montai l'escalier avec effort. Sur le palier, je m'arrêtai un instant. De la chambre de Valérie me parvint un bruit de sanglots. Soudain, j'eus de la peine pour cette enfant. J'avais fait irruption dans sa vie, l'obligeant à partager ce père qu'elle avait eu pour elle toute seule depuis sa naissance. De plus, j'allais maintenant lui imposer une autre présence, dont elle ne voulait pas. Cédant à une impulsion subite, je frappai, ouvris la porte de sa chambre et entrai.

Elle était à plat ventre sur son lit, le visage enfoui dans son oreiller. Au bruit que je fis en refermant la porte, elle se retourna, me vit et lança, agressive :

— Que voulez-vous ? Allez-vous-en !

Je m'approchai, m'assis au bord du lit, tendis la main pour lui caresser les cheveux. Elle recula avec une sorte de répulsion :

— Laissez-moi tranquille ! Allez-vous-en ! répéta-t-elle, le visage convulsé de colère.

— Valérie, dis-je calmement, écoute-moi. Il est inutile de te mettre dans des états pareils. Tu fais de la peine à ton père. Que crains-tu ? Pourquoi ne veux-tu pas du bébé que j'attends ?

Elle me jeta un regard noir :

— Je n'en veux pas, c'est tout. Je sais trop bien ce qui va se passer. L'an dernier, Evelyne, une fille de ma classe, a eu un petit frère. Elle m'a raconté. Ses parents ne s'occupaient plus que de lui. Ils ne faisaient plus attention à elle. C'était comme si elle n'existait plus.

— Je te promets que cela ne se produira pas. Ton père t'aime, Valérie, et l'arrivée du bébé ne changera rien à la tendresse qu'il éprouve pour toi.

Elle haussa les épaules, maussade :

— Je ne vous crois pas. Vous espérez, au contraire, que papa préférera le bébé, et qu'il me laissera tomber. Je vous déteste ! Et cet affreux bébé, je le déteste aussi ! Oh, comme je le déteste ! cria-t-elle d'une voix perçante.

Elle s'abattit sur son lit et se remit à sangloter de plus belle. Je jugeai plus sage de ne pas insister. Dans l'état où elle était, il était inutile de tenter de la convaincre. Malheureuse, je regagnai ma chambre. Je m'allongeai sur le lit, en proie à une migraine lancinante. En bas, le téléphone sonna. Roger me cria qu'il était appelé pour une urgence. Je l'entendis sortir, j'entendis sa voiture démarrer et s'éloigner. Des larmes me vinrent aux yeux, se mirent à couler sur mes joues. Je me sentais seule et abandonnée. Tout bas, j'appelai Bernard. Parviendrais-je un jour à être heureuse sans lui ? Roger m'apportait son soutien, sa compréhension, sa tendresse, mais ce n'était pas lui que j'aimais. Son métier l'accaparait beaucoup, et il n'avait pas le temps de s'occuper de mes états d'âme. Mais, s'il n'y avait eu que nous deux, tout aurait été plus facile. C'était l'attitude de Berthe et de Valérie qui gâchait tout. Elles ne m'acceptaient pas, et maintenant, avec la prochaine venue du bébé, je me disais que ce serait encore pire.

* * *

Au C.E.S., le lendemain, j'annonçai que j'attendais un enfant. Je le fis dans le bureau du directeur, à un moment où le principal était également présent.

— A quelle époque est prévue la naissance ? me demanda-t-il.

— Vers la fin du mois de mai.

Je guettai sa réaction avec appréhension. Allait-il calculer, en déduire que j'étais déjà enceinte lorsque j'avais épousé Roger ?

— Il va falloir que je prévienne le Rectorat. Comme vous serez en congé de maternité six semaines avant, je dois demander un remplaçant.

Je respirai, soulagée. C'était la question administrative,

uniquement, qui l'intéressait. Le reste ne le concernait pas.

Parmi mes collègues, par contre, certains — des femmes surtout — enveloppèrent ma silhouette d'un regard entendu. Christine, plus franche, et aussi plus proche de moi, m'abreuva de ses commentaires :

— Petite cachottière ! Tu attends ton bébé pour fin mai ? Cela signifie que tu l'as fait en septembre ? Dis-moi, tu n'as pas perdu de temps pour séduire ton docteur ! Etait-ce un coup de foudre ? En tout cas, c'est réussi ! Je te félicite !

Elle vit mon visage interloqué, me tapa sur l'épaule avec affection :

— Allons, je plaisante ! Sincèrement, je te souhaite d'avoir un beau bébé. Et j'avoue que je suis pas loin d'envier ton bonheur, conclut-elle, le regard nostalgique.

Je ne répondis pas. Mon bonheur ? Comme il était aléatoire ! J'attendais un enfant qui ne connaitrait jamais son vrai père, et pour lui j'avais épousé un homme envers qui j'éprouvais affection et respect, mais dont je n'étais pas amoureuse. De plus, la fille et la sœur de cet homme acceptaient mal ma venue dans leur existence et créaient des difficultés dont je me serais bien passée. Seule la prochaine naissance de mon enfant éclairait ma vie d'un rayon d'espoir lumineux.

7

— Qu'est-ce que vous faites ?

Je levai les yeux. Valérie, debout à la porte du salon, me fixait avec une suspicion et un mécontentement évidents.

— Tu le vois bien. Je tricote pour le bébé.

Elle s'écria avec colère, en tapant du pied comme une enfant capricieuse :

— Je me doutais bien que c'était pour cet affreux bébé !

Je m'obligeai à rester calme et posai mon tricot :

— Valérie, ne parle pas ainsi. Ce bébé sera ton petit frère ou ta petite sœur. Il n'est pas affreux.

— Si, il est affreux ! cria-t-elle de plus belle. Et je le déteste ! Je le déteste !

Attirée par les cris, Berthe sortit de la cuisine. Valérie se précipita vers elle, se jeta dans ses bras, enfouit son visage dans l'épaule de sa tante et se mit à pleurer :

— Tantine !... Cet affreux bébé... Je n'en veux pas ! Tu ne l'aimeras pas mieux que moi, dis, tantine ? Promets-le-moi...

Berthe caressa les cheveux de sa nièce, la berçant comme si elle était encore une petite fille :

— Allons, ma chérie, calme-toi. Bien sûr que non, je ne l'aimerai pas mieux que toi. Tu es ma petite chérie, ma petite enfant, tu le sais bien... Viens, viens avec moi.

Elles partirent s'enfermer dans la cuisine, et je repris mon tricot, contrariée par cette nouvelle scène. Le bébé que j'attendais devenait pour Valérie une véritable hantise. Elle ne cessait de répéter qu'elle n'en voulait pas, et lançait à mon ventre qui s'arrondissait des regards chargés d'une animosité qui me mettait mal à l'aise.

Cette attitude ne laissait pas de m'inquiéter et, le soir même, lorsque nous fûmes dans notre chambre, j'en parlai de nouveau à Roger en lui racontant la scène de l'après-midi. Il fronça les sourcils, contrarié lui aussi, mais refusant de dramatiser la situation.

— Valérie est depuis si longtemps fille unique qu'elle a peur de se voir supplantée par le bébé. Lorsqu'elle verra que ce n'est pas le cas, elle se calmera. Et ce bébé, elle l'aimera. Prends patience, Irène. La situation s'arrangera dès la naissance, tu verras.

J'en doutais. Roger n'était-il pas trop optimiste, trop confiant ? Ou bien était-ce moi qui, au contraire, me laissais submerger par mes appréhensions ? Je ne savais que croire.

Ce soir-là, lorsque nous fûmes couchés, je pris la main de mon mari, je la posai sur mon ventre et je chuchotai mon merveilleux secret :

— Il bouge...

Ce n'était pas vraiment un mouvement. A peine un frémissement, juste la preuve secrète que mon enfant vivait... Roger sentit l'infime palpitation, et son visage s'éclaira.

— C'est merveilleux, Irène, dit-il en caressant mon ventre de sa main de praticien faite pour soigner et calmer les douleurs. Il commence à nous montrer qu'il existe réellement... J'espère que ce sera un fils.

Je me blottis avec confiance au creux de son épaule. Plus les jours passaient, plus j'appréciais la bonté et la tolérance de mon mari. Jamais il ne faisait une allusion à la façon dont j'avais conçu ce bébé. Il le considérait vraiment comme le sien, et mon cœur débordait de gratitude.

Le lendemain matin, je reçus une lettre de mes parents. Je m'étais enfin décidée, la semaine précédente, à leur écrire pour leur apprendre ma grossesse. J'avais volontairement laissé dans le vague la date de la naissance ; je craignais tellement qu'ils ne me jugent mal ! En décachetant l'enveloppe, j'étais un peu inquiète : qu'allaient-ils me dire ?

Immédiatement, mes appréhensions passèrent à l'arrière-plan, car la lettre contenait une nouvelle qui me bouleversa. « Diane s'est suicidée, écrivait ma mère, et, cette fois-ci, elle a réussi. Elle a avalé une dose massive de somnifères. Bernard est comme fou. Il se reproche de ne pas l'avoir suffisamment surveillée. Elle a laissé un mot dans lequel elle demande de lui pardonner, en essayant de lui expliquer qu'elle n'a plus le courage de vivre dans de telles conditions. Elle m'avait déjà avoué, à plusieurs reprises, qu'elle ne supportait plus d'être ainsi immobilisée. »

A moi aussi, elle l'avait dit, je m'en souvenais. Pour elle, le sport était une passion et une nécessité. Ne plus pouvoir bouger constituait un véritable supplice, une punition imméritée et inacceptée. Je repliai la lettre, les larmes aux yeux. Avait-elle trouvé la paix, maintenant ? Mes pensées s'envolaient vers Bernard. Il devait être malheureux, effondré, désespéré... Et je ne pouvais pas aller le consoler.

Ce fut un peu plus tard que la réalité m'apparut dans toute son ironie cruelle. Bernard, dorénavant, se trouvait libre. Mais c'était moi qui ne l'étais plus. Et, pour la première fois, je regrettai d'avoir épousé Roger.

* * *

L'attitude de Valérie ne s'améliorait pas. A la maison, elle ne faisait que se plaindre et vitupérer la prochaine venue du bébé, répétant sans cesse qu'elle n'en voulait pas et qu'elle le détestait. Ses crises de colère me contrariaient, et il m'était impossible de la raisonner.

Elle refusait que je m'occupe de son travail scolaire et, bien qu'intelligente et jusqu'alors assez bonne élève, elle accumulait maintenant les mauvaises notes. Elle n'apprenait plus ses leçons, bâclait ses devoirs, passait son temps libre à sillonner l'allée du jardin et les couloirs de la maison sur ses patins à roulettes, qu'elle abandonnait ensuite n'importe où. Plus d'une fois, Roger, Berthe et moi même avions failli trébucher sur l'un d'eux. Mais, là comme ailleurs, nos remontrances n'avaient aucun effet.

— Est-ce la prochaine venue du bébé qui la perturbe à ce point ? demandais-je à Roger.

Pris par son travail, il ne se rendait pas toujours compte de la situation, qu'il minimisait volontairement.

— Ça passera, répliquait-il invariablement. Elle finira bien par comprendre.

A l'école, pendant les cours, elle se montrait encore plus pénible qu'avant. Elle n'écoutait pas, perturbait la classe par des remarques incessantes, répétant aux professeurs qu'elle se fichait des punitions et des réprimandes. Mes collègues et moi, nous ne savions plus comment la prendre.

Un mardi, en début d'après-midi, j'avais cours avec sa classe à quatorze heures. C'était ce que Christine appelait l'heure de la sieste, et il était vrai que certains élèves avaient alors tendance à somnoler. Ce jour-là, j'avisai Guiseppe, l'un des Strappacchi venus de Sicile, avachi sur sa chaise au fond de la classe. Les jambes allongées, l'air absent, il paraissait dormir les yeux ouverts et ne notait rien sur son cahier. Je l'interpellai :

— Guiseppe ! Tu n'es pas ici pour dormir. Tiens-toi droit sur ta chaise. Prends ton stylo, et recopie tout ce que je viens d'écrire au tableau.

Il mit un instant avant de réaliser. Visiblement, il était ailleurs. Péniblement, il fit l'effort de se redresser, et son air renfrogné me faisait clairement comprendre que je l'ennuyais. Toute la classe avait les yeux fixés sur lui tandis que, les bras croisés, j'attendais qu'il m'obéît. Ce fut alors que Valérie intervint :

— Ne te laisse pas faire, Guiseppe ! s'exclama-t-elle à voix haute, comme si je n'étais pas là. Tiens-toi comme tu veux, et dors si tu en as envie !

— Valérie ! criai-je, excédée. Tais-toi ! Je n'ai pas besoin de tes commentaires.

Elle me brava, le regard mauvais :

— C'est ça ! Vous voulez faire la loi partout, hein ? A l'école, et à la maison !

Quelques élèves ricanèrent. Je donnai un coup de règle sur le bureau.

— Ça suffit ! Que tout le monde se taise, ou je donne une punition générale. Quant à toi, Guiseppe, dépêche-toi de recopier toutes ces formules.

Je descendis de l'estrade, tout en surveillant du coin de l'œil Valérie qui chuchotait avec sa voisine. J'allai jusqu'à la table de Guiseppe, jetai un regard à son cahier. La page était blanche, il n'avait rien noté.

— Allons, vite ! J'attends. Tu retardes tout le monde.

— ... Rien à foutre de ces formules, grommela-t-il entre ses dents... Ne serviront jamais à rien. Je veux être maçon, comme mon père. Dans deux mois, j'aurai seize ans, et je m'en irai.

— Peut-être, rétorquai-je, la voix dure. Mais en attendant tu es ici, et tu dois faire ce qu'on te dit.

De mauvaise grâce, il prit son stylo et se mit à recopier les formules inscrites au tableau, avec une lenteur voulue qui me fit l'effet d'une provocation.

— Et dépêche-toi, répétai-je en regagnant ma place. Nous ne sommes pas à ta disposition.

Il eut un haussement d'épaules que j'ignorai. Considérant l'incident clos, je continuai le cours. Mais je demeurai sur le qui-vive, appréhendant sans cesse une nouvelle intervention de Valérie. Elle seule suffisait à détériorer l'ambiance de la classe qui, sans cela, n'eût pas posé de problèmes.

Lorsque la cloche sonna, annonçant la fin de l'heure, je poussai un soupir de soulagement. Je regardai les élèves sortir et Valérie qui, sachant pourtant que c'était interdit, criait et bousculait les autres dans le couloir. Je rassemblai mes livres et quittai la salle à mon tour. A l'extrémité du couloir, *Barbe-Fine* haranguait mes élèves d'une voix sonore :

— Qu'est-ce que cette bousculade ? Vous croyez-vous dans un cirque ? Vous devez avancer en silence et en rang, accompagnés par votre professeur. Où est-il ?

A cet instant, il m'aperçut.

— C'est vous qui aviez cours avec cette classe ? Vous devez veiller à la discipline, madame Brunoix, même en dehors de vos cours. Accompagnez ces élèves jusqu'à leur professeur suivant, et que ce soit en ordre !

L'air à la fois sévère et mécontent, il nous observa tandis que nous défilions devant lui. Je remarquai le regard de jubilation ironique que me lança Valérie. Je serrai les dents, à la fois exaspérée et humiliée que *Barbe-Fine* me fît une telle réflexion devant les élèves. Plusieurs professeurs avaient déjà subi ce genre d'algarade, et Antoine, le délégué du syndicat, affirmait qu'il s'agissait là, de la part du principal, d'une faute pédagogique grave. De plus, toujours selon Antoine, nous n'avions pas à veiller à la discipline hors de notre salle de classe. Dans les couloirs, disait-il, c'était le travail des surveillants. Mais les surveillants n'étaient pas assez nombreux, nous rétorquait M. Rupert, le directeur, et ils ne pouvaient pas être partout. Et *Barbe-Fine* continuait à nous menacer de rapports au Rectorat si nous n'obéissions pas à ses directives.

A la maison, je réprimandai Valérie pour son attitude en classe, et j'essayai, une fois de plus, de lui faire comprendre qu'elle avait tout intérêt à se comporter plus correctement. Comme d'habitude, elle refusa de m'écouter, et devint agressive dès que j'insistai :

— Fichez-moi la paix, à la fin ! Occupez-vous plutôt de tricoter pour votre affreux bébé, et laissez-moi tranquille, merde alors !

— Valérie ! criai-je, outrée. Je te défends d'être grossière !

Elle grimpa l'escalier tout en jetant avec insolence par-dessus son épaule :

— Je serai comme j'ai envie d'être ! Je déteste vos ordres, je déteste ce bébé, et je vous déteste, vous aussi !

Sur ces mots elle s'engouffra dans sa chambre et en claqua la porte avec une telle violence que les murs tremblèrent. Comme il fallait s'y attendre, Berthe accourut de la cuisine :

— Que se passe-t-il encore ? Qu'avez-vous fait ?

Le fait qu'elle m'accusât immédiatement, sans savoir ce qui s'était passé, me mit en fureur. Je rétorquai avec colère :

— Posez plutôt cette question à Valérie ! Et si vous le pouvez, apprenez-lui à se montrer polie. Elle se conduit comme une enfant mal élevée, et me répond d'une façon que je ne peux tolérer.

Berthe me toisa avec réprobation :

— Si vous la laissiez tranquille, aussi... Vous êtes toujours après elle. Valérie, fais ceci... Valérie, ne fais pas cela... Valérie, as-tu fait tes devoirs ?... Valérie, range tes affaires... Ce n'est plus un bébé de deux ans. Et vous la grondez sans cesse. Comment voulez-vous qu'elle réagisse ? Avec moi, elle n'est jamais impolie. Avec son père non plus.

Face à une telle incompréhension, je me trouvai de nouveau désarmée. Avec découragement, je me détournai et entrai dans le bureau, décidée à parler à Roger le soir-même.

J'attendis que nous fussions seuls, dans notre chambre. Mais, dès mes premiers mots, il m'arrêta, se massant le front d'un air las.

— Ne pourrions-nous pas reporter cette discussion à un autre jour, Irène ? Je suis fatigué. Avec cette épidémie de grippe qui n'en finit pas, je suis littéralement débordé.

Je remarquai qu'il avait les yeux cernés et qu'il semblait effectivement exténué. J'eus pitié de lui et renonçai à l'ennuyer avec mes problèmes. Néanmoins, je ne voulais pas m'avouer vaincue.

— Il faudra que nous trouvions une solution, Roger. Valérie devient de plus en plus insupportable.

De nouveau il passa une main lasse sur son front :

— Écoute, Irène... Lorsque je t'ai épousée, je t'ai demandé de t'occuper de Valérie, mais je n'imaginais pas que ça se passerait ainsi. La situation est pire qu'avant notre mariage. Au moins, alors, j'avais la paix. Maintenant, dès que je rentre, je suis assailli de jérémiades. Valérie dit que tu lui donnes des ordres à tort et à travers, et Berthe affirme que tu ne sais pas la prendre.

— Ainsi, elles se plaignent de moi ? dis-je, offusquée. Alors que j'essaie de faire pour le mieux !...

— Prends patience, Irène, me répéta-t-il une fois de

plus. Valérie réagit ainsi à cause du bébé. Lorsqu'il sera là, tout s'arrangera.

Je croyais de moins en moins à cette affirmation optimiste. Je prévoyais au contraire que la naissance du bébé apporterait un surcroît de difficultés. Mais je ne dis rien car Roger, avec un profond soupir, se mit au lit et ferma les yeux :

— Dieu, que je suis fatigué ! Bonne nuit, Irène. A demain.

Il s'endormit immédiatement. Avec l'impression d'être abandonnée, je me glissai à ses côtés. Je restai longuement éveillée, les yeux ouverts dans l'obscurité. Une main sur mon ventre, je guettais les mouvements de mon enfant. J'essayai de l'imaginer tel qu'il serait. Ressemblerait-il à Bernard ? Serait-il brun comme lui ? Hériterait-il de ses yeux pailletés d'or, qui m'avaient séduite au premier regard ? J'avais hâte qu'il soit là, afin de retrouver chez lui un peu de mon bien-aimé. Je finis par m'endormir en souriant à l'image de mon bébé qui me tendait les bras.

* * *

Vint ce jour cruel qui anéantit tous mes espoirs. C'était le dernier jeudi de janvier. Depuis le matin, il tombait une pluie drue et persistante qui semblait ne jamais devoir s'arrêter. En début d'après-midi, dans la chambre, j'étais occupée à ranger avec amour les quelques vêtements que j'avais déjà tricotés pour le bébé. La maison était calme. Berthe repassait du linge dans la cuisine, et pour une fois, Valérie s'était enfermée dans sa chambre en disant qu'elle avait un tas de devoirs à faire pour le lendemain. Je me surpris à chantonner doucement en caressant une paire de petits chaussons noués d'un ruban bleu. Secrètement, j'espérais un fils.

En bas, le téléphone sonna. J'entendis Berthe sortir de la cuisine et aller répondre. Tout de suite après, elle m'appela :

— Irène, c'est pour vous : votre mère !

— J'arrive ! criai-je en me précipitant dans le couloir,

heureuse de cette diversion. Ma mère me téléphonait ainsi, de temps à autre, le jeudi, afin d'avoir de mes nouvelles et de bavarder avec moi. En ce moment où l'hostilité de Valérie devenait pesante, la tendresse de ma mère m'était agréable et m'apportait un réconfort qui m'était nécessaire.

L'un des patins à roulettes de Valérie se trouvait abandonné sur le palier. Je n'aperçus l'autre que trop tard. Il était sur l'avant-dernière marche, dissimulé par le rebord de la marche supérieure. Emportée par mon élan, je posai mon pied gauche en plein sur lui, et je me sentis projetée vers l'avant. Je perdis l'équilibre, tentai de me rattraper à la rampe, n'y parvins pas. Avec un cri, je tombai, à toute vitesse je dégringolai les marches qui me meurtrirent les reins. En bas, ma tête heurta violemment le mur. La douleur explosa dans mon crâne en une multitude d'étincelles de feu, et je perdis conscience.

Je revins à moi quelques heures plus tard. J'ouvris péniblement les yeux, incapable de comprendre où je me trouvais. J'étais couchée dans un lit, dans une chambre blanche et inconnue. Je me sentais bizarre, engourdie, somnolente. Je dus faire un effort pour me rappeler, et subitement tout me revint. Ma chute dans l'escalier ! Je compris que je me trouvais dans un hôpital. Je jetai un regard éperdu autour de moi. Que s'était-il passé ? Étais-je grièvement blessée ? Je n'éprouvais aucune douleur. Ce fut alors qu'une pensée traversa la torpeur qui m'obscurcissait l'esprit : mon enfant ! Avec affolement, je tâtai mon ventre, le sentis plat et vide. Le renflement qui, jusqu'alors, me disait la présence de mon enfant, n'existait plus.

Avec égarement, je tâtai encore, repoussant de toutes mes forces l'atroce réalité. Un cri d'horreur et de refus monta de ma poitrine, emplit ma tête. J'eus l'impression de perdre pied, et je pressai désespérément le bouton d'appel situé à la tête de mon lit.

Une infirmière arriva. D'une voix faussement enjouée, elle s'exclama :

— Vous voilà réveillée ? Tout va bien, ne vous agitez pas. Vous n'avez rien de cassé. Le choc à la tête n'a causé qu'un léger traumatisme. Dans quelques jours, il n'y paraîtra plus.

— Mais... mais...

Le bouleversement que j'éprouvais me faisait bégayer, et je ne trouvais plus mes mots. Je parvins enfin à interroger, sur un ton où se mêlaient crainte et supplication :

— Mon bébé ?

Une ombre passa sur le visage de l'infirmière, mais elle reprit bien vite son sourire artificiel :

— Allons, ne vous en faites pas. Vous êtes jeune, votre vie commence. Vous aurez d'autres enfants, ne craignez rien.

Le cri dans ma tête s'amplifia, éclata comme le tonnerre dans le ciel, déversant dans mon cœur un déluge de larmes. Des sanglots me secouèrent, je m'agitai, je criai :

— Non, non ! Ce n'est pas possible ! Ce n'est pas vrai !

Roulée dans les vagues furieuses d'un désespoir insupportable, je perdais conscience du monde extérieur. Je n'entendais plus les paroles de consolation de l'infirmière. En proie à une crise de nerfs, je hurlais ma douleur et ma révolte. Je sentis à peine la piqûre que l'on me fit. Noyée de larmes, je sombrai à nouveau dans l'inconscience.

Lorsque je m'éveillai, il faisait nuit. Roger était assis à mon chevet. Il se pencha aussitôt vers moi, me prit la main, me caressa le front de ses lèvres.

— Irène, ma chérie... Comment vas-tu ? Tu n'as pas mal ?

Malgré l'engourdissement provoqué par le sédatif, mon esprit réagit, et je me souvins. Silencieuses, amères, désespérées, mes larmes se mirent à couler.

— Roger... balbutiai-je dans une plainte. Mon bébé...

Il se pencha davantage, posa sa joue contre la mienne, et mes pleurs mouillèrent son visage.

— Ma pauvre chérie, je sais... Nous en aurons un autre dès que possible, et tu oublieras...

Non ! Non ! protesta mon cœur. Je n'en veux pas d'autre ! C'était celui-là que je voulais : celui de Bernard !

J'eus la force de demander :

— Était-ce une fille ? Un garçon ?

— Un garçon, dit Roger d'une voix sourde.

Le fils que j'espérais ! Mes larmes redoublèrent, et je sanglotai éperdument en m'accrochant à Roger. Dans le naufrage que représentait ma vie, il ne me restait plus que lui.

On me donna un autre sédatif pour la nuit. Le lendemain, j'étais effectivement plus calme. A la brûlante révolte de la veille avait succédé un morne désespoir. Allongée sur mon lit d'hôpital, je regardais inlassablement la pluie ruisseler sur les vitres, je suivais des yeux les nuages gris et lugubres qui se pressaient dans le ciel. Parfois, lors d'une rare éclaircie, un rayon de soleil livide se glissait entre eux, répandant une lumière blafarde avant de disparaître aussitôt. Un vent sinistre hurlait, comme un écho ininterrompu au hurlement qui emplissait ma tête et mon cœur. Une désespérance totale me laissait vide, anéantie. Jamais l'enfant de Bernard ne vivrait. Il était mort avant même d'avoir vu le jour. Et j'aurais voulu mourir, moi aussi.

Le lendemain, Berthe vint me voir. Elle m'apporta un peu de linge, quelques pommes, et un petit bouquet d'anémones, qu'elle installa sur la table de chevet. Sa visite aurait dû me faire plaisir, mais je demeurai amorphe. Je n'avais pas le courage de soutenir une conversation, et ma belle-sœur ne s'attarda pas. Elle déposa sur mon front un baiser sec, et se retira en disant :

— Prenez patience, dans quelques jours vous serez rentrée. Tout ira mieux.

Je ne répondis pas. Je ne demandai pas de nouvelles de Valérie, et Berthe ne m'en donna pas. J'étais même soulagée que ma belle-fille ne fût pas venue me voir. Je ne tenais pas à me trouver face à elle, et je ne réclamai pas sa présence.

Car, de façon subtile mais insistante, un soupçon horrible, affreux, venait parfois m'effleurer. Et si ma chute n'était pas accidentelle ? Ce patin, sournoisement dissimulé en dessous de la plus haute marche, se trouvait-il là par hasard ? Ou bien avait-il été placé volontairement ? Et dans ce cas, par qui ?...

Lorsque ces pensées s'approchaient de mon esprit, je les repoussais bien vite, horrifiée. Mais elles s'obstinaient à revenir. Je n'osais pas les confier à Roger. Je tentais de me raisonner, de me dire que la douleur m'égarait. Je me répétais que, plus d'une fois, Valérie avait laissé ses patins à roulettes traîner n'importe où dans la maison. Mais une voix insidieuse me chuchotait qu'elle ne voulait pas du bébé. Je me refusais, malgré tout, à croire qu'elle eût été capable d'un tel acte. La même voix me disait alors que Berthe, pour l'amour de sa nièce qu'elle idolâtrait, aurait pu vouloir éliminer le bébé. Avais-je imaginé, lors de sa visite, la secrète satisfaction de son regard ?

Ces réflexions me torturaient, et une sueur d'affolement me mouillait le front. Jamais je ne saurais si ces soupçons étaient fondés. Pour l'équilibre de mon esprit, je devais me persuader que la perte de mon enfant n'était due qu'à un accident, stupide et inattendu, et rien qu'un accident.

* * *

Mes parents vinrent me voir. Lorsque ma mère se pencha et me prit dans ses bras, je ne pus m'empêcher de pleurer, en m'accrochant à elle avec désespoir.

— Mon Irène, ma petite fille... chuchota-t-elle, les larmes aux yeux. Ne pleure pas, mon enfant. Tu auras d'autres bébés.

Cette phrase, destinée à me consoler, ne fit qu'aviver mon chagrin. Ma mère ne connaissait pas la vérité, et je ne pouvais rien lui dire. Mon père m'embrassa sur le front, gêné, malheureux. Lui non plus ne savait rien, et c'était sans doute mieux ainsi.

Lorsqu'ils partirent, ma mère dit à Roger :

— Je vous la confie. Soignez-la bien, vous qui avez la chance d'être auprès d'elle.

Mon mari leur adressa un sourire rassurant :

— Ne craignez rien.

Lorsque ma mère referma la porte de ma chambre, j'eus l'impression d'être une enfant abandonnée. Je me mis à pleurer, et les paroles de consolation de Roger ne m'atteignaient pas.

Au bout de quelques jours, je revins à la maison. J'étais en arrêt de travail, et, malheureuse et désœuvrée, je passais mes journées dans le salon, assise dans un fauteuil, tenant sur mes genoux un livre que je ne lisais pas. Bien souvent, comme mues par une volonté propre, mes larmes coulaient, expression de mon silencieux désespoir.

Valérie, depuis mon retour de la clinique, m'ignorait comme je l'ignorais. Quant à Roger, il me semblait qu'il admettait bien facilement le drame qui me laissait effondrée. Bien sûr, me disais-je amèrement, ce n'était pas son enfant. Toute la journée occupé par ses malades, il ne me revenait que le soir. Et s'il me voyait pleurer, il me répétait que nous aurions un autre enfant, comme si cela avait pu me consoler. Malgré sa bonté et sa gentillesse, il ne me comprenait pas, il ne pouvait pas me comprendre. Et moi, je ne pouvais pas lui avouer que cet autre enfant qu'il me promettait ne remplacerait jamais celui de Bernard. Je crois que c'est à ce moment-là que s'est produite la cassure qui, entre nous, n'allait cesser de s'élargir.

Berthe, devant mes larmes, se montrait tout aussi incompréhensive, et parfois tentait de me secouer :

— Vous n'avez rien d'autre à faire que reprendre des forces. De quoi vous plaignez-vous ? Vous êtes servie comme une princesse. Pour Roger, essayez au moins de sourire. Croyez-vous que ce soit gai pour lui, ce visage de madone éplorée ?

Je protestais faiblement, agacée par ses remarques :

— Oh, Roger... Il est si peu là !

Elle me toisait alors comme elle avait pris l'habitude de le faire, et me rétorquait d'un air supérieur :

— C'est toujours comme ça avec lui. Il est médecin avant tout, et il fait passer son métier en premier. Il faudra vous y faire, Irène. Et n'allez surtout pas le lui reprocher.

Par lassitude, je finissais par abandonner la discussion. Et, à force de tourner en rond dans la maison, je me sentais devenir folle. Aussi, lorsque prit fin mon congé, je retournai au C.E.S. avec satisfaction. Je me disais que mon métier me sortirait de la dépression où je m'enlisais, et que lui au moins ne me décevrait pas.

* * *

Je retrouvai mes élèves avec plaisir. Surtout ceux de cinquième E, si gentils, qui m'accueillirent en me disant qu'ils étaient heureux de me revoir. En voyant leurs sourires, j'eus l'impression que mon cœur, jusque-là dur et glacé comme une pierre, retrouvait un peu de chaleur et se remettait à vivre. En sixième B, mes meilleurs élèves rivalisèrent pour me satisfaire et me donner la bonne réponse dès que je posais une question. Dans cette classe, Bernadette Jaranowski, sage, appliquée, intelligente et travailleuse, collectionnait les 20 sur 20 et incarnait tellement bien l'élève idéale que Christine l'avait surnommée « la petite fille modèle ».

Grâce à eux et grâce à mon travail, je parvins à reprendre goût à la vie. Leurs réflexions, leurs rires, leurs confidences parfois, ainsi que les nouvelles que me rapportait fidèlement Malika, « la pipelette », m'aidaient à sortir du tunnel froid et obscur dans lequel je me trouvais jusque-là enfermée. J'aurais voulu que Valérie fût comme eux, agréable et chaleureuse.

Il y avait pourtant un léger progrès dans l'attitude de ma belle-fille. Depuis qu'elle savait qu'il n'y aurait pas de bébé, elle se montrait un peu moins agressive. Et, chose surprenante, elle prenait le soin de toujours bien ranger ses patins, alors qu'auparavant elle les abandonnait n'importe où. Se sentait-elle coupable ? pensais-je parfois. Comment savoir ? Jamais nous ne parlions de la façon dont j'avais perdu mon enfant.

A l'instar de son comportement, ses notes s'amélioraient. Roger, heureux de ce changement, me répétait qu'il était plus sage d'attendre avant d'avoir un autre enfant.

— Il vaut mieux ne pas la brusquer, Irène. Elle a tellement mal réagi qu'il est inutile de la placer de nouveau face à la même situation. Essayons plutôt de l'habituer petit à petit à l'idée d'un autre bébé.

J'étais d'accord avec ce raisonnement, mais pour une raison très différente : aucun enfant ne pourrait remplacer celui que j'avais perdu, celui de Bernard.

Lorsqu'elle éprouvait des difficultés à faire son travail scolaire, notamment en anglais, Valérie de nouveau me demandait de l'aider. Je le faisais bien volontiers. J'insistais pour qu'elle me récitât ses leçons, mais elle s'obstinait à refuser.

— Tu as un chapitre entier à réviser pour la composition d'histoire, lui dis-je un soir. Je le sais. Mme Guillet m'en a parlé. Il faut que tu le saches parfaitement. Ton père serait très content si tu avais une bonne note.

Son visage se ferma, et prit l'expression de défi qu'elle m'opposait lorsque mes remarques lui déplaisaient.

— Ne vous mêlez pas de ça ! rétorqua-t-elle abruptement. Je sais ce que j'ai à faire. Et j'aurai une bonne note, ne craignez rien.

Elle vit mon regard empli de doute et tapa du pied, comme une enfant capricieuse :

— C'est vrai, j'aurai une bonne note ! Et ça sera bien fait pour vous si vous ne me croyez pas ! Vous verrez, vous verrez !

Pour ne pas envenimer la situation, je n'insistai pas.

La composition eut lieu quelques jours plus tard, et, cet après-midi-là, au moment de la récréation, Mme Guillet, ma collègue d'histoire, entra dans la salle des professeurs et vint directement à moi. Elle paraissait furieuse. Elle me mit sous le nez une copie déchirée, et s'écria :

— Voilà la copie de Valérie, ta belle-fille ! Je lui ai fichu un zéro ! Et je l'ai collée pour jeudi prochain. Sans compter que je ferai un rapport à la direction. Figure-toi que je l'ai surprise en train de tricher ! Elle avait ouvert son cahier dans sa case, dissimulé dans un classeur, et elle recopiait tranquillement toute la leçon !

Il y eut, autour de moi, des exclamations de réprobation. Figée sur place, j'étais incapable de répliquer.

— J'ai horreur des tricheurs ! continuait Annie Guillet.

Que Valérie ne s'avise pas de recommencer, car alors c'est le conseil de discipline ! Je le lui ai dit, et je te serai reconnaissante de lui faire comprendre qu'elle a mal agi. Car elle a osé me dire qu'elle ne trichait pas, et que son cahier se trouvait ouvert par hasard !

Elle eut un hoquet d'indignation et reprit d'une voix scandalisée :

— Par hasard ! Comme si j'allais croire une excuse pareille ! Alors qu'il était justement ouvert à la bonne page !

Elle me fixa d'un air accusateur :

— Il est inutile que je convoque les parents, c'est la tante qui va venir, et elle est tout à fait capable de soutenir sa nièce. C'est pour ça que je t'en parle. Il faut que tu sévisses, Irène. Et que tu veilles à ce que Valérie ne recommence pas !

Les professeurs témoins de la discussion approuvèrent. Je pris la copie déchirée et assurai, mécontente :

— Je vais m'en occuper, Annie.

— Et répète-le-lui de ma part, continua-t-elle, toujours aussi outrée. Zéro en composition, plus une colle jeudi prochain, plus un rapport à la direction.

La cloche sonna pour annoncer la reprise des cours, me dispensant de répondre. J'acquiesçai d'un signe de tête tout en mettant la copie dans mon attaché-case. Au mécontentement que j'éprouvais se mêlait une appréhension désagréable. Je devinais que mon explication avec Valérie serait la source de nouvelles difficultés.

Je ne me trompais pas. Ce jour-là, Valérie terminait ses cours à seize heures. Lorsque je rentrai, un peu après dix-sept heures, elle avait eu le temps de tout raconter — à sa façon — à Berthe. Au moment où j'arrivai, elles se trouvaient toutes les deux dans la cuisine, où Valérie finissait de goûter. Je m'y rendis immédiatement, et lui montrai la copie qu'Annie Guillet, dans sa colère, avait déchirée :

— Qu'as-tu à dire, Valérie ?

Immédiatement, elle se cabra :

— Ça, bien sûr, vous allez m'accuser ! Je m'en doutais. Je l'ai dit à tantine.

Je répliquai froidement :

— Mme Guillet affirme qu'elle t'a surprise en train de tricher. Je n'ai aucune raison de ne pas la croire.

Elle se leva, repoussa sa chaise, me fixa avec colère :

— Vous préférez la croire, elle, plutôt que moi ! Ça ne m'étonne pas de vous. Depuis le début, vous êtes contre moi, je m'en suis bien rendu compte. Mais moi, je dis que je n'ai pas triché. Et tantine me croit, elle.

— Mme Guillet t'a surprise avec ton cahier ouvert, dissimulé dans un classeur, à moitié dans ta case et à moitié sur tes genoux. Oserais-tu dire que c'était un hasard ?

Elle haussa les épaules avec insolence :

— Il avait peut-être glissé de ma case. Je n'ai pas fait attention. Elle aussi, elle m'en veut ! Puisque je vous dis que je n'ai pas triché !

— Ton système de défense est ridicule, Valérie. Cesse donc de nier l'évidence. Tu te retrouves avec un zéro, tu es collée pour jeudi prochain. Et tu n'as pas intérêt à recommencer, car alors ce sera le conseil de discipline.

Une lueur d'affolement traversa son regard. Instinctivement, elle se tourna vers sa tante. Celle-ci ne put s'empêcher d'intervenir.

— Irène, pourquoi persécutez-vous cette enfant ? Ne pouvez-vous la croire, comme je le fais moi-même ? Jamais une telle chose ne s'est produite auparavant. Il doit s'agir d'une erreur. J'irai voir Mme Guillet afin de m'expliquer avec elle.

— Cela ne changera rien à ce qui s'est passé, dis-je sévèrement, mécontente de constater une fois de plus que Berthe soutenait sa nièce. Valérie, tu ferais mieux d'avouer. Et de promettre que tu ne recommenceras pas.

Selon son habitude, elle se mit à taper du pied, sourcils froncés et visage empourpré de colère :

— Mais vous ne comprenez rien ! Je vous répète que je n'ai pas triché ! J'en ai marre, à la fin ! Plus que marre !

Elle sortit en trombe de la cuisine, courut se réfugier dans sa chambre dont elle claqua la porte. Des sanglots bruyants, qui ressemblaient plutôt à des cris de rage, nous parvinrent. Berthe me considéra, pinçant les lèvres avec une désapprobation évidente :

— Vous êtes satisfaite, maintenant ? Je vais devoir aller la consoler. Vous ne faites que la contrarier sans cesse. Quand je vous dis que vous ne savez pas vous y prendre avec elle...

Elle sortit à son tour de la cuisine, monta l'escalier en criant :

— Ne pleure pas, mon petit. J'arrive ! Ne t'inquiète pas, ça va s'arranger. Tantine va s'occuper de tout ça.

Avec un soupir de lassitude, j'allai m'enfermer dans le bureau, où je me mis à corriger des copies et à préparer mes cours pour le lendemain. Lorsque j'entendis Roger rentrer, je ne bougeai pas. Je savais que Berthe se précipiterait pour tout lui rapporter, à sa façon également. Valérie descendit l'escalier et alla les rejoindre dans la cuisine. Ils discutèrent ensemble, et j'entendis leurs éclats de voix, sans parvenir à comprendre ce qu'ils disaient. Je brûlais d'aller les rejoindre et de raconter à Roger ma version de l'affaire, mais je m'obligeai à ne pas bouger. Au bout d'un temps qui me parut interminable, Roger entra dans le bureau. Seul.

Je levai les yeux vers lui. Comme chaque soir, il paraissait fatigué. Un pli de contrariété barrait son front.

— Berthe et Valérie viennent de m'apprendre ce qui s'est passé. Valérie se plaint que tu ne la crois pas. Pourquoi, Irène ?

Je me sentis injustement accusée, alors que ce n'était pas moi la coupable. Je me redressai, racontai à Roger ce que m'avait dit Annie Guillet, insistant sur le fait qu'elle n'avait certainement rien inventé. Roger secoua la tête :

— Elle n'a peut-être rien inventé, mais elle a pu être induite en erreur. Si Valérie m'affirme qu'elle n'a pas triché, je préfère la croire. Voudrais-tu me persuader que ma fille est une tricheuse et une menteuse ?

Je le regardai, je vis son air mécontent, et le regard accusateur qu'il posait sur moi.

— Même si tu ne la crois pas, laisse-lui au moins le bénéfice du doute. Elle ne recommencera pas, j'en suis certain. Comme je suis certain qu'il s'agit d'un malentendu.

— Le repas est prêt ! appela Berthe, de la salle à manger. Vous pouvez venir !

Roger passa une main sur son front, du geste qui lui devenait habituel.

— Considérons l'affaire comme classée, Irène. Je suggère qu'on n'en parle plus. Je ne veux pas de scène. Après une journée de travail, j'aimerais bien avoir un peu de calme.

J'eus envie de protester, mais pour ne pas contrarier Roger je me rangeai à son désir. Pendant tout le repas, Valérie ne desserra pas les lèvres et garda un visage obstinément fermé. Berthe, quant à elle, affichait une expression de réprobation glaciale. Roger, comme s'il ne remarquait rien, mangeait tout en suivant d'un œil distrait les informations à la télévision. Et moi, au milieu d'eux, je me demandai pour la première fois ce que je faisais là.

8

Ce fut peu de temps après que se produisirent des incidents qui, ajoutés les uns aux autres, finirent par me faire douter de moi. Au début, je n'y fis pas attention. Je les pris pour des coïncidences ou des oublis. Mais, à la longue, en me rendant compte qu'ils perturbaient mon travail, je m'inquiétai réellement.

Ce fut à cette époque également qu'il se mit soudain à souffler, dans le C.E.S., comme un vent de révolte. A plusieurs reprises, des faits désagréables se produisirent, dirigés contre certains professeurs.

Il y eu d'abord l'affaire Strapacchi. L'un des frères Strapacchi, Domenico, se trouvait en classe de troisième D. Leur professeur de géographie, Alain Marinaud, leur avait donné une interrogation écrite à laquelle Domenico avait obtenu une note catastrophique.

— Tu n'as pas appris ta leçon, déclara Alain. Tu la copieras dix fois pour le prochain cours.

Lorsqu'il réclama la punition, elle n'était pas faite. Alain la doubla pour la semaine suivante. Domenico n'en écrivit pas une seule ligne. Devant tant de mauvaise volonté, le professeur se mit en colère :

— Puisque c'est ainsi, tu viendras faire ta punition jeudi prochain, en colle.

Domenico garda le silence, mais sans doute considéra-t-il le fait d'être collé comme une offense. Le soir-même, lorsque Alain sortit de la réunion de parents d'élèves qui s'était terminée tard, il faisait obscur. Tout en se dépêchant pour ne pas rater son train, il se dirigea vers le raccourci qu'il empruntait parfois pour aller à la gare, et qui traversait le bosquet situé juste en face du C.E.S. Alors qu'il s'avançait dans le sentier, il vit venir vers lui, sortant du couvert des arbres, plusieurs silhouettes menaçantes, brandissant des sortes de matraques ou des chaînes de vélo.

— Salaud ! On va te faire ta fête ! cria une voix.

Alain n'eut que le temps de faire demi-tour et de venir se réfugier dans le bureau du directeur. Je m'y trouvais, avec d'autres professeurs. Nous le regardâmes avec surprise.

— Là, dans le bosquet... haleta-t-il. Ils ont voulu m'attaquer...

D'une voix hachée, il nous expliqua ce qui venait de se passer. D'après les silhouettes et la voix, il lui avait semblé que ses agresseurs étaient des adolescents, et peut-être des élèves du C.E.S. Mais il n'avait pas pu les identifier.

— Allons voir ça, décida M. Rupert, le directeur.

D'un pas déterminé, il sortit de l'établissement, se dirigea vers le bosquet. Tous, nous le suivîmes. Il s'arrêta à l'orée des arbres, cria :

— Où êtes-vous donc ? Montrez-vous, bande de lâches !

Le silence seul répondit, puis il y eut un bruit de fuite. M. Rupert se tourna vers nous :

— Ils se sont enfuis. Mais nous allons tirer ça au clair, et trouver les responsables. Vouloir agresser un professeur est une faute grave. Si ce sont des élèves de l'établissement, ils seront sévèrement punis.

Il y eut une enquête, et nous n'en connûmes le résultat que quelques jours plus tard. Domenico Strapacchi avait voulu venger l'affront qui lui avait été fait. Ses frères aînés et lui, armés de solides bâtons et de chaînes, avaient attendu Alain Marinaud dans le but de lui donner une correction. La *mamma* fut convoquée, et *Barbe-Fine* lui expliqua que nous étions en France, non en Sicile. Un conseil de discipline eut lieu, et l'adolescent fut renvoyé de l'établissement pour trois jours.

La semaine suivante, il y eut une autre victime. Ce fut, cette fois-ci, Colette Mérignac, la jeune professeur d'anglais qui manquait d'autorité. Elle venait de faire entrer ses élèves dans la classe où elle avait cours, et elle leur donna l'ordre de s'asseoir. Tous obéirent, sauf Jean-Pierre Demontreux, la « forte tête » de la classe, celui qui entraînait tous les autres à chahuter, à désobéir, à semer le désordre. Colette l'apostropha :

— Eh bien ! Qu'attends-tu, Jean-Pierre ? Assieds-toi !

L'adolescent croisa les bras et répliqua avec défi :

— Non, je ne m'assoirai pas.

Colette tapa du plat de la main sur le bureau :

— Assieds-toi !

— Non !

— Je t'ordonne de t'asseoir !

— Et moi je refuse !

Les élèves ricanaient. Certains, avec leurs doigts, sifflèrent ironiquement. Colette se vit dépassée. En désespoir de cause, elle marcha jusqu'à Jean-Pierre, posa ses mains sur les épaules du garçon et appuya pour l'obliger à s'asseoir :

— Allez, vite ! Assieds-toi !

— Ne me touchez pas ! cria-t-il.

Et sans prévenir, brutalement, il lança son poing dans le visage de Colette. Ce fut, dans la classe, un chahut épouvantable. Il y eut des exclamations, de nouveaux sifflements ; plusieurs filles poussèrent un cri perçant. Attiré par le bruit, Gilles, le professeur de la classe voisine, vint voir ce qui se passait. En quelques secondes, avec son autorité habituelle, il parvint à rétablir l'ordre. Il envoya un élève chercher le directeur, pendant que Colette tamponnait le sang qui lui coulait du nez. Jean-Pierre, que les conséquences de son geste affolaient, ne savait plus que faire. Le directeur l'emmena avec lui dans son bureau et le garçon le suivit, repentant, la tête basse.

L'affaire fit un grand bruit dans l'établissement, d'autant plus que Colette se retrouva avec le nez cassé. Il y eut un nouveau conseil de discipline, et Jean-Pierre fut, lui aussi, renvoyé trois jours avec la menace d'être exclu définitivement s'il recommençait.

— J'ai alerté le syndicat, nous apprit Antoine, indigné. Ce qui vient de se passer représente une menace pour notre métier. Qu'allons-nous devenir si nous nous faisons agresser par nos élèves ? Il faut absolument réagir ! Ces élèves, il fallait les renvoyer définitivement, et pas seulement trois jours ! Qui nous dit qu'ils ne vont pas recommencer ?

Certains professeurs tentèrent de réagir avec humour :

— Bientôt, nous devrons peut-être venir faire cours avec un bouclier et un casque, comme les C.R.S. !

— Ne riez pas, rétorqua Antoine, mécontent. La situation n'est pas risible. Au contraire ! Elle est même grave.

Pourtant, tout sembla rentrer dans l'ordre. Mais ce ne fut qu'une apparence. D'autres incidents se produisirent, moins importants mais plus sournois parce qu'anonymes. L'un d'eux, qui revenait le plus souvent, consistait à couvrir la voiture d'un des professeurs de crachats. Comme le parking était extérieur et longeait les grilles de l'établissement, tous les élèves y avaient accès. Il était pratiquement impossible de trouver les responsables, à moins de les prendre sur le fait.

Un soir, en arrivant à ma petite voiture, je poussai un cri d'horreur : elle dégoulinait de crachats. De plus, les serrures des portières étaient obstruées par un produit qui ressemblait à de la bougie. Christine, qui m'accompagnait, se mit en colère :

— Mais ça devient impossible, ma parole ! On ne peut donc rien faire ?

— Que veux-tu faire ? dis-je avec découragement. Il faudrait que quelqu'un surveille continuellement le parking, et les surveillants ont suffisamment de travail à l'intérieur de l'établissement. Comme le dit *Barbe-Fine,* ils ne peuvent pas être partout.

Nous eûmes un mal fou à dégager les serrures. En montant dans ma voiture, Christine fronçait le nez de dégoût :

— Tous ces crachats... Ils ont dû s'y mettre à plusieurs, et il a dû leur falloir pas mal de temps. Ta voiture en est couverte.

— Bah ! dis-je en actionnant les essuie-glace. Ne dramatisons pas. Un bon lavage et il n'y paraîtra plus.

— Comment peux-tu accepter si facilement la situation ? Moi, cela me révolte. Il faudrait au moins essayer de trouver les coupables. Ta belle-fille ne serait-elle pas dans le coup ? A ta place, je la questionnerais.

Je ne répondis pas. Interroger Valérie ? Depuis la composition d'histoire, elle ne m'adressait plus la parole, elle m'opposait un visage hostile et fuyait mon regard. Si je l'interrogeais, elle répondait du bout des lèvres, d'un ton glacial, ou bien elle se renfrognait dans un mutisme boudeur et laissait Berthe répondre à sa place. La situation devenait pénible et je ne savais que faire. J'avais essayé de provoquer une explication, mais Berthe m'avait dit :

— Laissez-la donc tranquille, pour une fois ! Vous voyez bien que vous l'avez blessée, avec vos soupçons.

Lorsque j'en avais parlé à Roger, il avait tenu le même raisonnement que sa sœur :

— Tu l'as accusée d'avoir triché et tu ne l'as pas crue lorsqu'elle a démenti. Elle a du mal à te pardonner, Irène. C'est une enfant très sensible. Tu devrais t'en souvenir. Prends patience. Essaie de te montrer plus compréhensive, et la situation s'arrangera.

Si le fait d'être compréhensive signifiait adopter l'aveuglement total de Berthe, je savais que je n'y parviendrais pas. Je voyais Valérie telle qu'elle était : gâtée, capricieuse, vindicative. Mais il était inutile d'expliquer mon point de vue à Berthe et à Roger ; je savais d'avance qu'ils ne l'accepteraient pas.

Peu de temps après, d'autres incidents survinrent, qui finirent par me troubler. Chaque matin, je partais pour le C.E.S. avec, dans mon attaché-case, tout ce dont j'avais besoin pour mes cours. Je faisais toujours attention de ne rien omettre. Or, inexplicablement, en classe, il me manquait quelque chose. Un jour, je ne trouvai pas ma trousse, que pourtant j'étais sûre d'avoir emportée. Pour remplir la feuille d'absence, je dus demander à un élève de me prêter un stylo. Un autre jour, avec la classe de sixième B à qui je devais rendre un devoir, il me fut impossible de mettre la main sur les copies. Je fouillai mon attaché-case, sortis mes livres et mes feuilles de cours. En vain. Je dus dire aux élèves, intrigués par mes recherches :

— Je vous rendrai votre devoir demain. Il est corrigé, mais j'ai oublié vos copies.

Le soir, je les retrouvai sur mon bureau, là où je les avais corrigées la veille. Lorsque j'interrogeai Berthe, elle m'affirma ne rien savoir.

— Je ne touche jamais à vos affaires, Irène. Lorsque je fais le ménage, s'il m'arrive de bouger quelque chose, je le remets toujours à sa place, que ce soit un livre ou des copies.

Et cela continua. Un matin, en plein cours, j'eus besoin de mon carnet de notes, mais il n'était pas dans mon sac, où j'avais l'habitude de le ranger. Une autre fois, j'avais préparé plusieurs énoncés d'exercices que j'avais polycopiés, afin de les distribuer à la classe de cinquième E pour un devoir de contrôle. Au moment de les distribuer, il me fut impossible de les retrouver. Je dus écrire les textes au tableau, contrariée par ce nouveau contre-temps.

Et, à chaque fois, lorsque je rentrais le soir, toutes ces choses disparues m'attendaient, de façon inexplicable, sur mon bureau. Je me mettais à douter de moi et de ma mémoire.

Il y eut plus grave. Un matin, avant de partir, je cherchai en vain les clefs de ma voiture. Elles étaient reliées entre elles par un porte-clefs qui représentait Pollux, le chien-vedette de la télévision, et je les plaçais toujours sur la petite table située dans l'entrée. Ce matin-là, je commençais mes cours à neuf heures ; Valérie et Roger étaient déjà partis. Je ne pus qu'interroger Berthe. Elle fit un signe d'ignorance :

— Je ne sais pas, Irène. Je n'ai pas touché à vos clefs. Si vous les avez placées sur cette table, elles devraient y être. Peut-être les avez-vous mises ailleurs ? Avez-vous vérifié dans votre sac, ou dans vos poches ?

Je fouillai mon sac, je fouillai mes poches. J'allai dans le bureau, cherchai partout. Berthe, de son côté, jeta un coup d'œil dans les autres pièces, « au cas où vous les auriez oubliées ailleurs », me dit-elle. Mais je savais, moi, que la veille je les avais posées sur la table, comme je le faisais chaque soir.

Je ne les trouvai pas, Berthe non plus. Mes recherches m'avaient fait perdre du temps, et avec affolement je me rendis compte qu'il fallait me rendre au C.E.S. à pied. J'allais être en retard, ce qui ne serait pas apprécié par *Barbe-Fine.*

— Il faut que je parte, dis-je à Berthe. Essayez de retrouver mes clefs, si vous pouvez. Je ne comprends pas comment elles ont pu disparaître.

Dans les rues, je marchai d'un pas rapide, courant presque. Malgré ma précipitation, j'arrivai alors que l'horloge marquait neuf heures cinq. Lorsque je pénétrai dans la cour, *Barbe-Fine,* de la fenêtre de son bureau, m'aperçut et sortit de l'établissement administratif comme un diable de sa boîte, fonçant sur moi :

— C'est maintenant que vous arrivez ! ? Vous avez cinq minutes de retard, madame.

— Je suis désolée ! bafouillai-je, haletante. J'ai dû venir à pied. J'ai égaré mes clefs de voiture.

Il me fixa, sévère et réprobateur :

— Tâchez de les retrouver. Ou alors, prenez vos précautions et partez plus tôt de chez vous. Je vous conseille de faire en sorte que ce retard ne se reproduise pas. Cela n'améliore pas votre note administrative.

Je gardai le silence. Qu'aurais-je pu dire ?

— Ne perdez pas davantage de temps. Allez chercher vos élèves. Ils sont en permanence.

J'obéis, mal à l'aise, furieuse de me sentir fautive. Je n'avais ce matin-là que deux heures de cours et, un peu après onze heures, lorsque je rentrai, j'interrogeai tout de suite Berthe.

— Non, Irène, je ne les ai pas retrouvées. En faisant le ménage, j'ai regardé partout. Essayez de vous rappeler où vous avez pu les mettre.

Je me retins de dire, une fois de plus, que je me souvenais parfaitement de les avoir déposées sur la petite table de l'entrée. En même temps, un doute agaçant s'insinuait dans mon esprit. Peut-être les avais-je mises ailleurs, machinalement ? Perdais-je la mémoire ? Cela devenait inquiétant.

A midi, Valérie rentra, puis Roger. Je leur posai la question. Ils affirmèrent ne rien savoir.

Après le repas, je repris mes recherches. Roger, qui repartait faire ses visites, me donna un baiser distrait :

— Fouille tous tes vêtements, me conseilla-t-il. Moi, il m'arrive bien souvent de les mettre machinalement dans une poche. C'est sans doute ce que tu as fait.

Je recommençai donc mes fouilles, sans grand espoir, puisque je n'avais rien trouvé le matin même. Pourtant, alors que je plongeais ma main dans la poche droite de mon imper, je sentis des clefs sous mes doigts. Je les sortis et les considérai avec surprise. C'étaient bien mes clefs de voiture, reliées entre elles par Pollux.

— Vous les avez retrouvées ? me demanda Berthe.

Je les lui montrai :

— Je ne comprends pas. Elles étaient dans la poche de mon imper. Or, quand je l'ai fouillé, ce matin, elles ne s'y trouvaient pas.

— Vous avez certainement mal fouillé. Vous étiez énervée, pressée par l'heure.

Je secouai lentement la tête :

— Non, je suis sûre de moi.

Ma belle-sœur haussa les épaules :

— Vous les avez maintenant, c'est le principal. Tâchez de ne plus les perdre.

Je m'en allai travailler, encore contrariée. Cette fois, je ne fus pas en retard. *Barbe-Fine,* sous le préau, surveillait la rentrée des élèves. Je passai devant lui avec ma classe de sixième B parfaitement rangée, mais il m'ignora. Heureusement, la gentillesse et la bonne volonté de mes élèves parvinrent à chasser l'impression désagréable que je ressentais.

A la récréation de quatre heures, Annie Guillet vint vers moi.

— Tu m'as dit ce matin que tu avais perdu tes clefs de voiture ? Si tu veux mon avis, interroge ta belle-fille. Figure-toi que je l'ai surprise, pendant mon cours, en train de tripoter un jeu de clefs qu'elle montrait à sa voisine. J'ai pensé qu'il s'agissait peut-être du tien. J'ai reconnu Pollux. Je t'ai cherchée à midi pour te prévenir, mais je ne t'ai pas vue.

— Non, ce matin je terminais à onze heures. Mais... es-tu sûre que Valérie ?...

— Parfaitement ! Je lui ai ordonné de ranger ça, et à ma grande surprise, elle a obéi sans discuter, et même avec empressement. Possède-t-elle un porte-clefs identique au tien ?

— Non. Pas que je sache. Je te remercie de m'avoir prévenue, Annie. Je vais tirer ça au clair dès que je serai rentrée.

Ainsi, c'était Valérie qui faisait disparaître mes affaires, qui les changeait de place, dans le seul but de m'ennuyer ! Je connaissais son caractère agressif et désagréable, mais jusqu'ici je m'étais refusée à croire qu'elle pouvait agir de façon sournoise et dissimulée. Les derniers événements et la déclaration d'Annie Guillet me prouvaient le contraire.

A dix-sept heures, ce soir-là, étaient prévus plusieurs conseils de classe, dont celui de cinquième E, dont j'étais professeur principal. Ce qui signifiait que je devais noter soigneusement, sur un cahier réservé à cet effet, les progrès ou les difficultés de chaque élève dans chaque matière, ceci d'après les indications des autres professeurs.

Au moment de commencer la réunion, que *Barbe-Fine* présidait, je voulus sortir mon cahier, mais en ouvrant mon attaché-case je vis immédiatement qu'il ne s'y trouvait pas. Or je l'avais placé moi-même, avant de partir, entre mes livres de cours et un paquet de copies à rendre. Je fouillai fébrilement, sentant les yeux de tous mes collègues fixés sur moi, appréhendant la réaction de *Barbe-Fine*. Car j'avais déjà compris que mes recherches seraient vaines et que Valérie, là aussi, était sans aucun doute la responsable.

Je dus finalement lever les yeux, écarlate de confusion, et avouer piteusement :

— Je... je suis désolée. Je ne retrouve pas mon cahier.

Le principal eut un soupir excédé :

— Décidément, en ce moment, vous avez tendance à égarer vos affaires ! Ce matin, il s'agissait de vos clefs de voiture, et maintenant, c'est votre cahier !

Les joues brûlantes, je fis un geste d'excuse, et sortis plusieurs feuilles blanches de mon attaché-case :

— Je vais noter toutes les remarques sur ces feuilles ; je les recopierai ensuite.

— Mais il va nous manquer les remarques de la dernière fois, constata *Barbe-Fine,* glacial. Vraiment, madame Brunoix, vous êtes d'une étourderie plus que fâcheuse.

Je baissai la tête, humiliée. Je notai soigneusement les réflexions de mes collègues, tout en sentant peser sur moi le regard désapprobateur du principal qui me crispait. Lorsque la réunion se termina, il se leva, prit congé de chaque professeur et me dit :

— Tâchez de vous améliorer, madame. Je vous conseille de faire cesser ce genre d'incidents. C'est désagréable pour tout le monde, et regrettable pour vous.

J'attendis la menace concernant ma note administrative, mais il eut le bon goût de ne pas la répéter. Il me tourna le dos et s'en alla, visiblement mécontent. Et moi, en regagnant ma voiture, je tremblais d'énervement et d'indignation. Il fallait que j'aie une explication avec Valérie, sans tarder.

Pendant le trajet, mon indignation ne fit que croître, et lorsque je me garai dans la cour, je me sentais prête à exploser. Je bondis hors de ma voiture, courus jusqu'à la porte d'entrée, l'ouvris et la claquai derrière moi avec colère.

Dans le salon, l'électrophone était branché sur sa puissance maximale, et les Beatles clamaient *All You Need Is Love* dans toute la maison. Agacée, je longeai le couloir, entrai dans la pièce. Vautrée dans un des fauteuils, Valérie, les yeux fermés, se balançait au rythme de la musique tout en chantant — faux — les paroles qu'elle connaissait par cœur. D'un pas rapide et décidé, j'allai jusqu'à l'électrophone et l'arrêtai. Après le bruit outrancier, le silence parut insolite. Valérie ouvrit les yeux, m'aperçut.

Elle fronça les sourcils, se redressa en me lançant un regard furieux :

— Non mais, ça va pas ? Qu'est-ce qui vous prend ?

Habituée à son impolitesse, je dédaignai de répondre à sa question. Elle se leva, se dirigea vers l'électrophone dans le but de remettre la chanson. Je lui barrai le passage :

— Valérie, tu vas m'écouter. Je viens de découvrir quelque chose qui ne m'a pas plu. Toutes mes affaires qui disparaissent et que je retrouve ailleurs... C'est toi, n'est-ce pas ? Pourquoi fais-tu ça ? Il faut que ça cesse, m'entends-tu ?

Elle me lança un regard furibond :

— Bien sûr, vous m'accusez ! J'aurais dû m'y attendre. Mais je n'ai rien fait. Ce n'est pas ma faute si vous ne savez pas où vous rangez vos affaires !

Je me doutais qu'elle n'avouerait pas, qu'elle nierait l'évidence, mais sa réponse m'exaspéra. D'une voix froide de colère, j'ordonnai :

— Ne mens pas, Valérie. Mme Guillet t'a surprise, ce matin, avec mon porte-clefs dans les mains. Et ce soir, au moment de la réunion, je n'ai pas retrouvé mon cahier, que pourtant j'avais placé moi-même dans mon attaché-case. As-tu profité d'un moment d'inattention de ma part pour l'enlever avant de quitter la maison ?

Elle tapa du pied :

— Je n'ai rien fait, ce n'est pas moi. C'est vous. Vous avez oublié de prendre votre cahier, et vous m'accusez.

Son impudence augmentait ma colère de seconde en seconde. Je me sentais prête à perdre le peu de calme qui me restait.

— Arrête de mentir. Mme Guillet, ce matin, a vu mon porte-clefs entre tes mains. Elle l'a parfaitement reconnu, grâce à Pollux.

— Et alors ? Ça ne prouve rien ! C'était celui de ma voisine. Croyez-vous être la seule à posséder un Pollux ? Elle en a un, elle aussi ; elle était en train de me le montrer.

— Je ne te crois pas, Valérie.

De nouveau elle tapa du pied :

— Bien sûr, vous ne me croyez jamais ! Vous préférez croire cette vieille Guillet ! Elle est toujours après moi, celle-là ! Je l'emmerde !

— Cesse d'être grossière, ça n'arrangera rien. Tu ferais mieux d'avouer, et de promettre de t'amender. Ça ne peut pas continuer ainsi.

— Avouer quoi ? Je n'ai rien fait, rien du tout ! Arrêtez de m'accuser sans arrêt ! On était tranquilles avant, sans vous. Depuis que vous êtes là, tout va mal. J'en ai marre, à la fin ! Et si vous tenez à le savoir, vous aussi je vous emmerde !

Une vague de fureur m'emporta. J'attrapai Valérie aux épaules, la secouai en criant :

— Je te défends de me parler ainsi ! Tu entends ? Je te le défends !

Ma voix prit un accent suraigu qui m'effraya. Valérie se mit à hurler :

— Tantine ! Au secours ! Elle me bat !

Immédiatement, Berthe accourut. Elle entra dans le salon, l'air effaré, vint à moi, me tira par le bras, m'obligeant à lâcher sa nièce.

— Irène ! Qu'est-ce qui vous prend ? Que lui faites-vous ? Arrêtez, voyons !

Valérie se jeta dans les bras de sa tante, à laquelle elle se cramponna en criant et en gémissant :

— Tantine ! Elle me bat et elle m'accuse de lui prendre ses affaires ! Mais ce n'est pas moi ! Dis-lui que ce n'est pas moi !

Berthe referma ses bras sur l'adolescente, m'affronta du regard :

— Vous devenez folle, ou quoi ? Pourquoi l'accusez-vous ?

En tremblant de colère et d'indignation, je tentai d'expliquer d'une voix hachée le rapport d'Annie Guillet, parlai de mon cahier disparu.

— Votre cahier n'est pas perdu, dit Berthe, glaciale. Je l'ai vu tout à l'heure sur votre bureau. Vous avez oublié de le prendre, tout simplement. Quant à ce porte-clefs identique au vôtre, il pouvait très bien appartenir à quelqu'un d'autre.

Elle m'opposait la même défense que sa nièce. Étaient-elles complices ? Cette idée raviva ma fureur. De nouveau je secouai Valérie.

— Aie le courage d'avouer, au lieu de nier stupidement. Je sais que c'est toi !

Elle se mit à trépigner, s'accrochant à Berthe.

— Tantine ! Au secours, tantiiiiine ! ! cria-t-elle, hystérique.

Ce fut le moment que choisit Roger pour rentrer. Nous le vîmes soudain apparaître à la porte du salon, nous enveloppant toutes les trois d'un regard ahuri.

— Que se passe-t-il ici ?

Immédiatement, Valérie courut à lui, se serra contre sa poitrine, tout en hoquetant :

— Papa... papa... C'est Irène. Elle m'accuse... elle m'accuse de lui prendre ses affaires. Mais ce n'est pas moi ! Ce n'est pas moi !

Elle se mit à sangloter, enfouissant sa tête au creux de l'épaule de son père. Il se tourna vers moi :

— Tu accuses Valérie ? me demanda-t-il, et son ton décelait une immense surprise. Mais, enfin, Irène... pourquoi ?

De nouveau, je tentai d'expliquer. Berthe ne disait plus rien, mais son visage exprimait clairement sa désapprobation. Valérie de nouveau nia avec véhémence :

— Ce n'est pas vrai, papa ! Ce n'est pas moi ! Il faut me croire !

— Je te crois, mon petit, dit-il avec douceur.

Il lui caressa les cheveux pour l'apaiser, se tourna vers moi :

— Je ne comprends pas, Irène. Moi aussi, il m'arrive parfois d'égarer mes affaires. Je n'en accuse pas les autres pour autant.

Des larmes de dépit, de rage, de découragement, me piquèrent les yeux. Je me sentis vaincue, incapable de continuer à lutter. Pourtant, je demeurai inébranlable dans ma conviction. Je fixai Valérie.

— Je ne suis pas dupe, Valérie. Je te demande simplement d'arrêter ce petit jeu. Il ne sert qu'à apporter le désordre.

Elle cracha, avec hargne :

— Mais puisque je vous dis que ce n'est pas moi ! Allez-vous me croire, à la fin ? Oh, je vous déteste !

Elle me tourna le dos brutalement, s'enfuit du salon et courut s'enfermer dans sa chambre. Berthe me lança un regard accusateur et sortit à son tour. Je l'entendis monter l'escalier. Sans doute allait-elle consoler sa nièce. Anéantie, je me laissai tomber dans un fauteuil. Roger s'assit en face de moi.

— J'aimerais comprendre, Irène. Crois-tu vraiment que Valérie soit capable de ce dont tu l'accuses ?

Je le regardai, désemparée, malheureuse. Subitement, je ne savais plus que croire. Avec douceur, il continua :

— Tu as très bien pu égarer tes affaires toi-même. Un peu de distraction arrive à tout le monde. Tu es peut-être fatiguée, Irène. La mort du bébé t'a traumatisée. Il se peut que cela influe sur ton comportement, sans que tu en prennes conscience.

A travers les larmes qui emplissaient mes yeux, je voyais son visage soucieux, son regard qui voulait me convaincre. Pendant un court instant, j'eus pitié de lui. Il refusait d'admettre que sa fille pût être tricheuse, menteuse, sournoise. Le persuader de cette douloureuse et cruelle réalité ne ferait que lui apporter du chagrin sans pour autant résoudre la situation. Je n'en eus pas le courage. Mon indignation, ma colère disparurent, ne me laissant qu'une immense lassitude.

Comme je ne protestais pas, Roger crut peut-être qu'il m'avait convaincue. A cet instant, dans l'entrée, la sonnerie du téléphone retentit, et il alla répondre. Il revint pour m'annoncer qu'il était appelé par une urgence, et sortit de nouveau. Je me dirigeai vers le bureau, afin de préparer mes cours pour le lendemain. La première chose que j'aperçus en entrant fut mon cahier, posé bien à plat, qui semblait me narguer. Instantanément, je me revis, quelques heures plus tôt, en train de le glisser dans mon attaché-case. Lorsque j'avais quitté la pièce, il n'y avait plus rien sur le bureau, j'en étais certaine. Avec un profond soupir, je m'assis, me pris la tête entre les mains. Il était impossible de continuer ainsi.

La soirée fut sinistre. Valérie refusa de descendre pour le repas, et Berthe dut lui porter un plateau dans sa chambre. Ma belle-sœur me montrait sa réprobation en m'ignorant, ne m'adressant pas la parole, évitant mon regard, m'opposant un visage fermé, presque hostile. Roger mangeait silencieusement, en gardant une expression soucieuse et contrariée. A la fin du repas, Berthe lui dit, brièvement :

— Tu devrais aller voir Valérie. Elle pleure. Elle a besoin de toi, de ta compréhension.

Sans un mot, Roger se leva, sortit de la pièce et monta l'escalier. Berthe regagna sa cuisine. Ne sachant que faire, je partis me réfugier dans la chambre.

Là, j'eus le temps de réfléchir. Puisque Roger prenait le parti de Valérie et refusait d'ajouter foi à mes accusations, je ne pouvais rien faire. Et il m'était impossible de continuer à vivre ainsi, dans la crainte de voir sans cesse mes affaires disparaître, sans compter que cela perturbait mon travail et me discréditait auprès du principal. Fallait-il que je dorme avec mon attaché-case, ou que je ferme le bureau à clef ? Je cherchai en vain une solution.

Lorsque Roger vint me rejoindre, j'étais couchée. Il s'assit sur le lit, courba le dos, soupira longuement :

— Valérie est malheureuse, Irène. Elle a l'impression que tu la persécutes. Elle est extrêmement sensible, et tes accusations l'ont blessée. Ne pouvais-tu réfléchir avant de l'accuser ainsi ?

Ce reproche implicite me déplut. Je répliquai avec amertume :

— Je suis désolée, Roger. Même après réflexion, je continue à la soupçonner.

Il releva la tête, fit un geste d'impatience :

— Mais enfin, Irène ! Pourquoi ferait-elle une chose pareille ?

— Pour m'ennuyer, probablement. Elle ne m'aime pas. Elle ne se prive d'ailleurs pas de me le dire.

Roger se tut un instant. Il paraissait dépassé. Déchiré entre sa fille et sa femme, il choisissait néanmoins son enfant. Je ne pouvais pas lui en vouloir. Simplement, je déplorais son aveuglement.

— Bien, reprit-il, admettons que tu aies raison. Je dis bien : admettons, car moi, je ne la crois pas coupable. Eh bien, même dans ce cas, est-ce une raison pour réagir comme tu le fais ? Après tout, ce n'est pas dramatique. Elle change tes affaires de place, mais tu les retrouves toujours. Il n'y a pas de quoi en faire toute une histoire.

— Mais cela perturbe mon travail, Roger ! Le principal me fait des réflexions désagréables. Serais-tu content si tu perdais ton carnet de rendez-vous ?

— Non, évidemment, admit-il, mais...

— Et tous les jours, il y a quelque chose qui disparaît. A la longue, ça devient insupportable.

— Je reconnais que c'est agaçant. Mais, je le répète, même si Valérie est coupable, essaie de considérer cette attitude comme ce qu'elle est : une réaction puérile, enfantine, sans gravité au fond. Au lieu de brusquer Valérie, de la menacer, tu devrais plutôt lui parler avec douceur, avec compréhension.

Ce conseil était peut-être valable, mais je savais que je serais incapable de le suivre. J'étais trop jeune, trop catégorique, trop intransigeante pour considérer la situation calmement. Instinctivement, devant la duplicité de Valérie, j'avais envie de clamer mon indignation, d'autant plus violemment que Roger refusait de me croire.

Avec lassitude, je m'appuyai contre mon oreiller, fermai les yeux.

— Je ne sais pas, Roger. Je vais essayer.

Il parut se contenter de cette promesse. Et moi, de mon côté, je voulais espérer que, après la scène qui venait de se produire, Valérie se tiendrait tranquille et ne toucherait plus à mes affaires.

Mais, le lendemain, ce fut mon carnet de notes que je ne retrouvai pas. Or, nous arrivions en fin de trimestre, et j'en avais besoin pour calculer la moyenne de mes élèves, afin de remplir les bulletins scolaires qui seraient envoyés aux parents. Je le cherchai partout. En vain, naturellement. Le soir même, il réapparut, comme par miracle, près du téléphone. De moi-même, jamais je ne l'aurais placé là. En réprimant ma colère, je le pris, et je pensai qu'il était impossible de supporter plus longtemps une telle situation.

Depuis la veille, Valérie m'opposait un visage glacé et me lançait des regards haineux. Je jugeai inutile de l'interroger. Je ne tenais pas à provoquer une nouvelle scène. Berthe, quant à elle, me parlait à peine. L'atmosphère devenait invivable.

Ce soir-là, lorsque nous fûmes dans notre chambre, je décidai de soumettre à Roger l'idée qui m'était venue.

— Je ne peux plus continuer ainsi, dis-je. Aujourd'hui, c'est mon carnet de notes qui a disparu. Demain, il y aura autre chose, et après-demain encore... De plus, Valérie me fait la tête, Berthe aussi. J'ai réfléchi, et j'ai pensé que la meilleure solution était de m'en aller. Séparons-nous, Roger, au moins quelque temps. J'ai l'intention de retourner chez Mme Duriez. Je sais qu'elle n'a pas trouvé d'autre locataire. La chambre que j'ai occupée est toujours libre.

Imaginai-je le soulagement qui éclaira le visage de mon mari ? En tout cas, il ne protesta pas. Il me fixa avec gravité :

— C'est peut-être une solution, en effet.

— Je pourrai aller travailler sans appréhender de perdre mes affaires. Et si elles ne disparaissent plus, ce sera la preuve que j'avais raison.

Il préféra ne pas répondre à cette dernière phrase. Il posa sur moi un regard empli de tristesse :

— Je te regretterai, Irène. Mais peut-être ton départ ramènera-t-il la paix dans cette maison. En tout cas, j'irai te voir souvent. Chaque soir, après ma journée de travail.

— Je t'accueillerai volontiers, dis-je, sincère. Tu seras toujours le bienvenu.

Pour la dernière fois, je me blottis dans ses bras. Lorsqu'il fut endormi, je demeurai longtemps éveillée. Je me sentais libérée à l'idée de m'en aller, libérée de l'appréhension que faisait peser sur moi l'attitude de Valérie, et même de Berthe. Je voulais quitter la maison sans tarder. Le lendemain était un jeudi, et j'en profiterais pour déménager. Mme Duriez serait ravie de retrouver une locataire, et elle ne serait pas surprise d'apprendre que Valérie était la cause de mon départ. Seuls Berthe et Roger refusaient de la voir telle qu'elle était.

J'étais désolée, malgré tout, de quitter Roger. Il s'était montré bon envers moi, il m'avait offert son appui à un moment où j'avais besoin d'aide. Mais le respect et l'estime que j'éprouvais pour lui commençaient à s'effriter. Avec regret, je constatais que la bonté, qui constituait sa principale qualité, se transformait, lorsqu'il s'agissait de sa fille ou de sa sœur, en une déplorable faiblesse.

Je me disais aussi, lucidement, que notre mariage n'avait plus de raison d'être. Je n'avais épousé Roger que pour donner un père à mon enfant. Mais, puisque mon enfant n'existerait jamais, notre union devenait inutile. Et je n'aimais pas Roger avec suffisamment de force pour affronter sans cesse l'hostilité et les petites persécutions de Valérie. Je préférais partir, retrouver un semblant de liberté et, surtout, la tranquillité.

Alors que je glissais dans le sommeil, je pensai à Bernard. Mon amour pour lui, enfoui profondément au fond de mon cœur, demeurait toujours aussi vivace. J'eus subitement l'envie, aiguë et douloureuse, de le revoir, de me plonger dans le regard de ses yeux mordorés, de me jeter dans ses bras et d'y rester, toujours. Ce fut sur cette image que je m'endormis.

9

Mme Duriez fut heureuse de me revoir et, en même temps, elle ne cacha pas sa surprise en me voyant descendre de ma voiture, une valise à la main :

— Mademoiselle Valmont ! Euh... je veux dire... Madame Brunoix ! Que se passe-t-il ?

— Je voudrais redevenir votre locataire, dis-je avec un sourire. M'acceptez-vous ?

— Bien sûr, avec grand plaisir. Mais, pourquoi... ?

— Mon mari et moi avons décidé de nous séparer quelque temps. Nous nous entendons toujours bien, mais c'est avec Valérie qu'il y a des problèmes. Elle ne m'accepte pas. Et moi, je suis incapable de fermer les yeux sur ses bêtises. La situation devenait impossible. C'est pourquoi j'ai pensé à revenir chez vous.

Elle ouvrit la porte toute grande :

— Entrez, entrez. Votre chambre est là. Elle vous attend.

Je retrouvai mon petit domaine. Par la fenêtre, j'aperçus le saule pleureur agiter nonchalamment ses longues branches que le printemps habillait de vert tendre. Mme Duriez me laissa m'installer, et je repris avec satisfaction mes habitudes de célibataire. Loin de la présence hostile de Valérie, des regards désapprobateurs de Berthe, je me détendais et je sentais la tension qui me crispait habituellement se relâcher.

Ce même soir, j'écrivis à mes parents, afin de leur expliquer mon changement de domicile. Je leur demandai de m'écrire chez Mme Duriez, car je soupçonnais fort Valérie et même Berthe de faire disparaître leurs lettres s'ils continuaient à m'écrire chez Roger. Je préparai ensuite toutes mes affaires pour le lendemain, vérifiant bien qu'il ne manquait rien.

Au cours des jours suivants, comme je m'y attendais, je n'eus plus à déplorer de disparition. J'en fis part à Roger, lors de sa visite, le second soir. Il me regarda avec impuissance, se contenta de remarquer :

— Tu as bien fait de partir, Irène. A la maison, le calme est revenu. Valérie est douce comme un ange.

Je ne la voyais plus qu'au moment des heures de cours, et en classe, son comportement n'avait pas changé. Tous les professeurs étaient unanimes à se plaindre d'elle. J'avais décidé d'abandonner la lutte. Je me disais que c'était une cause perdue d'avance.

Ma nouvelle vie me convenait tout à fait. Dans la journée, j'avais mon travail. Le soir, Roger venait me voir, et jamais il ne me parlait d'un éventuel retour. Je ne le proposais pas non plus. Je savais que mon départ avait satisfait tout le monde, et que Roger appréciait de pouvoir rentrer dans une maison calme après une journée harassante. En déduisait-il que c'était moi l'élément perturbateur de la famille, et qu'il avait eu tort de m'épouser ? Il faudrait que nous ayons une conversation sérieuse à ce sujet, me disais-je parfois. Cette situation provisoire ne pouvait durer éternellement.

Je reçus une réponse de ma mère. « Ton mariage semble avoir été une erreur, m'écrivait-elle. Tu as perdu ton bébé, et maintenant tu es séparée de ton mari. Cette séparation est-elle définitive ? Je m'inquiète pour toi, je n'aime pas te savoir malheureuse. Bernard, de son côté, est bien malheureux aussi depuis la mort de Diane. Il a maigri, il broie du noir. Il me demande souvent de tes nouvelles, et je crois bien qu'il ne t'oublie pas. » Je repliai pensivement la lettre. Bernard, mon unique bien-aimé... Moi non plus je ne l'oubliais pas.

* * *

Le vent de révolte qui avait soufflé sur le C.E.S. sembla soudain se généraliser et prendre une ampleur nationale. Au début du mois de mai, des incidents éclatèrent à la faculté de Nanterre. Des étudiants « progressistes », dont le chef, Daniel Cohn-Bendit, était surnommé à cause de ses cheveux roux *Dany le Rouge*, organisèrent des meetings dans lesquels ils dénonçaient « l'université sclérosée » et « la société de classes ». La faculté de Nanterre fut fermée, la Sorbonne également. Des bagarres opposèrent les étudiants aux forces de police. Le Syndicat de l'Enseignement Supérieur appela ses membres à la grève.

Très vite, la situation dégénéra. Au cours des jours suivants, les émeutes se poursuivirent dans le Quartier Latin. Les étudiants, après avoir constitué des barricades à l'aide de voitures en stationnement, ôtèrent les pavés du boulevard Saint-Germain et les utilisèrent comme projectiles pour bombarder le service d'ordre. Il y eut des blessés, ainsi que de nombreuses arrestations. Les journaux, la télévision montraient des images affolantes : barricades, voitures en flammes, manifestants et C.R.S. s'affrontant dans la fumée des grenades lacrymogènes.

Cette situation était l'objet de toutes les conversations. Antoine, le délégué du Syndicat, farouchement anti-gaulliste, et favorable à un gouvernement de gauche, ne cessait de répéter qu'il soutenait à fond la révolte des étudiants, et même qu'il regrettait de ne pas être parmi eux pour aller se battre sur les barricades. Gilles, par contre, qui avait fait partie d'un groupe de résistants pendant la guerre, était un grand admirateur du général de Gaulle. D'interminables discussions les opposaient tous deux, que les autres professeurs commentaient avec humour. Quant à mes élèves, ils m'interrogeaient :

— Vous avez vu, madame, à la télévision ? Les bagarres...

J'acquiesçais, sans faire de commentaires. Je ne voulais pas me mêler de politique. Certains — ceux qui n'aimaient pas l'école — disaient en riant :

— On devrait faire la même chose ici ! Comme ça, on fermerait le C.E.S. Ça nous arrangerait bien !

Je prenais une voix grondeuse :

— Mais vous n'êtes pas étudiants, et avant d'y arriver, vous avez encore beaucoup d'années de travail devant vous !

Cette perspective leur arrachait une grimace de protestation, et ils ne disaient plus rien.

Peu à peu, le mouvement gagnait toute la France. Après plusieurs manifestations à Paris, d'autres furent organisées en province. Antoine vint trouver tous les adhérents du S.N.E.S., dont je faisais partie :

— Il y a une manifestation à Lille, ce samedi 11, dans l'après-midi. Nous devons tous y aller. Il faut qu'il y ait le plus de monde possible. Un car est prévu. Et je peux emmener dans ma voiture ceux qui le désirent.

Cette expérience ne me tentait pas outre mesure, mais mes autres collègues, dont Christine, donnèrent leur accord. J'aurais été la seule à refuser, et je ne l'osai pas, craignant les reproches qu'Antoine ne manquerait pas de me faire.

La veille, j'en parlai à Roger. Il me regarda avec inquiétude :

— J'espère que tout se passera bien, Irène, et qu'il n'y aura pas de grabuge. Je ne tiens pas à ce que tu sois matraquée par les C.R.S. !

Je ne pus m'empêcher de rire :

— C'est une simple manifestation. Antoine assure que tout se passera bien. Nous avons notre propre service d'ordre, qui veillera à éviter tout désordre.

— Hum... Je l'espère. En tout cas, sois prudente, ma chérie. Prends soin de toi.

Il m'embrassa avec tendresse avant de me quitter et sa sollicitude, de nouveau, me fut douce. Pour la première fois depuis que nous étions séparés, je le regardai partir avec regret. J'eus presque envie, à cet instant, de lui proposer de revenir. Mais la pensée de Valérie me retint, et je ne dis rien.

Le lendemain en début d'après-midi, je me retrouvai, avec Christine et deux autres collègues, dans la voiture d'Antoine. Le temps était maussade. Assise à l'arrière, tandis que nous roulions vers Lille, je regardais par la portière défiler, de chaque côté de l'autoroute, les champs verdoyants, tout en écoutant d'une oreille distraite les inlassables commentaires d'Antoine.

— Ne nous leurrons pas, répétait-il une fois de plus. Par cette manifestation, nous affirmons notre soutien aux étudiants, mais nous exprimons également notre mécontentement ainsi que nos revendications. Outre une amélioration des traitements, nous réclamons des créations de postes et des classes moins chargées.

Il se retourna, prit à témoin Michel, le prof de dessin, assis près de moi :

— Toi, Michel, tu ne me contrediras pas si je te dis que tu feras un travail nettement meilleur avec une classe de vingt-cinq élèves qu'avec une classe de trente-deux !

Michel hocha sa tête chevelue et barbue pour approuver. Christine ajouta :

— C'est valable pour n'importe lequel d'entre nous. Plus une classe est chargée, plus le travail est difficile, sans parler de la discipline !

— Bien sûr ! reprit Antoine. Mais pour avoir des classes moins lourdes, il faut créer des postes supplémentaires. Et c'est l'une des raisons pour lesquelles nous manifestons aujourd'hui.

Il se tut un instant tandis qu'il changeait de file pour doubler un camion, puis il reprit de plus belle :

— Et nous ne sommes pas les seuls à protester ! Outre des étudiants et des enseignants, il y aura cet après-midi des milliers d'ouvriers venus de toute la région. Eux, ils défileront pour l'emploi. Ils sont inquiets. Il y a trop de licenciements, et les puits de mine ferment les uns après les autres. Quant aux agriculteurs, ils manifestent de leur côté à Arras. Tout ça, c'est l'expression d'un mécontentement général. C'est évident. Il faut que ça change.

J'attendais son inévitable exposé sur les avantages d'un gouvernement de gauche, mais nous arrivions à Lille et la circulation se faisait plus dense. Antoine concentra son attention sur la route, et bientôt chercha une place pour se garer.

— Tout est pris, commenta Christine. Avec la manifestation, il y a un monde fou.

— Tant pis, arrêtons-nous ici, décréta Antoine. De toute façon, nous ne pouvons pas aller plus loin.

Il immobilisa sa voiture derrière une file d'automobiles déjà garées en stationnement non autorisé. Nous descendîmes et nous nous dirigeâmes vers la porte d'Arras. Nos autres collègues arrivés en car nous y attendaient.

— Allons jusqu'au boulevard Jean-Baptiste-Lebas, leur dit Antoine. C'est de là que doit partir le cortège.

Sur le terre-plein du boulevard, la foule était déjà très dense ; l'arrivée de nombreuses personnes, venues des rues voisines, l'augmentait de minute en minute. Je vis, parmi les manifestants, beaucoup de jeunes femmes. Des étudiants tenaient une banderole qui exigeait : « Libérez nos camarades ». D'autres banderoles, disséminées un peu partout, affirmaient en lettres rouges : « La région du Nord veut vivre », « Non aux licenciements », « Du travail pour les jeunes »...

— Allons rejoindre nos autres collègues, dit Antoine.

Nous le suivîmes vers l'endroit où se massaient les enseignants de toute la région, reconnaissables à leur banderoles qui, elles, réclamaient « Une démocratisation de l'enseignement » et « des classes de vingt-cinq élèves ». Antoine serra des mains, se mit à discuter avec animation. Je l'entendis affirmer :

— Nous gagnerons. Ayez confiance, mes amis : nous gagnerons.

Dans la grisaille de l'après-midi, le cortège se mit en marche tout en scandant divers slogans. « Libérez nos camarades ! » répétaient les étudiants, tandis que les travailleurs réclamaient « les quarante heures ».

De nombreux curieux, massés sur les trottoirs, observaient le défilé. Après la rue de Paris puis la place de la Gare, le cortège emprunta la rue Faidherbe, traversa la place du Général-de-Gaulle, prit ensuite la rue Nationale. Avec Christine et Michel, je marchais derrière Antoine, qui scandait les slogans avec énergie. Petit à petit, je me laissais gagner par l'effervescence qui m'entourait, et je joignis ma voix à celles de mes collègues : leurs réclamations étaient aussi les miennes. Ensemble nous souhaitions une amélioration de notre situation, et je me sentis subitement emportée par un immense élan de solidarité et d'enthousiasme. Comme l'avait dit Antoine, il fallait nous faire entendre, et il fallait que nous obtenions satisfaction.

Entre deux slogans, Christine profita d'un moment de silence pour me prendre le bras en gémissant :

— Oh là là ! Que j'ai mal aux pieds ! J'aurais dû mettre des chaussures plus sportives.

Je jetai un coup d'œil sur sa tenue : mini-jupe et souliers à fins talons. Je remarquai, amusée :

— Il est vrai que ce défilé n'est pas un défilé de mode !

Subitement, il y eut un arrêt. Nous tendîmes le cou pour essayer de voir ce qui se passait. Nous entendions des cris, et vers l'avant le cortège paraissait houleux.

Antoine se retourna :

— Ce sont les étudiants, nous expliqua-t-il. Ils essaient de franchir les grilles de l'O.R.T.F. Ils veulent aller réclamer l'amnistie pour leurs camarades arrêtés lors des émeutes à Paris.

J'eus un instant d'inquiétude. Y allait-il avoir du grabuge, comme l'avait craint Roger ? J'eus pour lui une pensée de tendresse, et je regrettai qu'il ne fût pas à mes côtés. Antoine me rassura aussitôt :

— Ça se calme. Le service d'ordre de l'U.N.E.F. a formé une chaîne et a entraîné les étudiants un peu trop agités.

Le cortège se remit en route, toujours dans le calme, jusqu'au Champ de Mars. Là, les manifestants entonnèrent *L'Internationale* avant de se disperser sans incident.

— Voilà, dit Antoine, c'est terminé. Tout s'est bien passé. J'espère maintenant que notre action portera ses fruits.

En discutant, nous revînmes à pied jusqu'à l'endroit où Antoine avait garé sa voiture. Notre délégué ne cachait pas sa satisfaction.

— Nous étions nombreux, et c'est ce qu'il faut. Je vous remercie d'être venus. Dans un cas pareil, il faut qu'il y ait le plus de monde possible. De quoi aurions-nous l'air, je vous le demande, si nous n'étions qu'une centaine à défiler ? Cet après-midi, nous étions plusieurs milliers. Le gouvernement sera bien obligé de comprendre qu'il y a beaucoup de mécontents.

Michel opinait de la tête tout en marchant. Christine, près de moi, boitait de plus en plus et répétait qu'elle avait mal aux pieds. Elle poussa un soupir de soulagement en apercevant la voiture d'Antoine :

— Enfin ! Je vais pouvoir m'asseoir !

Je pris place à l'avant, près d'Antoine. Il fit démarrer la voiture et, tout en conduisant, continua de bavarder. Il était intarissable.

— Il faut que ça change, je ne le répéterai jamais assez. Nos conditions de travail doivent être améliorées. Il n'y a pas assez de profs, pas assez de surveillants. A chaque rentrée, il manque des postes. Alors qu'il y a tant de demandes au Rectorat ! Mais plutôt que de créer des postes, on préfère donner des heures supplémentaires aux profs déjà en place ! Il faudrait les refuser. Malheureusement, certains collègues voient ainsi leur salaire augmenter et en sont enchantés. C'est à vous dégoûter de vous battre !

Michel, assis à l'arrière, objecta :

— Une heure supplémentaire ou deux par prof, ça ne va pas bien loin.

Sourcils froncés, Antoine se tourna vers lui :

— Détrompe-toi ! Il s'agit plus souvent de quatre ou cinq heures au lieu d'une seule ! J'ai déjà vu des profs avoir jusqu'à dix heures supplémentaires ! Dans ce cas-là, il suffit de deux profs pour bloquer la création d'un nouveau poste ! Moi, je dis que c'est révoltant !

Emporté par son indignation, il ne regardait plus la route. D'une rue transversale, venant de notre droite, une camionnette lourdement chargée déboucha brutalement. Je criai :

— Attention !

Antoine se retourna, s'exclama :

— Merde ! D'où sort-il, celui-là ?

Il freina, mais il était trop tard. Avec un sentiment de catastrophe, je vis le véhicule foncer sur nous. Dans un horrible bruit de tôle froissée et de verre brisé, il emboutit l'avant droit de la voiture. J'eus le temps d'apercevoir le visage affolé et furieux du conducteur. Tout se passa très vite. Je fus projetée vers l'avant. Ma tête heurta violemment le pare-brise, en même temps qu'une douleur fulgurante explosait dans ma jambe droite. Un voile de sang passa devant mes yeux, et pour la deuxième fois de ma vie, je perdis conscience.

* * *

Je luttais pour ouvrir les yeux. Des vagues noires et gluantes me ballottaient de côté et d'autre, et leur roulis me donnait la nausée. Je dérivais, je tanguais, je m'enfonçais dans une masse visqueuse qui m'enserrait de toutes parts. En même temps, je tentais désespérément de faire surface, mais je n'y parvenais pas.

Péniblement, je soulevai mes paupières. En une fraction de seconde, avant qu'elles ne se referment aussitôt, j'aperçus le décor blanc d'une chambre d'hôpital. Une pensée, comme un éclair, traversa mon cerveau embrumé : « Encore ! » Je voulus parler, mais il me fut impossible d'émettre un son. J'eus le temps d'entrevoir, auprès de mon lit, une silhouette penchée sur moi, avant de retomber dans la mouvance des vagues qui me recouvrirent, me submergèrent, m'engloutirent.

Plus tard — après combien de temps ? — j'ouvris de nouveau les yeux et posai autour de moi un regard embrouillé. Une sorte de brume cotonneuse et floue m'enveloppait. Au creux de mon estomac, la même nausée tremblait, prête à se réveiller au moindre de mes mouvements. La silhouette près de mon lit se leva, se pencha sur moi, me prit une main :

— Irène ! Tu te réveilles ? Ne bouge pas, ma chérie. Tu es hors de danger.

Je reconnus la voix de Roger, je reconnus son visage empreint de bonté et de tendresse. Il effleura mon front d'un baiser, dit avec douceur :

— Ça va aller, maintenant. Mais comme tu m'as fait peur !

Peu à peu, mes souvenirs revenaient. Antoine qui freinait trop tard, la camionnette qui emboutissait l'avant droit de la voiture, le choc, la douleur... Je m'agitai, tentai de me redresser, voulus poser des questions. Seul un coassement incompréhensible m'échappa :

— Que... ?

— Ne bouge pas, répéta Roger en posant avec douceur une main sur mon épaule. Ta jambe droite souffre d'une mauvaise fracture. Il a fallu t'opérer et la mettre en extension.

Avec surprise et consternation, j'aperçus ma jambe ligotée, suspendue et attachée en hauteur par l'extrémité du pied. Je tournai vers Roger un regard interrogatif.

— Ne t'inquiète pas. Avec du repos et des soins, ce sera réparé sans problème. C'est le coup que tu as reçu à la tête qui nous a inquiétés. Tu avais été projetée contre le pare-brise. Tu avais perdu conscience, et du sang coulait de ton oreille. Nous avons craint une fracture du crâne. Heureusement, les radios ont révélé que ce n'était pas le cas. J'ai eu peur, ma chérie, je te l'avoue.

Je portai à mon front une main incertaine, touchai un épais pansement. Pourtant, je n'avais plus mal. J'avais plutôt la sensation d'une immense faiblesse, qui m'engourdissait. J'entendais, venant de loin, les paroles de Roger :

— Tu as été la seule à être blessée. Christine n'a que quelques bleus, les autres n'ont rien. Ma pauvre chérie...

Sa voix s'estompait, se diluait dans la brume qui s'épaississait et se resserrait autour de moi. Lourdes d'une lassitude invincible, mes paupières se fermèrent. Je ne vis et n'entendis plus rien.

Lorsque je m'éveillai, je me sentais un peu mieux. J'étais encore engourdie, mais mon esprit avait retrouvé sa lucidité. A mon chevet, auprès de Roger se trouvaient mes parents. Dès que j'ouvris les yeux ma mère se précipita, m'embrassa, posa sa joue contre la mienne :

— Irène, ma petite fille... Que j'ai eu peur ! Roger nous a téléphoné, et nous sommes venus aussitôt. Rassure-moi, parle-moi. Comment te sens-tu ? As-tu mal ?

Je réussis à sourire faiblement, à balbutier :

— Non, non, ça va... Je me sens barbouillée... J'ai soif.

Elle me tendit un verre d'eau, tandis que mon père me tapotait l'épaule et me disait d'une voix émue :

— Ça, pour nous faire peur, tu nous as fait peur ! Cette mauvaise fracture va t'immobiliser quelque temps. — Il lança un regard à ma jambe suspendue. — Mais Roger nous a expliqué que ça aurait pu être pire...

Je bus un peu d'eau, rendis le verre à ma mère, demandai :

— Quel jour sommes-nous ?

— Nous sommes dimanche, et c'est l'après-midi.

Je voulais poser d'autres questions, mais je n'en avais pas le courage. Je laissai ma mère me tamponner le front et les tempes avec un gant de toilette imbibé d'eau froide. Ses gestes me reportaient des années en arrière, lors de mes maladies d'enfance, alors que j'étais alitée et qu'elle m'entourait de soins et de tendresse maternelle. Comme alors, je me laissais faire, et il m'était doux qu'elle s'occupât ainsi de moi, tandis que mon père et Roger parlaient de la situation. A Paris, de nouvelles scènes d'insurrection avaient éclaté au Quartier Latin, et les étudiants avaient dressé de nombreuses barricades. M. Pompidou avait déclaré à la télévision : « La Sorbonne sera réouverte lundi », mais les organisations syndicales lançaient un ordre de grève générale. Le mouvement prenait de l'ampleur, s'étendait en province : à Lyon, la faculté de droit était occupée par les étudiants ; à Toulouse, les écoles et les facultés s'étaient mises en grève.

Languissante, à moitié endormie, j'écoutais d'une oreille distraite. Je pensais que ma seule participation aux événements m'avait valu de me retrouver à l'hôpital avec une jambe cassée et un traumatisme crânien. Antoine ne m'y reprendrait plus.

En fin d'après-midi, on m'apporta un yaourt et une compote. Je n'avais pas faim, mais Roger me força à manger.

— Tu as été opérée, Irène, et plus vite tu retrouveras tes forces, plus vite tu sortiras d'ici. Allons, mange.

Il me parlait comme à une enfant, et je lui obéis. Lorsque arriva l'heure de la fin des visites, mes parents se levèrent pour partir. Ma mère m'embrassa et m'embrassa encore.

— Remets-toi vite, ma petite fille. Nous reviendrons te voir dimanche prochain. Quel dommage que tu sois si loin de nous ! Je téléphonerai à Roger chaque soir pour demander de tes nouvelles. Il passera te voir tous les jours. Je suis rassurée de penser qu'il est là pour veiller sur toi. Au moins, tu n'es pas seule.

Je fis un signe d'acquiescement. J'étais heureuse, moi aussi, que Roger fût là pour m'entourer d'attentions et de tendresse.

Le lendemain, à l'heure des visites, je vis arriver Antoine.

— Comment vas-tu, Irène ? Je suis désolé, c'est un peu à cause de moi si tu te retrouves dans cet état. Je reviens du C.E.S. J'ai prévenu *Barbe-Fine* de ton absence ; il a demandé un remplaçant au Rectorat. Quoique, en ce moment, avec la période de grèves qui s'annonce... je ne sais pas si un remplaçant sera nécessaire !

Il s'assit près de mon lit, sortit de son porte-documents plusieurs feuilles.

— J'ai besoin de renseignements, pour les papiers à envoyer à la M.G.E.N. en ce qui concerne ta prise en charge. Ne t'inquiète pas, je vais m'occuper de tout. Je te dois bien ça, ma pauvre !

Je le remerciai, tout en réalisant que je n'avais pas pensé à cet aspect de la situation. Il nota les renseignements que je lui donnai, remit les papiers dans son porte-documents, me donna des nouvelles du C.E.S. :

— Les élèves sont excités et en profitent pour ne pas travailler. A la télé, ils regardent les bagarres entre étudiants et C.R.S., et ils ne parlent que de ça. Ils espèrent qu'il y aura une grève générale, parce qu'alors les cours s'arrêteront. Eux, c'est tout ce qui les intéresse. J'ai essayé de leur expliquer quelles sont les revendications des enseignants, mais je ne sais pas s'ils ont compris.

— Et du côté de la direction ? Comment cela se passe-t-il ?

— *Barbe-Fine* est toujours aussi rigide et continue à exiger que tout le monde soit à l'heure. Il ne change pas. Il est d'accord avec nos principales revendications, notamment la création de nouveaux postes de professeurs et de surveillants. Mais je crois qu'il est contre la grève. A mon avis, l'idée de voir son établissement fermé et déserté par les élèves doit le rendre malade. Imagine : la sonnerie retentirait dans le vide ! Il y a de quoi le traumatiser !

Il rit, et je ne pus m'empêcher de l'imiter. Il se leva, me tapa sur l'épaule :

— Je m'en vais. Soigne-toi bien, Irène, et reviens-nous vite. Je repasserai te voir. Allez, à bientôt !

Il sortit, emportant avec lui des images de C.E.S., de collègues et d'élèves. Je constatai que les uns et les autres me manquaient, et je ne pus réprimer un soupir de regret.

Quelques minutes après le départ d'Antoine, j'eus la visite de Mme Duriez. Je fus heureuse de la voir. Elle m'apportait un bouquet de roses de son jardin, qu'elle installa dans un vase sur la table de chevet, ainsi qu'un gâteau qu'elle affirma avoir fait spécialement pour moi. Ses attentions me touchèrent. Elle s'assit, sortit de son sac un poste de radio qu'elle posa auprès du vase de roses :

— Je vous ai apporté mon transistor. Vous pourrez écouter les nouvelles. J'ai pensé qu'ainsi vous trouverez le temps moins long. Moi, je peux m'en passer, j'ai la télé.

Je la remerciai chaleureusement. Elle m'observa avec affection et me sourit :

— Alors, comment allez-vous ? Lorsque votre mari m'a appris que vous étiez à l'hôpital, j'ai été affolée ! Heureusement, il m'a assuré que vous n'aviez rien de grave. Mais quand même, cette jambe immobilisée, comme ça doit être gênant ! Dites-moi si vous avez besoin de quelque chose, et je vous l'apporterai demain. N'hésitez pas, je serai ravie de vous rendre service.

Lorsqu'elle prit congé, j'étais un peu étourdie par son bavardage, mais son amitié m'avait fait du bien, et je l'encourageai à revenir me voir. Sur une promesse énergique, elle s'en alla.

La troisième visite de la journée fut celle de Berthe. Je la regardai avec surprise. Je ne pensais pas à elle. Avec son habituelle sécheresse, elle me tendit un panier de fraises et une boîte de caramels, puis elle demeura debout au pied de mon lit, raide, à peine aimable, observant ma jambe suspendue d'un air curieux et réprobateur.

— Je suis venue seule, m'expliqua-t-elle. Valérie n'a pas pu m'accompagner. Elle avait ses cours au C.E.S. De plus, elle a une peur terrible des hôpitaux, et la simple idée d'entrer dans l'un d'eux la rend malade. C'est pourquoi je n'ai pas insisté pour qu'elle vienne vous voir. J'ai pensé que vous comprendriez, et que vous ne lui en tiendriez pas rigueur.

Je fis un geste vague, signifiant que cela n'avait pas d'importance. Je ne tenais pas spécialement à voir Valérie ; son absence ne m'étonnait pas et me laissait totalement indifférente.

Le soir, Roger arriva après sa tournée de visites. Je terminais de dîner. Ce n'était pas facile de manger en étant allongée, avec une jambe suspendue. Il s'assit contre le lit, prit mon assiette et, bouchée par bouchée, me fit manger la glace qui constituait le dessert. Puis, il ôta le plateau, le déposa dans un coin de la chambre. Avec une sorte de timidité, il sortit de son attaché-case des livres enveloppés d'un papier cadeau et un petit bouquet de violettes, qu'il me tendit avec un regard tendre :

— Merci, Roger, dis-je en lui souriant. Tu es gentil.

— Je n'agis pas ainsi par gentillesse, rectifia-t-il. Je t'aime, Irène, tout simplement. Cet accident et la peur que j'ai éprouvée pour toi m'ont montré à quel point je tiens à toi. Je t'aime, répéta-t-il en me prenant la main

Je ne répondis pas, incapable de lui faire la même déclaration. Il se pencha, prit mon visage entre ses mains, m'embrassa avec une passion contenue.

— Je vais te laisser, ma chérie. Bonne nuit. Je reviendrai demain. Je t'aime... souffla-t-il à nouveau tandis que, de ses lèvres, il caressait doucement les miennes.

Je me laissai faire passivement. Lorsque, après un

dernier baiser, il sortit de la chambre, je fermai les yeux. Je me sentais épuisée.

* * *

Les jours se succédèrent lentement, au rythme de l'hôpital. Réveil le matin à six heures, toilette, petit déjeuner, soins, visite du médecin de service. Le repas était servi à midi, puis je faisais une courte sieste avant l'heure des visites. Le troisième jour, dans l'après-midi, Christine vint me voir.

— Tes élèves te réclament, m'affirma-t-elle. Ça, c'est quelque chose de positif, je puis te l'assurer. Habituellement, quand un prof est absent, ils s'en réjouissent plutôt. Mais toi, tu as vraiment l'air de leur manquer. Ils m'ont chargée de t'apporter ça. Regarde.

Elle tira de son sac plusieurs feuilles décorées de dessins, sur lesquelles étaient inscrits, en lettres multicolores, des messages qui disaient : « Bon rétablissement », « Revenez vite », et encore « On vous aime bien ». En dessous de ces phrases figuraient les signatures de tous les élèves. Il y avait une feuille pour chacune de mes classes. Je levai vers Christine des yeux émus :

— Comme ils sont gentils ! Tu leur diras merci de ma part. Merci de tout cœur.

Elle bavarda quelques instants, commentant les derniers événements : il y avait eu un défilé monstre à Paris, plusieurs centaines de milliers de manifestants ; la Sorbonne était rouverte, et les forces de l'ordre avaient quitté le Quartier Latin ; on espérait une amélioration de la situation ; quant au général de Gaulle, il était parti pour Bucarest, ne voulant pas annuler un voyage prévu de longue date.

Lorsqu'elle partit, je lui assurai que sa visite m'avait fait plaisir, et elle aussi me promit de revenir. Restée seule, je regardai les dessins et les messages de mes élèves. Ils avaient tous signé, même Valérie Brunoix en quatrième C, qui avait ajouté de nombreuses fioritures autour de son nom. Je m'interrogeai. Que représentait sa signature ? Le désir de faire comme tout le monde, ou bien l'expression d'un souhait sincère ? Je doutai que Valérie attendît avec impatience mon retour.

Jour après jour, je retrouvais mes forces et mon énergie. Il m'était de plus en plus pénible d'être immobilisée, et chaque matin je posais au médecin, lors de sa visite, la même question : quand m'enlèverait-on ce système qui maintenait ma jambe en extension ? Il secouait la tête en souriant :

— Doucement, doucement ! Ne soyez pas si impatiente ! Vous avez eu une très mauvaise fracture du tibia et du péroné, il a fallu vous mettre des plaques et des vis. Je le sais, c'est moi qui vous ai opérée. Il faut laisser à vos os le temps de se remettre.

Obligée de supporter mon immobilité, je m'occupais en lisant, ou en écoutant les informations que diffusait le transistor de Mme Duriez. Elles n'étaient pas réjouissantes. J'apprenais avec consternation que dans les facultés, à Paris et en province, les cours n'avaient plus lieu, les examens étant ajournés ou reportés ; que les ouvriers, à leur tour, se mettaient à occuper les usines ; que la grève s'étendait à la S.N.C.F., aux P.T.T., menaçant de paralyser tout le pays. Dans le Nord, toute activité avait cessé dans la métallurgie et dans les mines, et les délégués syndicaux dressaient la liste de leurs revendications.

Lorsque j'étais lasse d'entendre ces nouvelles décourageantes, j'éteignais le poste et, les yeux fermés, je laissais vagabonder mon esprit. A ces moments-là, l'image de Bernard, que j'avais volontairement enfouie au fond de mon cœur, s'agitait, grandissait, se libérait. Je revivais l'unique instant au cours duquel je lui avais appartenu, et un vertige me faisait chavirer. Je comprenais que, même si je m'efforçais de ne pas penser à lui, je l'aimais toujours autant. Je ne l'oublierais jamais.

10

Le dimanche, mes parents vinrent de nouveau me voir. Ma mère m'embrassa et m'observa avec tendresse :

— Tu as une meilleure mine, Irène. Ça me fait plaisir de voir que tu vas mieux.

Il était vrai que je me sentais mieux. Malgré mon immobilité forcée, je ne souffrais pas. L'avant-veille, on avait ôté le pansement qui, pendant plusieurs jours, avait enserré ma tête. Avec douceur, ma mère me brossa longuement les cheveux, les noua avec un ruban. Mon père et Roger me regardaient avec attendrissement tout en discutant de la situation générale.

— Il n'y a plus de trains. Le trafic ferroviaire a complètement cessé. La grève va s'étendre aux transports aériens et aux P.T.T. On évalue à six millions le nombre de salariés qui ont cessé le travail. La France est sous la menace d'une totale paralysie.

— Les ouvriers occupent leurs usines. Ça me rappelle les grèves de 1936, constata mon père.

Roger approuvait, se remémorait ses souvenirs de l'époque, et ses commentaires me faisaient prendre conscience de notre différence d'âge. Je me disais qu'il était beaucoup plus proche de la génération de mon père que de la mienne, et je le regardais, non plus comme un amant ou un mari, mais comme un ami qui éprouverait pour moi une affection paternelle.

— Des facultés, la grève risque de s'étendre au secondaire, et même au primaire, continuait mon père. Nous aussi, nous avons nos revendications.

Nous nous mîmes à parler de nos conditions de travail. Je racontai les petits événements qui avaient perturbé le C.E.S. : l'élève qui, d'un coup de poing, avait cassé le nez de Colette Mérignac, et « l'opération vengeance » des Strapacchi qui avaient voulu donner une correction au professeur ayant osé coller l'un des leurs. Ma mère fut horrifiée, mon père secoua la tête avec une désapprobation mêlée d'incrédulité :

— C'est incroyable ! Comment est-ce possible ?... Mes élèves n'oseraient jamais faire une chose pareille.

— Mais les tiens sont plus petits, dis-je. Au C.E.S., ce sont des adolescents. Ils ont l'âge de la contestation et de la révolte. Ils acceptent beaucoup moins l'autorité, quelle qu'elle soit.

— Il y a aussi l'attitude des parents, ajouta ma mère. Beaucoup d'entre eux, actuellement, soutiennent leurs enfants, même s'ils ont tort. Dans ce cas, nous ne pouvons pas faire grand-chose.

Cela me fit penser à Valérie, que Berthe soutenait quoi qu'il arrive. Néanmoins, même sans de tels problèmes, le métier d'enseignant n'était pas facile nerveusement. Je savais que pour avoir une classe silencieuse et attentive, il fallait une vigilance constante. Surveiller sans cesse, réprimander l'élève qui bavardait, celui qui se retournait, cet autre qui tapotait la table avec sa règle... Tout cela en faisant la leçon et en vérifiant que tout avait été bien noté sur les cahiers. C'était une tension de tous les instants, qui à la longue épuisait les nerfs.

— Si nous n'y prenons pas garde, remarqua mon père, notre métier va devenir de plus en plus difficile. C'est pour cela que nous réclamons des classes moins chargées. Il faut absolument que nos revendications soient entendues.

A l'heure du départ, lorsque mon père et Roger furent sortis de ma chambre, ma mère revint vers moi, m'embrassa une dernière fois et me chuchota rapidement :

— Bernard me demande de tes nouvelles tous les jours. Dois-je lui dire quelque chose de ta part ?

Un éclair de bonheur illumina mon cœur. Irrépressibles, les mots franchirent mes lèvres avant même que mon esprit ne les ait pensés :

— Dis-lui qu'il vienne me voir.

En voyant l'air surpris de ma mère, je pris conscience de mes paroles. Je me rendis compte que cette phrase, que je n'avais pas prévue, était l'expression d'un désir profond, lancinant. Ma mère se releva :

— Bien, murmura-t-elle. Je le lui dirai.

Je la regardai partir, et j'avais l'impression d'être entourée d'une multitude d'étoiles dont le scintillement m'éblouissait. Si ma mère transmettait mon message, Bernard viendrait. Allais-je vraiment le revoir ? Osant à peine s'exprimer, un espoir brûlant se mit à palpiter au fond de mon cœur, l'éclairant d'un rayonnement qui m'enveloppa de douceur tandis que je glissais dans le sommeil.

* * *

Le lendemain et les jours suivants, le transistor de Mme Duriez m'apprit que la grève se généralisait sur l'ensemble du pays. Plus de trains, ni d'avions, ni de courrier. Lille était entièrement privé de transport. Dans les grandes villes, les ordures ménagères s'accumulaient, les poubelles débordaient. Les gens faisaient la queue dans les banques, les épiceries et les stations-essence.

Cette paralysie gagnait l'enseignement. Dans les lycées, puis dans les écoles primaires, les cours cessèrent complètement à partir du mercredi, après un appel de la F.E.N. à tous ses adhérents.

Vers la fin de la semaine, de nouvelles scènes d'émeutes, au Quartier Latin, opposèrent étudiants et C.R.S. Il y eut de nombreux blessés. Ayant abrégé son séjour en Roumanie à cause de la situation, le général de Gaulle, dans une allocution radio-télévisée, annonça qu'il proposerait aux Français un référendum en juin. « Si votre réponse est non, je n'assumerai pas plus longtemps ma fonction », déclara-t-il. Je pensai qu'Antoine exhorterait tout le monde à voter non, et je l'imaginai en train de jubiler : « Enfin, ça va changer ! »

Lors de ses visites, Mme Duriez ne cachait pas son inquiétude. L'ampleur que prenaient les événements l'affolait.

— Si vous voyiez les images à la télé ! disait-elle. Un véritable spectacle de guerre civile ! Des barricades, des arbres abattus, des voitures incendiées... Sans compter la grève qui se poursuit partout. Elle atteint maintenant dix millions de salariés. Le seul service public à ne pas être touché est l'alimentation en eau, gaz et électricité. Pourvu qu'il ne se mette pas en grève à son tour ! Ça serait une catastrophe !

Je la laissais parler et j'acquiesçais machinalement. La situation générale m'inquiétait moi aussi, mais elle passait au second plan. Car l'espoir ardent, lumineux, de revoir Bernard emplissait toutes mes pensées : viendrait-il ?

* * *

Mes parents arrivèrent à l'heure des visites, le dimanche suivant. Je les attendais, et l'impatience me mettait des picotements dans les mains. Depuis la veille, ma jambe n'était plus en extension, et, sans avoir le droit de remuer beaucoup, je pouvais néanmoins m'asseoir dans mon lit. Outre le soulagement que cela m'apportait, je pensai que je présenterais ainsi à Bernard un spectacle moins affligeant.

Lorsque mes parents entrèrent, j'interrogeai ma mère du regard. Elle comprit. Elle m'embrassa, remarqua d'un ton joyeux :

— Comment vas-tu, ma petite fille ? Je vois qu'ils t'ont enlevé ce système qui suspendait ta jambe ! Tant mieux. Sais-tu que Bernard est venu avec nous ? C'est lui qui nous a conduits jusqu'ici. Il est en bas, en train de garer sa voiture.

Dans ma poitrine, mon cœur fit un bond immense. Je me sentis soulagée de l'absence de Roger ; c'était un des dimanches où il était de garde. Je ne lui avais rien dit quant à la venue éventuelle de Bernard, et je ne tenais pas à ce qu'ils se rencontrent à mon chevet. A vrai dire, je souhaitais voir Bernard en tête à tête.

Ce dimanche était celui de la fête des mères, et j'offris à ma mère le cadeau que Roger avait acheté à ma demande : les derniers romans sortis, car je savais que des livres lui faisaient toujours plaisir, à elle qui adorait lire. Comme je le prévoyais, elle fut ravie. Puis, tandis que mon père parlait de son école en grève et faisait des événements un exposé que je n'écoutais pas, ma mère, avec un sourire complice, me brossa les cheveux, me frictionna le cou et les bras avec de l'Eau de Cologne, me mit une chemise de nuit agrémentée de volants et de dentelles, romantique à souhait, qu'elle avait apportée. Je me laissais faire, et mon cœur palpitait, et ma gorge se nouait, et mon regard sans cesse se dirigeait vers la porte de la chambre.

Lorsque des coups y furent frappés et qu'elle s'ouvrit, je cessai de respirer. Il entra, et je ne vis plus que lui. Lui et ses yeux mordorés, et son regard qui immédiatement se fixa sur moi, me dévora, et dans lequel je lus une passion qui m'éblouit.

J'aperçus, à l'arrière-plan, ma mère qui entraînait mon père hors de la chambre. Dans une sorte de rêve ouaté, je les vis sortir et refermer doucement la porte. Lentement, Bernard s'avança vers moi, ses yeux rivés aux miens. Inchangé, intense, presque violent, l'amour que j'éprouvais pour lui emplit ma poitrine, m'inonda, m'étouffa. Incapable de parler, je lui tendis une main. Il la prit, s'agenouilla tout contre mon lit :

— Irène... Irène, mon amour...

— Bernard... soufflai-je.

— Irène, comment vas-tu ? Si tu savais comme j'ai pensé à toi, depuis que tu es partie !... J'étais malheureux, et persuadé que je ne te reverrais jamais. Le jour où tes parents m'ont appris ton mariage, j'ai été désespéré. Et pourtant, je n'avais aucun droit sur toi, je ne pouvais rien t'offrir... Mais je m'interrogeais : pourquoi en épouse-t-elle un autre ? M'a-t-elle oublié si vite ?

Je m'agitai :

— Il faut que je t'explique... Je dois tout te dire.

Sans lâcher ma main, il se leva, prit l'unique chaise de la chambre, l'approcha de mon lit, s'assit. Une allégresse me transportait, qui me donnait envie de chanter à tue-tête, de danser, de clamer mon bonheur au monde entier : j'avais retrouvé mon bien-aimé. Et je ressentais pour lui un amour brûlant, inaltérable, pur et dur comme un diamant, capable de défier le temps et les épreuves, et auprès duquel ce que j'éprouvais pour Roger n'était qu'une bien tiède affection.

— Il faut que tu saches la vérité. J'ai épousé Roger parce que j'attendais un enfant. Ton enfant.

Les yeux de Bernard s'agrandirent, son regard vacilla. Il sursauta :

— Mon enfant ! Mon Dieu ! Irène... Pourquoi ne m'as-tu rien dit ?

— Je ne pouvais pas te le dire. Tu étais lié à Diane, et je ne voulais pas lui faire de la peine. Elle était déjà suffisamment malheureuse...

— Alors, lorsque ta mère m'a appris que tu avais perdu ton bébé... c'était le nôtre ?

— Oui, c'était le nôtre, acquiesçai-je, la voix douloureuse. Il aurait dû naître ces jours-ci.

Bernard baissa la tête, posa son front sur nos deux mains réunies. Il y eut un instant de silence. Lorsqu'il me regarda à nouveau, ses yeux étaient pleins de larmes.

— Mon pauvre amour... Comme tu as dû souffrir ! Et comme tu as été courageuse ! Si seulement j'avais pu me douter...

— Lorsque Roger m'a proposé de l'épouser, j'ai accepté, pour donner un père à mon enfant. Mais je ne suis pas amoureuse de lui. C'est toi que j'aime, terminai-je avec simplicité.

Il serra davantage ma main dans la sienne :

— Moi aussi, Irène, je t'aime. Si je pouvais réparer... Ta mère m'a dit que tu avais quitté ton mari ? Est-ce définitif ?

— Je ne le sais pas encore. J'ai eu des problèmes avec

sa fille, Valérie. Elle ne m'accepte pas. La vie devenait impossible. J'ai préféré partir.

— Et... cet homme que tu as épousé ? Comment est-il ? D'après ta mère, il est très bien.

Je soupirai.

— Roger ? Oui, il est bon, et je crois qu'il m'aime sincèrement. Mais entre sa fille et moi, peut-être est-ce elle qu'il préfère.

Bernard se pencha et, avec ardeur, scrutant passionnément mon visage, il demanda :

— Puisque tu es séparée de lui, Irène, ne peux-tu envisager de le quitter pour de bon ? Je t'aime, et mon seul désir est de vivre avec toi. J'ai déploré la mort de Diane, mais maintenant que je suis libre, je peux t'épouser.

— Diane... murmurai-je. Ma mère m'a écrit pour m'apprendre son suicide. Je venais d'épouser Roger. J'ai pensé à toi. Comme tu as dû être malheureux !

— C'est vrai. Je me suis reproché de ne pas l'avoir suffisamment aimée, ni suffisamment surveillée. Elle prenait chaque soir un comprimé de somnifère. C'était moi qui le lui apportais. Elle faisait semblant de l'avaler mais, en réalité, elle les accumulait sans que je m'en aperçoive. Et, lorsqu'elle a jugé qu'elle en avait assez pour s'endormir définitivement, elle a tout avalé d'un seul coup. Elle m'a laissé une lettre, quelques lignes, dans lesquelles elle me demande pardon et me souhaite d'être heureux.

Il ferma les yeux un instant. Je l'écoutais et je le regardais, le cœur empli d'amour.

— Heureux ! s'exclama-t-il avec une sorte de sanglot. Quelle ironie ! Comme j'ai trouvé ce mot cruel, à l'époque ! Elle me laissait seul, et toi, tu t'étais mariée...

De sa main libre, il caressa doucement mon visage.

— Si j'avais su ! Je t'imaginais filant le parfait amour avec celui que tu avais épousé, et j'étais jaloux. Comme j'étais jaloux ! Si j'avais pu me douter que tu attendais mon enfant ! Et ton mari ? Le savait-il, lui ?

— Oui, je lui avais tout dit. Il acceptait l'enfant comme le sien, et je suis persuadée qu'il aurait été un père aimant et bon. Mais, déjà avant sa naissance, ce pauvre bébé créait des problèmes. Valérie disait qu'elle n'en voulait pas, qu'elle le détestait. Et moi, je pensais sans cesse à toi et je me désolais de devoir donner à mon enfant un père qui n'était pas le sien.

Bernard porta ma main à ses lèvres, parsema mon poignet de baisers qui firent courir des frissons dans tout mon corps.

— Irène... Je veux que tu sois ma femme.

— Moi aussi, dis-je avec exaltation. Roger est de garde aujourd'hui, il ne pourra peut-être pas passer me voir. Mais, dès demain, je lui parlerai. Je lui dirai que c'est toi que j'aime, je lui demanderai de me rendre ma liberté.

— Acceptera-t-il ? demanda Bernard, et l'inquiétude que révélait sa voix me fut douce.

— Je pense que oui. Nous sommes déjà séparés, et à cause de Valérie, nous n'étions pas près de reprendre la vie commune. Et puis, c'est un homme profondément bon. Il n'est pas du genre à me retenir de force auprès de lui ni à s'opposer à mon bonheur.

Je vis se lever dans les yeux de Bernard une lumière radieuse, la même que celle qui illuminait mon cœur à l'idée d'un avenir où nous serions réunis, tous les deux. Ce fut à cet instant que mes parents revinrent. Ils entrèrent dans la chambre, et en nous voyant, Bernard et moi, ils comprirent tout. Ma mère avait dû mettre mon père au courant, car, sans demander d'explications, il s'avança et dit simplement :

— Alors ?

Sans lâcher ma main qu'il tenait toujours entre les siennes, Bernard se tourna vers lui et déclara :

— Dès qu'Irène sera libre, je l'épouserai.

Mon père me regarda, vit mon sourire et le bonheur qui dansait dans mes yeux.

— Je vais parler à Roger, affirmai-je avec assurance. Il comprendra.

Ma mère ne disait rien, mais l'expression de son visage exprimait une complète approbation. Pensait-elle à Pierrot, l'amour de son enfance et de son adolescence, qu'elle avait perdu sans jamais le retrouver ?

— Si c'est ce que tu souhaites... dit mon père.

— Oh oui ! m'exclamai-je sans hésiter. C'est ce que je souhaite, de toutes mes forces.

Le lendemain, j'attendis l'arrivée de Roger avec une excitation qui, bien que je fusse immobilisée, me donnait l'impression de trépigner. Dès qu'il entra dans ma chambre, que son regard croisa le mien, il vit qu'il y avait quelque chose. Tandis qu'il s'approchait de mon lit, je remarquai combien il était séduisant dans son costume, impeccable selon son habitude, et je pensai que bien des femmes auraient été heureuses et fières de l'avoir pour mari, alors que moi, j'allais le repousser hors de ma vie. Un court instant, j'eus honte de la peine que j'allais lui faire.

— Que se passe-t-il, Irène ? Tes yeux brillent, et tu as l'air heureux d'un enfant qui connaît un secret.

— Il faut que je te dise : Bernard est venu, hier, avec mes parents.

Roger fronça les sourcils, et son visage se fit grave :

— Bernard ?...

— Oui. Il est le père de l'enfant que j'attendais. Je t'avais expliqué qu'il ne pouvait pas m'épouser. Ce que je ne t'ai pas dit, c'est que, peu de temps après notre mariage, sa femme s'est suicidée. Maintenant, il est libre. Il est venu me voir, et je... nous...

J'hésitai, soudain embarrassée, et malheureuse de voir le regard de Roger s'assombrir, s'emplir d'une douloureuse appréhension.

— Eh bien, repris-je sur un ton rapide, sans m'interrompre, nous aimerions être réunis, refaire notre vie ensemble. Alors, je voudrais que tu me rendes ma liberté.

Il y eut un silence lourd. Pendant plusieurs secondes, Roger ne dit rien, et la peine que je lus sur son visage m'émut. De nouveau, un sentiment de remords s'agita fugitivement dans ma poitrine. Je me dis que je lui rendais de façon bien ingrate l'aide qu'il m'avait apportée et que j'avais été heureuse, à l'époque, d'accepter.

Il poussa un profond soupir, et ses yeux exprimèrent une tendresse infinie tandis qu'il me disait :

— Je t'aime, Irène. Et j'avais toujours l'espoir que, toi aussi, tu m'aimerais. Peut-être y serais-tu parvenue, sans l'attitude hostile de Valérie. Même lorsque nous nous sommes séparés, je me persuadais que ce n'était que provisoire, que tu reviendrais.

Il haussa les épaules, me regarda avec un sourire où se mêlaient ironie et tristesse.

— Je ne pouvais pas m'empêcher de rêver, comme un adolescent. Mais il faut que je sois franc avec moi-même, et que je regarde la situation en face. Que puis-je t'offrir ? Je suis déchiré entre deux amours, ma fille et ma femme. Et à cause de Valérie, je ne peux même pas te dire de revenir. Je pourrais te demander de prendre patience, jusqu'à ce qu'elle accepte l'idée de ton retour. Mais l'acceptera-t-elle ? Et, si oui, quand ?... Et puis, termina-t-il avec un geste fataliste, je comprends bien que, contre cet homme que tu aimes, je n'ai aucune chance.

Son regard se nuança de gravité, de douceur, de résignation :

— Pour toutes ces raisons, et principalement parce que je t'aime, je ne m'opposerai pas à ton souhait. Je désire avant tout que tu sois heureuse, ma chérie, même si c'est avec un autre que moi.

Sa voix trembla sur ces derniers mots. Profondément touchée, je murmurai avec gratitude :

— Merci, Roger.

— Ne me remercie pas. Lorsque tu auras épousé celui que tu aimes et que tu seras heureuse avec lui, ne m'oublie pas complètement. Pense à moi de temps en temps, et dis-toi que, même loin de toi, je t'aimerai toujours.

Je cillai plusieurs fois pour chasser les larmes qui me montaient aux yeux, et j'adressai à mon mari un sourire reconnaissant et tremblant.

— Ce sera un divorce à l'amiable, Irène. Si tu le veux, je vais m'occuper des démarches sans tarder. Mon ami Christian, dont je t'ai déjà parlé, est avocat. J'irai le voir dès que possible.

— Merci, Roger, répétai-je.

Il se pencha et posa sur mon front un baiser presque paternel.

— Je vais te laisser, ma chérie. Mes malades me réclament.

Il se redressa, prit son attaché-case qu'il avait posé dans un coin de la chambre, et j'eus l'impression qu'il voulait s'éloigner de moi, pour me cacher la souffrance que je lui causais.

— Je dois avouer que je ne m'attendais pas à cette nouvelle, constata-t-il comme pour lui-même, d'un ton lourd d'amertume.

Tout en se dirigeant vers la porte, il m'adressa un sourire railleur :

— En tout cas, quelqu'un qui sera ravi, c'est Valérie. Elle qui s'opposait à ton retour va bondir de joie quand je vais lui annoncer qu'il n'aura jamais lieu.

Sur ces paroles, il se détourna et, tandis qu'il sortait, je remarquai qu'il courbait les épaules, dans une attitude de vaincu. Au remords que j'éprouvais vint s'ajouter un sentiment de pitié.

* * *

J'oubliai que j'étais à l'hôpital, j'oubliai mon immobilité forcée et ma jambe plâtrée. J'écoutais avec ravissement mon cœur chanter, et j'adressais aux infirmières qui me soignaient des sourires radieux.

— Des patients comme vous, c'est agréable, me dit l'une d'elles. Jamais de plaintes, jamais d'exigences. Si tous les malades étaient ainsi, notre métier serait beaucoup moins pénible.

Je brûlais d'annoncer à Bernard l'accord de Roger. Mais je ne pouvais pas le prévenir, ni écrire à mes parents, ni même leur téléphoner. La grève paralysait toujours l'ensemble du pays. A Paris et dans les grandes villes de province, les manifestants continuaient de défiler, exigeant la satisfaction de leurs revendications. Antoine vint me voir et m'apprit qu'une grande manifestation était prévue à Lille le jeudi 30, à l'appel de la C.G.T., de la

F.E.N. et de l'U.N.E.F., réunissant ainsi travailleurs, enseignants et étudiants.

— Nous espérons être encore plus nombreux que la dernière fois. Nous devons montrer au gouvernement que les événements actuels ne sont que l'explosion d'un énorme mécontentement. Les gens sont saturés de dix ans d'autoritarisme. Il faut que ça change, conclut-il inévitablement.

Comme je l'avais supposé, il espérait que le référendum, prévu pour le 16 juin, apporterait au général de Gaulle une réponse négative, et que celui-ci, conformément à sa promesse, se retirerait.

— François Mitterrand a annoncé que, dans ce cas, il se proposait à prendre le pouvoir et à constituer un gouvernement provisoire avec la participation des communistes. Un tel gouvernement nous donnera satisfaction, j'en suis certain. J'espère, Irène, que le 16 juin tu pourras te déplacer et que tu iras voter « non ». Quand dois-tu sortir de l'hôpital ?

— Le médecin m'a promis que je pourrai partir la semaine prochaine. Il a parlé de lundi. Mais je ne sais pas si je pourrai aller voter.

— Mais si, il faut y aller. Chaque voix est précieuse. C'est tout notre avenir qui est en jeu. Penses-y, Irène.

J'approuvai d'un signe de tête machinal. Je préférais penser à mon avenir avec Bernard, mais je n'en dis rien à Antoine. Il n'aurait pas compris.

Peu de temps après son départ, Gilles arriva. Je ne m'attendais pas à sa visite, et je l'accueillis avec une surprise joyeuse.

— Gilles ! Que c'est gentil d'être venu me voir ! Cela me fait très plaisir.

J'étais sincère. Gilles était le plus ancien de tous mes collègues, et, par là-même, le plus patient, le plus tolérant. J'aimais sa sagesse, sa philosophie, et les conseils qu'il me prodiguait lorsqu'un problème quelconque m'embarrassait.

Pourtant, ce jour-là, son calme habituel semblait l'avoir quitté. Lorsque je lui demandai des nouvelles du C.E.S., toujours en proie à la grève, il secoua la tête avec humeur.

— Ça dégénère, Irène. Si tu voyais ça ! Nos élèves veulent imiter leurs aînés étudiants. Et figure-toi que, puisque tout le monde a des revendications, ils viennent à leur tour apporter leurs doléances.

— Ah bon ?

— Mais oui. Déjà, les lycéens ont demandé l'abolition de la notation sur 20, la suppression des compositions trimestrielles, des moyennes et des classements. C'est un système « bourgeois et répressif » à supprimer totalement.

— Ah bon ? répétai-je, ahurie.

— Tu ne le savais pas ? Eh bien, je te l'apprends. Dans notre C.E.S., la délégation d'élèves, composée à mon avis des plus délurés, a exigé principalement de pouvoir fumer librement à la porte de l'établissement sans crainte de représailles. C'est tout ce qui les intéresse. Ils demandent aussi que la discipline soit moins sévère. Ils citent l'un des slogans partis de la Sorbonne et qui font le tour de la France : « Il est interdit d'interdire ». Et, bien entendu, ils sont contents d'eux et de leurs exigences.

— Mais... s'il n'y a plus de notes, comment allons-nous faire ? Il n'y aura plus de devoirs, ni d'interrogations ?

— Ah, voilà ! Comment allons-nous faire ? Certains préconisent, pour les devoirs que, peut-être, nous aurons encore le droit de donner, une notation basée sur des lettres : A, B, C, D. E. La lettre A représenterait une note de 16 à 20, B de 12 à 16, et ainsi de suite jusqu'à E, la plus mauvaise appréciation, de 0 à 4. Il paraît que ce système traumatiserait beaucoup moins les élèves que les notes auxquelles ils sont habitués.

— C'est ridicule ! protestai-je. Un élève qui se retrouvera avec la lettre E comprendra bien que son devoir est mauvais. Je ne vois pas en quoi c'est moins traumatisant.

— Il pourra toujours espérer qu'il a eu 4, même si son devoir vaut zéro. A mon avis, si on en arrive à un tel système, ça ne durera pas longtemps. Je suis persuadé qu'on reviendra vite à la notation sur 20. Je parie même que ce sont les élèves eux-mêmes qui la réclameront. Je les entends d'ici : « Monsieur, vous avez mis C à mon devoir. Est-ce que ça signifie que j'ai 8, ou que j'ai 12 ? Ou bien 10 ? »

Je ne pus m'empêcher de rire. Gilles se dérida un peu, mais, bien vite, il fronça de nouveau les sourcils.

— Ce qui m'inquiète, c'est la discipline qui risque de se relâcher. Sans autorité, nous ne sommes rien. Et jusqu'ici, elle était déjà bien souvent contestée. Alors, si on nous la retire... Vouloir fumer à la grille du C.E.S. ! Pourquoi pas dans les salles de classe, pendant qu'ils y sont ?

— Allons, dis-je, ne t'énerve pas. Ils demandent ça dans la fièvre du moment. Rien ne dit que ce sera accepté.

— Au contraire, j'ai bien peur qu'ils obtiennent satisfaction. *Barbe-Fine* ne veut pas se montrer rétrograde. Et, après cette exigence, ils en formuleront une autre. Et une autre encore. Où cela s'arrêtera-t-il ? Je ne vois pas notre avenir bien rose, conclut-il avec un air sombre.

Il bavarda encore quelques instants sur le même sujet, puis me quitta en répétant qu'à son avis, l'enseignement se préparait des jours bien difficiles. Je pensai qu'Antoine, au contraire, prévoyait un avenir nettement meilleur. Que fallait-il croire ?

J'écoutais toujours les informations à la radio, grâce au transistor de Mme Duriez. Le jeudi 30 mai, j'entendis le général de Gaulle s'adresser au pays et déclarer qu'il ne se retirerait pas. « J'ai un mandat du peuple, annonça la voix grave, profonde. Je le remplirai. » J'appris ainsi que le référendum était différé. Par contre, l'Assemblée Nationale allait être dissoute, et il y aurait des élections législatives. Suivrait un remaniement ministériel, mais Georges Pompidou resterait Premier ministre.

Ce discours fut suivi d'une importante manifestation de soutien, et le même jour une foule innombrable défila, entre la Concorde et l'Étoile, pour la défense de la République, aux cris de « Vive la France » et « Le communisme ne passera pas ». Une même manifestation se produisit le lendemain, à Lille, proclamant fidélité et attachement au général de Gaulle. La situation se mettait à changer. A côté de tous ceux qui exprimaient leur mécontentement se levait maintenant l'autre partie de la France, celle qui, comme Gilles, attachée au général de Gaulle et aux valeurs traditionnelles, refusait la révolution et le communisme.

En éteignant le transistor, je pensai que Gilles serait content, et sans doute rassuré. Par contre, ces nouveaux événements ne manqueraient pas de contrarier Antoine, qui voyait s'éloigner la perspective du changement souhaité. Après de nombreuses négociations, parfois difficiles, la grève semblait vouloir prendre fin. La reprise du travail s'amorçait.

Roger, qui passait me voir chaque soir, après sa tournée de visites, avait adopté envers moi une attitude mi-amicale, mi-paternelle. Il s'inquiétait de mon état, de mes désirs, et faisait semblant d'ignorer la lumière qui, je le sentais, brillait dans mes yeux. Le samedi soir, il m'annonça, en évitant de me regarder :

— Demain, tes parents viendront. Et... Bernard également. Moi, par contre, je ne viendrai pas. Il est inutile que je sois là. Le vieux mari ne ferait que vous encombrer.

Je ne protestai pas. Roger attendit un instant, puis continua :

— Tu vas sortir lundi. Je viendrai te chercher et je te conduirai chez Mme Duriez. Elle fera tes courses et t'apportera tout ce que tu désireras. Elle sera auprès de toi pour t'aider, et je suis rassuré de savoir qu'ainsi tu ne seras pas seule. Et moi aussi, j'accourrai dès que tu auras besoin de moi. N'hésite pas à m'appeler, Irène, et considère-moi comme un ami. Un ami sincère et dévoué, qui ne souhaite que ton bonheur.

Je dis d'une voix basse, émue :

— Merci, Roger. Tu es bon.

J'eus envie de lui demander quelle avait été la réaction de Berthe et de Valérie, lorsqu'elles avaient appris que je ne reviendrais pas. Mais je retins ma question. Je devinais trop bien la réponse, qui de toute façon ne ferait que me blesser. Je n'avais jamais rien fait pour mériter l'animosité de Valérie. Pourtant, je savais qu'elle serait heureuse et soulagée à l'idée de ne jamais me revoir. Quant à Berthe, elle éprouverait sans doute les même sentiments.

Je ne voulais plus penser à elles. Bientôt, elles feraient partie du passé, un passé que le bonheur, auprès de Bernard, me ferait oublier.

* * *

Enfin, il fut là. De nouveau, nous étions tous les deux dans ma chambre d'hôpital que sa présence transformait en un lieu idyllique, nous tenant les mains, nous regardant avec extase. Mes parents, avec discrétion, nous avaient laissés seuls.

— Irène, mon amour... Je t'aime.

— Bernard... Je t'aime.

Nous ne nous lasserions jamais de nous dire notre amour. Nous qui avions cru être séparés pour toujours, nous étions maintenant éblouis de nous retrouver, de savoir que nous allions pouvoir vivre ensemble tous les jours de notre vie.

— J'ai parlé à Roger. Il accepte de me rendre ma liberté. Avec un ami qui est avocat, il va s'occuper du divorce.

Les yeux de Bernard se firent plus lumineux, plus ardents.

— Irène... C'est merveilleux.

Il se pencha, m'embrassa, d'abord avec douceur, puis avec passion. Ce fut un long baiser, profond, brûlant. Je nouai mes bras autour de son cou, je fermai les yeux sur une multitude d'étoiles. J'éprouvais une plénitude émerveillée. J'avais retrouvé mon bien-aimé.

Ensuite, il attira la chaise auprès de mon lit, s'assit, prit mes mains dans les siennes :

— Nous pouvons commencer à faire des projets d'avenir, mon amour, dit-il avec une impatience heureuse. Dès que je le pourrai, je t'épouserai. En attendant, nous apprendrons à nous connaître. Nous avons eu si peu de temps pour le faire !

Il lança un coup d'œil au plâtre qui immobilisait ma jambe :

— A partir du moment où cet accident ne sera plus qu'un mauvais souvenir, je t'emmènerai partout. Au restaurant, au cinéma, au théâtre. Nous ferons de longues promenades, nous bavarderons... Nous nous aimerons.

Dans ses yeux, les paillettes dorées se mirent à danser tandis qu'il me regardait. Je pensai qu'il faudrait, en effet, que nous ayons de longues discussions. Il n'y aurait pas de secrets entre nous, je lui raconterais tout. Je lui parlerais de cette fois où j'avais voulu aller trouver Georgina, je lui confierais mes soupçons au sujet de l'accident qui m'avait fait perdre mon bébé. Il ne devait rien ignorer.

Il posa un baiser sur mes doigts, interrogea avec une pointe d'inquiétude :

— Où seras-tu l'an prochain ? Enseigneras-tu toujours au même endroit ?

— Je ne crois pas. Le principal m'a déjà prévenue que, à la rentrée, mon poste risque d'être occupé par un professeur certifié. Dans ce cas, je serai nommée ailleurs.

— Si tu es trop loin pour que nous puissions nous voir tous les jours, je viendrai chaque dimanche. Nous reprendrons tout à zéro, Irène. Cette année sera notre année de fiançailles. Ensuite tu demanderas à être nommée plus près. Nous nous marierons. Tu seras ma femme, tu vivras auprès de moi.

Son regard se fit plus grave, plus tendre :

— Pour remplacer l'enfant que tu as perdu, nous en aurons d'autres, autant que tu voudras. Et je te le promets, mon amour, nous serons heureux.

Je le regardai, je regardai ses yeux emplis de passion, de désir, de sincérité. Je savais qu'il disait la vérité. Je savais que notre amour nous ferait vivre dans un monde illuminé de soleil, même lorsque le temps serait gris et pluvieux.

Avec une certitude sereine, je souris à mon bien-aimé, enfin mien pour toujours.

— Oui, répétai-je avec ferveur. Oui, nous serons heureux.

Achevé d'imprimer sur les presses de

BUSSIÈRE

GROUPE CPI

à Saint-Amand-Montrond (Cher)

en avril 2005

POCKET - 12, avenue d'Italie - 75627 Paris Cedex 13

Tél. : 01-44-16-05-00

— N° d'imp. : 40508. —

Dépôt légal : juin 1997.

Suite du premier tirage : mai 2005.

Imprimé en France